DIALOGUE
AVEC HEIDEGGER

DU MEME AUTEUR

Dialogue avec Heidegger.
I. Philosophie grecque, 1973
II. Philosophie moderne, 1973.
III. Approche de Heidegger, 1974.

Chez d'autres éditeurs :

Le poème de Parménide, P. U. F., 1955.
Introduction aux philosophies de l'existence, Denoël, collection « Médiations », 1971.

JEAN BEAUFRET

DIALOGUE
AVEC HEIDEGGER

PHILOSOPHIE MODERNE

ARGUMENTS

LES ÉDITIONS DE MINUIT

© 1973 by Les Éditions de Minuit
7, rue Bernard-Palissy — 75006 Paris

ISBN 2-7073-0164-7

NOTE SUR LES ABREVIATIONS

Dans les notes ont été citées, sauf indication contraire, les éditions suivantes :

Descartes. *Œuvres,* éd. Adam et Tannery (A. T.), Paris, 1897...

Pascal. *Œuvres,* éd. L. Brunschvicg, P. Boutroux, A. Gazier, coll. « Les Grands Ecrivains de la France », Paris, Hachette, 1904-1914.

Leibniz. *Die philosophischen Schriften von G. W. Leibniz* (*Phil.*), éd. C. I. Gerhardt, Berlin, 1875 ; réimpr. Hildesheim, Olms, 1960 ; *Mathematische Schriften* (*Math.*), *id.,* Berlin, 1849 ; réimpr. Hildesheim, Olms, 1971.

Kant. *Werke,* éd. Cassirer, Berlin, Bruno Cassirer, 1922 ; T. P. renvoie à la traduction Tremesaygues et Pacaud de la *Critique de la raison pure* (P. U. F.) ; la pagination indiquée est celle des tirages récents ; A et B désignent les deux éditions originales de la *Critique* (1781 et 1787).

Hegel. *Werke* « *Jubiläumsausgabe* », Stuttgart, Frommann, 3ᵉ éd., 1959, pour la *Science de la logique* (*W. L.*) et l'*Histoire de la philosophie* (*G. P.*) ; en revanche, sont citées dans l'édition Hoffmeister, Leipzig, Meiner, la *Phénoménologie de l'Esprit* (*Ph.*), *La Raison dans l'Histoire* (*V. G.*), la *Philosophie du droit* (*R.*) et la *Realphilosophie* d'Iéna.

Schelling, éd. Schröter, Münich, 1927.

Marx. *Marx-Engels sämtliche Werke,* Berlin-Est, Dietz-Verlag, pour le *Capital* (*K.*), l'*Idéologie allemande* (*D. I.*) et la *Sainte Famille* (*H. F.*).

Nietzsche. *Werke,* « *Grossoktavausgabe* », Leipzig, Kröner, 1913.

Parmi les œuvres de Heidegger, citées d'après les éditions allemandes :

Sein und Zeit (*Etre et Temps*), 1927, *S. Z.*

Vom Wesen des Grundes (*L'Essence du fondement*), 1929 *W. Gr.*

Was ist Metaphysik ? (*Qu'est-ce que la métaphysique ?*) 5ᵉ éd., 1949, *W. M. ?*

Platons Lehre von der Wahrheit, mit einem Brief über den « Humanismus », Berne, 1947 (*La Doctrine platonicienne de la vérité*, avec une *Lettre sur l' « Humanisme »*), *P. L.* et *Brief...*

Kant und das Problem der Metaphysik (*Kant et le Problème de la métaphysique*), éd. de 1951, *K. M.*

Holzwege (Chemins qui ne mènent nulle part), 1950, *Hzw.*

Einführung in die Metaphysik (*Introduction à la métaphysique*), 1953, *E. M.*

Vom Wesen der Wahrheit (*De l'essence de la vérité*), 1943, *W. W.*

Die Frage nach dem Ding (*La Question de la chose*), 1962, *F. D.*

Der Satz vom Grund (*Le Principe de raison*), 1957, *S. G.*

Vorträge und Aufsätze (*Essais et conférences*), 1954, *V. u. A.*

Was heisst Denken ? (*Qu'appelle-t-on penser ?*), 1954, *W. D. ?*

Kants These über das Sein (*La Thèse de Kant sur l'être*), 1963, *Kants These...*

Identität und Differenz (*Identité et différence*), 1957, *I. D.*

Unterwegs zur Sprache (*Le Chemin de la parole*), 1959, *U. z. S.*

Nietzsche, 1961, *N.*

Zur Sache des Denkens (*Droit à l'affaire de la pensée*), 1969, *Z. S. D.*

Heraklit (en collaboration avec Eugen Fink), 1970.

Schellings Abhandlung über das Wesen der menschlichen Freiheit (*Les Recherches de Schelling sur l'essence de la liberté humaine*), 1971, *Sch. Abh.*

LA PHILOSOPHIE CHRETIENNE

Philosophie chrétienne, c'est une locution qui, en un sens, sonne aussi bizarrement que science chrétienne. Non que les chrétiens ne puissent pas être des savants. Ce n'est pas cependant en tant que chrétiens qu'ils le sont. S'il leur arrive de l'être, c'est en effet, comme l'écrivait Copernic au pape Paul III, *ex illo processu demonstrationis, quam* μέθοδον *vocant* [1], processus dans lequel rien n'est à omettre, mais auquel rien ne peut arriver du dehors. Sans doute peuvent-ils faire preuve, en s'appliquant à ce « processus », de vertus proprement chrétiennes. En ce sens il peut même y avoir une science française. Si cependant, comme dit Heidegger, l'éclatement en sciences est le destin de la philosophie, les sciences en « sortant » au double sens du mot, c'est-à-dire au sens où elles en proviennent, mais aussi la quittent [2], on se demande comment il pourrait y avoir en deçà des sciences une philosophie chrétienne. Mais peut-être faudrait-il d'abord examiner la locution : philosophie chrétienne — ou du moins en examiner une définition.

Dans un livre publié en 1932 sous le titre, *L'Esprit de la philosophie médiévale*, M. Gilson nomme chrétienne toute philosophie qui, bien que distinguant formellement les deux ordres, celui du surnaturel et celui de la raison, « considère la révélation chrétienne comme un auxiliaire indispensable de la raison [3] ». Sur cette base, il sera facile de qualifier de chrétiennes bien des

---

1. *Des Révolutions des Orbes célestes,* lettre-préface (éd. Koyré, Blanchard, 1970), p. 42.
2. *W. D. ?,* p. 52.
3. *L'Esprit de la philosophie médiévale* (Vrin, 1932), I, 32.

philosophies. Celle de Kant par exemple. Au total, il y aura
même un peu trop de philosophies chrétiennes ! Cela tient à
l'indétermination du mot : auxiliaire. Kant, en effet, non seulement n'a jamais nié, mais a bel et bien affirmé ce caractère auxiliaire de la révélation chrétienne. Il est donc un philosophe chrétien au sens de M. Gilson. Parlant de la « confiance » philosophique « dans la promesse de la loi morale », il écrit en effet : « Le
mot *fides* exprime déjà cela ; ce qui cependant paraît ici donner à
penser, c'est la manière dont cette expression et l'idée qu'elle
détermine se sont introduites dans la philosophie morale, puisque
c'est avec le christianisme qu'ils y ont, au départ, fait leur entrée,
et que les faire siens pourrait peut-être sembler n'être qu'une
imitation de sa langue poussée jusqu'à la flatterie. Ce n'est
pourtant pas le seul cas où cette merveilleuse religion, dans la
simplicité grandiose de son style, a, dans le domaine de la morale,
enrichi la philosophie de concepts beaucoup plus précis et beaucoup plus purs que ceux qu'elle avait bien pu livrer jusque-là ;
mais, une fois donnés, c'est *librement* qu'ils sont approuvés par
la raison et accueillis comme des concepts auxquels elle aurait
pu et dû venir d'elle-même, et ainsi les introduire par elle-
même [4]. » Ce que Kant dit ici d'une manière voilée, c'est que la
raison ne serait jamais arrivée à penser philosophiquement l'*au-
tonomie* de la volonté *sans le secours* (*auxilium*) de la révélation
chrétienne qui, définissant le joug divin comme suave et son
fardeau comme léger, intervient ici explicitement comme « auxiliaire indispensable de la raison ». Ce texte, que personne n'a
songé à citer le 21 mars 1931, c'est-à-dire le jour où, à la
Société française de philosophie, on discutait de la philosophie
chrétienne — mais les philosophes avaient déjà tant à lire qu'il
ne leur restait plus assez de temps pour lire Kant —, donne
péremptoirement raison à M. Gilson contre tous ses contradic-
teurs de l'époque quand il leur disait : « La question que je
pose est de savoir si la révélation chrétienne n'a pas introduit
des idées qui sont devenues philosophiques et valables pour des
philosophes authentiques tels que Descartes et Leibniz [5]. » Mais
bien sûr ! avait déjà répondu en 1790 à la question que posera
en 1931 M. Gilson un philosophe aussi peu contestable, dans sa
qualité de philosophe, que Kant.

Il y a donc de la philosophie chrétienne. Ce serait même, en
un sens, toute la philosophie qui, depuis le christianisme, est
chrétienne. Celle de Kant non moins que celle de Descartes, et
celle de Hegel non moins que celle de Kant. A ce titre, même
Nietzsche est un philosophe chrétien. Car d'où l'idée antigrecque

---

4. *Critique du jugement,* § 91, note.
5. *Bulletin de la Société française de philosophie,* mars-juin 1931, p. 58.

et faustienne que la domination de la terre est sur le point de tomber entre les mains des hommes lui serait-elle devenue philosophiquement intelligible sinon, dit Heidegger, « de la parole d'un Ancien Testament [6] » qui ne pouvait être que familière au fils de pasteur qu'était Nietzsche : *Subjicite eam* — ou plutôt, disait Luther à Nietzsche : *macht sie euch untertan !* La révélation est donc, pour Nietzsche, l'auxiliaire de la raison. Il est dès lors un philosophe chrétien.

Tout cela est, en apparence au moins, un peu trop beau, et nous engage à examiner d'un peu plus près la proposition de M. Gilson : est chrétienne toute philosophie pour laquelle, sans confusion des plans, la révélation chrétienne est considérée comme un auxiliaire indispensable de la raison. Le point sensible est à mes yeux le dernier mot : la *raison*. Ici M. Gilson fait visiblement de la philosophie ce que Heidegger nommait, l'été 1955, au début de la conférence de Cerisy : *eine Sache der ratio* — une affaire de la raison. Cette affirmation, ajoutait-il, tout un chacun la tiendra pour *juste*. Et cependant « peut-être est-ce là une réponse brutalement précipitée à la question : qu'est-ce que la philosophie ? ». Car la question ne fait que rebondir : « Qu'est-ce que cela : la raison ?... Est-ce d'elle-même que la raison s'est rendue maîtresse de la philosophie ? Si oui, de quel droit ? Si non, d'où reçoit-elle sa mission et son rôle ? » En d'autres termes, la philosophie est-elle vraiment une affaire de la raison ? Jusqu'à devenir cet héroïsme de la raison que célébrera en 1935 Husserl à la fin de sa deuxième conférence de Vienne ? Ou ne serait-ce pas bien plutôt la raison qui serait *eine Sache der Philosophie* — une affaire de la philosophie ?

Si bien que la confrontation révélation et raison ne suffirait nullement à une définition de la philosophie chrétienne — du moins comme philosophie sinon comme chrétienne ! Nous reconnaissons ici le mouvement tournant qui est le mouvement même de la pensée de Heidegger et qu'il définissait peu auparavant à propos de la technique [7], en disant que la tâche essentielle de la pensée était : *durch das Richtige hindurch das Wahre suchen* — autrement dit : à travers les trop évidentes perspectives de grenouille, comme dit Nietzsche, pour lesquelles l'arbre empêche de voir la forêt, s'aventurer jusqu'à la forêt, s'engager même sur les *Holzwege* qui sont ses véritables chemins. La conférence de Cerisy fut, à l'insu peut-être des participants, un tel cheminement plus essentiel que tout acheminement.

Supposant donc la raison *Sache der Philosophie* plutôt que la philosophie *Sache der ratio,* où sommes-nous dès lors transpor-

---

6. *V. u. A.,* p. 106.
7. *Ibid.,* p. 15.

tés ? Devant la question même de Cerisy : *Was ist das, die Philosophie ?* Je n'ai pas l'intention de refaire la conférence, c'est-à-dire le cheminement si modeste qui déçut la plupart des auditeurs, les auditeurs de Heidegger étant trop savants pour Heidegger. Il s'agissait cependant, à la mesure d'une conférence, d'un dépaysement jusqu'à la naissance même de la philosophie sur le chemin d'Héraclite à Platon. Car la philosophie dans son ensemble est précisément ce *Holzweg* d'où le bois ne cesse d'arriver à la forêt sans que l'on se préoccupe beaucoup de l'origine secrète d'un tel arrivage, tant depuis longtemps l'arrivage dépasse la commande. Le miracle est que, même *post festum,* disait Schelling, l'arrivage persiste d'autant plus, dans un flot continu de cette « moutarde après dîner [8] », disait-il aussi, que même l'organisation scientifique de la recherche n'arrive pas à le canaliser. C'est qu'il faut dire aujourd'hui peut-être de la philosophie ce que Lautréamont disait en son temps de la poésie : « La philosophie doit être faite par tous. Non par un. »

Mais enfin, sur le chemin peu encombré d'Héraclite ou de Parménide à Platon, il s'est peut-être passé plus de choses, et avec une vitesse plus fulgurante (c'est toujours Schelling qui parle) qu'il ne s'en passe sous nos yeux, à nous qui nommons étourdiment « accélération de l'histoire » ce qui est plutôt, dit Heidegger, l'entrée de l'histoire dans sa plus étonnante stagnation. Mais quoi ? C'est sur ce chemin, dit Platon, que le λόγος nous est né. Qu'il nous est né, précisons-le, en tant que *philosophique,* car il n'était pas encore tel avec Héraclite. Héraclite était-il donc *pré-philosophique ?* Assurément. Pas au sens cependant où, entre les choses et les mots, il serait encore balbutiant. Etre entre les choses et les mots, c'est une aventure qui n'arrivera au λόγος que bien plus tard. Une telle locution en tout cas ne contribue guère à situer Héraclite ou Parménide. D'autre part le λόγος, même platonicien, est à une distance redoutable de ce que sera, quelques siècles plus tard, la *ratio,* le mot *ratio* étant pourtant la traduction latine du grec λόγος. Mais la traduction, dit Heidegger, n'est pas ici cet événement inoffensif qui consisterait à remplacer un mot par son prétendu équivalent dans une autre langue. Elle est le passage non d'un *mot* à un autre, mais bien d'un *monde* à un autre, passage ignoré de celui qui a déjà franchi le pas. Il n'est pas indifférent que la traduction proprement philosophique ait été celle du grec en latin. Nous en connaissons quelques épisodes, comme la naissance du terme *essentia* dans une lettre de Sénèque à Lucilius. Mais nous ne savons guère à quelle époque, certainement beaucoup plus tardive,

---

8. *Werke,* XIII, 91.

ἐνέργεια fut systématiquement traduit par *actus,* c'est-à-dire par un mot qui parle exactement à contresens du mot grec qu'il remplace. Nous n'en sommes que d'autant plus renvoyés à la méditation du phénomène qui, sous le nom de traduction, se produit en toute inapparence à la rencontre des langues porteuses de l'histoire unique dont l'autre nom est : Occident [9] — ce qui n'est nullement renvoyer de la philosophie à la linguistique.

Mais que signifie l'apparition proprement grecque du λόγος et de son λέγειν ? Λέξον με, disait dans l'*Iliade* le vieux Priam au jeune Achille, l'un et l'autre, dit le poème, au visage de dieu. Λέξον με, cela veut dire exactement [10] : ἔα με κεῖσθαι, donne-moi où m'étendre. Le vieux Bailly de notre enfance avait beau scinder en deux verbes indépendants, et même en trois, le même λέγω au sens de dire, de recueillir et de coucher, ce n'en est pas moins un seul et même verbe auquel λέχος aussi bien que λόγος et aussi ἐκ-λογή ou ἔκ-λεξις [11] répondent substantivement ! Mais quel rapport pouvons-nous avoir avec ce qui ainsi s'étend ou s'est étendu devant nous, comme Ithaque dans la mer, plus basse que les autres îles ? Quel rapport, sinon avant tout celui du retrait ou du recul qui laisse au λεγόμενον c'est-à-dire au κείμενον, Priam ou non, Ithaque ou non, qu'il s'agisse même du corps d'Hector tel que κεῖται ἐν λεχέεσσι, l'espace dans lequel il lui est donné de se déployer dans son λέγεσθαι ou dans son κεῖσθαι ? Non sans doute pour l'abandonner, le laisser en plan comme quand on laisse en la lâchant une affaire devenue fastidieuse. Mais pour qu'à la faveur de ce recul devant l'étant il apparaisse non plus seulement comme ce qu'il est au premier plan, mais selon précisément son λέγεσθαι ou son κεῖσθαι, autrement dit, et ce qui est essentiellement même, dans son εἶναι, à savoir, précisera Aristote : ᾗ ὄν. Il y a, dit-il, une ἐπιστήμη, un maintien devant l'étant, qui ἐπισκοπεῖ καθόλου περὶ τοῦ ὄντος ᾗ ὄν, qui, faisant des visées à son sujet, l'examine dans son entier *par où* il est. Ce maintien singulier et qui est le fond de l'esprit grec, son ἑλληνίζειν, sera nommé plus tard métaphysique. Qu'est-ce que la métaphysique ? C'est avant tout, en face de l'étant, le retrait proprement grec qui le laisse apparaître ᾗ ὄν — *comme* étant, c'est-à-dire par où il est. Quand, dans *Ménon,* Socrate demande à Ménon à propos du garçon ou de l'esclave ou comme on voudra dire, dont il attend la *preuve* de sa théorie de l'*anamnèsis* : Ἕλλην μὲν ἐστι καὶ ἑλληνίζει ; cela ne veut pas dire, comme on traduit ordinairement : Est-il grec et parle-t-il grec ? La question veut dire en réalité : Est-il

9. *Hzw.,* p. 341.
10. *Iliade,* XXIV, v. 600.
11. Platon, *Phèdre,* 239d.

capable, devant l'étant, au lieu de *es einfach hinnehmen* [12], de ce retrait proprement grec que l'on nommera plus tard métaphysique. Autrement, c'est-à-dire s'il n'était pas capable du retrait grâce auquel paraissent les choses « juste par où elles sont [13] » l'expérience serait vouée à l'échec, à moins qu'elle ne devienne, ce qui serait anachronique, une simple expérience pour voir. Ici la démocratisation pure et simple de l'épisode telle que la concélèbrent à l'envi aussi bien les plus jeunes gauchistes que les académiciens les plus chevronnés n'a qu'un défaut : elle saute à pieds joints par-dessus l'essentiel.

Nous définirions ainsi la métaphysique par le retrait proprement grec devant l'étant — retrait, dit Heidegger, « qui le laisse, lui l'étant, se manifester en ce qu'il est et comme il est, de manière à recevoir de lui, l'étant tel qu'il se manifeste par où il est, la norme d'une représentation qui s'accorde avec lui ». Le retrait grec *laisse* être l'étant. Le rapport grec à l'étant est : laisser être [14]. Le mot grec qui dit la chose est le verbe ἐᾶν — ἐᾶν εἶαι τὰ εἴδη τῶν ὄντων, lisons-nous dans *Parménide* — ou, dans la langue si hardie de *Philèbe* : ἐᾶν ἐγγενέσθαι τὸ ποσόν τε καὶ τὸ μέτριον, laisser s'*être produit* le combien et le mesuré. Cet ἐᾶν, ce *laisser* qui est le rapport grec à l'être et auquel répond si bien le *lassen* allemand, mais si approximativement notre *laisser,* ne consiste donc pas à le laisser tomber pour ne plus s'en occuper (ἐᾶν χαίρειν), mais au contraire à se placer par rapport à lui dans une *position de recueil (Aufnahmestellung)* [15]. Donc non pas à le laisser échapper [16], mais à le « sauver ». Mais sauver quoi, au juste ? Aristote le dit clairement au début de la *Physique :* sauver ce qui est non pas ἡμῖν, pour nous, mais τῇ φύσει, dans son être, σαφέστερον, plus en lumière et devant quoi « comme les yeux des nocturnes devant la lumière du jour, ainsi *nos* yeux sont devant lui ». C'est ce que fait déjà à sa manière le simple garçon de *Ménon,* parce qu'il y a déjà *en lui* quelque chose de cette « philosophie » que Platon, à la fin de *Phèdre,* se plaira à saluer en Isocrate. Tout se meut donc ici dans une énigmatique distinction de l'*étant* et de l'*être.* L'entreprise qu'est le retrait grec, autrement dit la métaphysique, lisons-nous dans *Holzwege,* a ceci de particulier qu'elle *lässt eigens das ἧ in Bezug auf das ὄν geschehen* [17]. Ce qu'elle a de plus propre est de laisser advenir le ἧ en relation avec l'ὄν. L'être

---

12. *E. M.,* p. 105.
13. Platon, *Cratyle,* 386e.
14. *E. M.,* p. 16.
15. *Ibid.,* p. 105.
16. Platon, *Rép.,* IV, 432b.
17. *Hzw.,* p. 174.

n'est pas ici une chose différente de l'étant et comme un deuxième étant qui se cacherait derrière le premier [18]. Il n'est pas non plus un passage progressif [19] de l'étant à autre chose, mais bel et bien un *saut* de l'un à l'autre,, gardant en vue ce d'où il saute, et qui lui apparaît dès lors *auf eine andere Weise als zuvor überblickbar* [20]. Mais quelle modalité autre ? Ce qu'il venait de *nommer* en le montrant du doigt : un chien, un homme, un cheval, une table — d'une façon générale : l'étant, cela lui apparaît maintenant à la lumière du *verbe* qu'éclipsait la nomination première : il est, il était, il sera, comme *sujet* ou comme *d'un sujet,* et, à ce deuxième point de vue, comme essentiel ou seulement accidentel — les Grecs disaient : de compagnie —, à moins que le sujet lui-même soit pensé d'une autre manière que comme sujet de la proposition, devenant par exemple le ποιούμενον de la φύσις aussi bien que de la τέχνη, dans cette interprétation transcatégoriale de l'être qui, retenant en elle l'interprétation catégoriale qu'elle dépasse, est le sommet le plus original de la *Métaphysique* d'Aristote, sommet auquel se rattache sa théologie, et même son interprétation de toute la philosophie première *comme* ἐπιστήμη θεολογική. La métaphysique au sens grec est donc l'apparition du *verbal* dans le *nominal*, autrement dit *l'apparition du participe,* mais au sens où Chateaubriand dit : *Apparition de Combourg.* Combourg, le poète le connaissait depuis son enfance. Et voilà que soudain mais à distance, Combourg apparaît, ce qui en lui est σαφέστερον φύσει, éclipsant maintenant ce qui n'était que σαφέστερον ἡμῖν, et, dit le poète, « subitement », au sens où Heidegger écrira sans penser au poète qui pourtant passa par Messkirch et même y dîna, que c'est « subitement » et non par un « passage progressif », autrement dit « d'un saut » que l'être se laisse, disait Platon, *remémorer* dans l'étant. Ainsi pensèrent ces φιλομέτοχοι, ces *zélateurs du participe* que furent, au matin du monde grec, les fondateurs de la métaphysique.

Heidegger écrit dans *Holzwege* [21] : « Si l'on définit la métaphysique par l'apparition de la différence ontologique, alors elle débute avec le début même de la pensée occidentale. Mais, si on la définit par la séparation qui règne entre deux mondes, dont l'un des deux seulement est en toute rigueur celui de l'être, alors elle ne débute qu'avec Socrate et Platon. » C'est là, si l'on veut, le second début, autrement dit la *répétition* ou le *second souffle* de la métaphysique qui se caractérise, avec Aris-

---

18. *S. G.,* p. 130.
19. *Ibid.,* p. 106.
20. *Ibid.,* p. 107.
21. *Hzw.,* p 162.

tote en particulier, par l'identification du *divin* et de l'*être*. Bien
que l'être en effet, tout comme l'Un, καθόλου κατηγορεῖται
μάλιστα πάντων [22], il ne peut cependant ἐν ἅπασιν ὑπάρχειν
διὰ τὸ πόρρω τῆς ἀρχῆς ἀφίστασθαι — résider en tous, à
cause de l'éloignement du principe [23]. Il y est cependant d'une
certaine façon plus lointaine et plus vague, en tant que tout
ce qui n'est pas le principe reste *ordonné à celui-ci.* « Comment
en effet l'ordre existerait-il dans l'étant μή τινος ὄντος ἀϊδίου
καὶ χωριστοῦ καὶ μένοντος [24] ? » Heidegger parlera à ce sujet
de la structure *onto-théologique* de la métaphysique. Le monde
d'Héraclite, qui n'est pas d'une telle structure, est-il donc en
désordre ? Pas plus en désordre qu'en ordre, vu qu'il est ce
que dit κόσμος, et non pas ce que dit τάξις, à quoi seulement
répond, en toute rigueur, le latin *ordo.* A ce titre, au contraire,
la philosophie de saint Thomas serait un moment original et
comme une variante de ce second souffle de la métaphysique,
et, d'une manière plus générale, la philosophie chrétienne
comme chrétienne. M. Gilson dit en effet, et il le répète souvent :
« L'identification de Dieu et de l'Etre est certainement un bien
commun de la philosophie chrétienne, comme chrétienne [25]. »
Et cependant Heidegger écrit qu'une telle philosophie est un
hölzernes Eisen. Il écrit même, dans le second tome du *Nietzsche,*
paru en 1961 : « La notion de philosophie chrétienne est
encore plus contradictoire que la pensée d'un cercle carré. Car
carré et cercle s'accordent encore en ceci que l'un et l'autre sont
des figures spatiales, tandis que la foi chrétienne et la philosophie
restent séparées par un abîme. Même si l'on voulait dire que,
des deux côtés, il y va de la vérité, ce que signifie *vérité* est,
de part et d'autre, abyssalement différent [26]. »
    L'abîme dont parle Heidegger, on pourrait dire aussi que
c'est antérieurement au christianisme et à l'intérieur même de
la philosophie que, depuis déjà deux ou trois siècles, il s'est
creusé : avec le déclin même de la philosophie ou, si l'on veut,
avec son virage stoïcien. Il s'est creusé avec l'oubli qui ne fut
pas que stoïcien du *griechischer Ansatz* — du *coup d'envoi*
proprement grec — bien que ce coup d'envoi persiste encore au
cœur de son propre retrait [27], si bien que la voix de « Platon
et Aristote résonne encore dans notre parole [28] ». C'est en effet
non seulement depuis le christianisme, mais *seit der Spätzeit der*

22. *Mét.,* I, 1053b 20 sq.
23. *De la génération et de la corruption,* 10, 336b 31.
24. *Mét.,* K, 1060 a 26.
25. *Le Thomisme,* (4ᵉ éd., Vrin, 1942), p. 120.
26. *N.,* II, 132.
27. *E. M.,* p. 96.
28. *W. D. ?,* p. 71.

Antike, donc antérieurement à la percée chrétienne [29], que s'est accomplie la « grandiose mutation » qui fut décisive pour toute l'histoire de l'Occident. Nous pouvons la caractériser comme l'oubli croissant de la différence [30], telle qu'elle est déjà en retrait dans l'apparition de la structure onto-théologique de la métaphysique à laquelle prélude la dislocation platonicienne du κόσμος héraclitéen en un double τόπος — l'un des deux τόποι n'étant plus que l'image de l'autre. En d'autres termes : dans la pensée sur son déclin « surgit inévitablement et de plus en plus obstinément l'illusion que l'être de l'étant serait non seulement identique à l'étant dans son ensemble, mais que l'être serait au sein de cette identification, vu qu'il est du même coup ce qui procure à tout son unité, le *suprêmement étant* [31] » : *Is qui summe est,* dira saint Augustin — *ens summum,* dira-t-on plus tard. Et Heidegger ajoute : « Pour le *Vorstellen,* tout devient de l'étant. »

Dans cette marche ou ce glissement. de l'être à l'étant et à sa *totalité* pour découvrir ce qui, dans cette totalité est *primauté* ou *sommité,* il faut cependant distinguer où en est Aristote et où en est saint Thomas, ou plutôt saint Augustin, qui le précède de quelques siècles. Nous pourrions dire, reprenant la formule de M. Gilson : Aristote, c'est, pour la première fois, l'identification proprement verbale du *divin* et de l'*être.* Saint Augustin, c'est, pour la première fois, l'identification de *Dieu* et de l'être, c'est-à-dire du nominal et du verbal, autrement dit la disparition du participe comme on dirait : Disparition de Combourg. En un sens, il y a autant de Très-Haut, d'*ens summum* — traduction tardive du grec ἀκρότατον ὄν — dans la *philosophie* d'Aristote que dans la *doctrine* augustinienne. Mais il faut entendre la locution ἀκρότατον ὄν dans un tout autre sens que sa future traduction latine. L'ἀκρότατον ὄν d'Aristote est en effet un γένος. M. Gilson dit une « classe ». Si, évidemment, γένος voulait dire classe, tout serait très simple, et il n'y aurait qu'à faire d'Aristote un attardé du prétendu polythéisme, ce que fait en toute simplicité M. Gilson. Mais c'est peut-être en réalité l'interprétation de γένος par *classe* qui est un solécisme intellectuel quand il s'agit d'Aristote. Γένος, dans Aristote, n'est nullement une classe, qui serait la détermination abstraite d'un ensemble d'individus mais, bien au contraire, la plus haute concrétion accessible à la pensée. Ainsi, la φύσις est γένος τῶν ὄντων. Non pas une classe d'étants, mais quelque chose de beaucoup plus concret que tout φύσει ὄν. Tel ou tel φύσει ὄν peut être présent ou faire

29. *E. M.,* p. 105.
30. *Ibid.,* p. 19.
31. *V. u. A.,* p. 240.

défaut, mais non pas la φύσις : ὡς δ'ἔστιν ἡ φύσις — qu'il y
ait φύσις, il serait même ridicule de le démontrer ! Il faudrait
reprendre ici l'extraordinaire aventure de la pensée aristotélicienne qui, après avoir défini l'οὐσία dans son sens primitif sur
le modèle de « cet homme-ci », relativement à quoi l'εἶδος n'est
que δεύτερον, le γένος étant à son tour encore moins οὐσία
que l'εἶδος, parce que plus éloigné du πρῶτον que l'εἶδος,
définit *ensuite* l'οὐσία par l'εἶδος et *enfin* par le γένος. Léon
Brunschvicg, qui fut notre maître à beaucoup, criait ici au scan-
dale. Pour lui, la pensée d'Aristote, ce Macédonien disait-il, à
peine moins rustique que celle d'Antisthène, « fils d'une mère
thrace », disait-il aussi, n'était qu'un tissu de contradictions. En
réalité, le Macédonien savait très bien ce qu'il disait et ne disait
jamais un mot de trop, comme saura faire plus tard cet originaire
de Haute-Souabe que les Sages d'aujourd'hui, Sartre en tête, trou-
vent en effet un peu trop rustique pour eux et dont le nom est
Heidegger. Il en va de même du θεῖον. Plus originelle que toute
réduction arithmétique du nombre des dieux est la *dimension* du
divin. C'est elle qui est l'unité de l'ἀκρότατον ὄν. Heidegger
écrit dans *Le principe de raison* : « Quand par exemple au printemps les prairies verdoient, alors, dans l'apparition des prairies
verdoyantes, autrement dit de cet étant, c'est l'œuvre et la puissance de la nature qui resplendit. Nous nous promenons toutefois
au milieu des prés verdoyants sans jamais, pour autant, rencontrer à proprement parler la nature [32]. » De même, les personnages
d'Homère se promènent librement au beau milieu des dieux, sans
jamais, pour autant, rencontrer le divin qui est bien plutôt leur
mode d'être. Ce mode d'être, c'est, pour parler le langage de la
grammaire, qui est platonicien, l'*aspect* proprement *verbal* qui
est en retrait de tous ceux que désignent leurs *noms,* Hermès
ou Athéna, Arès ou Zeus lui-même. L'ἀκρότατον ὄν c'est, pour
Aristote, l'aspect proprement verbal, en retrait dans tous ceux
que peuvent bien désigner les noms divins. « Qu'ils soient au
total cinquante-cinq ou seulement quarante-sept », dit-il aussi
« posément » que les héros de l'*Odyssée,* « je laisse à de plus
habiles le soin d'en décider [33] ». Il n'en est nullement de même
pour l'*ens summun,* tel que nommera, retournant au neutre grec,
une scolastique probablement assez tardive, celui que saint Augustin, évitant au contraire le neutre grec, avait déjà nommé :
is qui summe est. Mais là, nous sommes bien plutôt aux antipodes
d'Aristote que sur la voie sur laquelle Aristote cheminait déjà.

Peut-être est-ce même seulement à la faveur d'un tel passage
aux antipodes qu'a pu se produire l'avènement, quelques siècles

---

32. *S. G.,* p. 97.
33. *Mét.,* Λ, 1074 a 16.

plus tard, d'une bien étrange « philosophie » dont la clef de voûte est la transposition pure et simple du Dieu créateur de la Bible, que saint Augustin croit de bonne foi trouver *aussi* dans les « livres des philosophes » — la Bible étant, de non moins bonne foi, supposée être de son côté une philosophie à l'état d'enveloppement. Il suffira dès lors pour la développer d'une bonne doctrine de la *causalité,* dont l'essentiel sera emprunté non plus à la Bible, mais à Aristote, supposé à son tour professant une doctrine analogue à l'enseignement de la Bible. On ne peut rêver candeur plus entière et plus radicale confusion. L'Écriture instruisant des fins et la philosophie donnant les moyens de ces fins, il sera loisible à la foi chrétienne de chercher à s'éclairer, la lumière naturelle ne pouvant cependant se substituer à elle, car, sans elle, la lumière charbonne : *omnis ratio et naturalis investigatio fidem sequi debet, non praecedere nec infrangere.* Il n'est certes pas *défendu* de se contenter d'un tel compromis. Le style composite peut même avoir son charme, par le mariage de l'acanthe corinthienne et de la volute ionique. Mais, si l'on accepte le compromis, il devient difficile de se dispenser d'une confrontation plus originelle, sinon avec la Bible, du moins avec la philosophie d'Aristote. Car la liberté de philosopher ne consiste quand même pas, comme on le croit un peu trop aujourd'hui, à philosopher en liberté.

Heidegger, pour sa part, n'a jamais cessé, non sans quelque ironie voilée, de souligner le *disparate* dans lequel se meut avec aisance la philosophie scolastique, disparate dont M. Gilson lui-même pressentait quelque chose, quand il s'étonnait quand même un peu devant — c'est lui qui parle — ces « chrétiens déguisés en Grecs » que furent les philosophes du Moyen Age [34]. Mais enfin, conclut-il en changeant d'image, on n'avait fait que verser le vin nouveau dans les vieilles outres. « La pensée chrétienne apportait du vin nouveau, mais les vieilles outres étaient encore bonnes [35]. » L'Evangile disait bien plutôt le contraire, et Heidegger, comme toujours, suit plutôt l'Evangile. Il écrit, par exemple, dans *Holzwege* [36] : « Quand on pense par principe, en vertu d'une prédestination présumée de la philosophie thomiste à l'exégèse biblique, *l'ens creatum* à partir de l'unité de la matière et de la forme, alors on interprète la foi à partir d'une philosophie dont la vérité repose dans une venue au jour de l'étant qui est de tout autre sorte que le monde tel qu'il est, dans la foi chrétienne, chose de foi. » Il dit aussi un jour de 1951, parlant aux étudiants de Zurich, à propos de ce qu'il nommait le forçage de

34. *L'Esprit de la philosophie médiévale,* II, 208.
35. *Ibid.,* I, 245.
36. *Hzw.,* p. 19.

l'Ecriture par l'intrusion en elle de Platon et d'Aristote : « C'est
un événement qu'il est absolument impossible de se représenter
d'une manière assez dépassante. » Non, les vieilles outres ne sont
pas bonnes. Non pas parce qu'elles sont vieilles, mais parce qu'elles
ne sont nullement ces outres que l'on croit. Ce sont les scolastiques qui les ont vues telles, c'est-à-dire qui ont vu des outres
là où il y avait tout autre chose. Mais quoi ? Nous voilà une fois
de plus renvoyés à la question de Cerisy : *Qu'est-ce que la philosophie ?*

Nous pourrions peut-être, dans ce contexte, nous interroger en
effet sur la doctrine de la causalité qui a permis à la scolastique
de dépayser philosophiquement le Dieu de la Bible. Les jeux
sont déjà presque faits dès la traduction des Septante. On peut
en effet presque dire que la philosophie chrétienne, c'est, à son
origine, la traduction de la Bible dans la langue de la philosophie,
si tant est qu'une traduction, comme nous le rappelions antérieurement, n'est pas cet événement inoffensif que l'on croit, à
savoir le passage d'un *mot* à un autre, mais celui d'un *monde*
à un autre. Quand, dans le premier verset de la *Genèse*, bârâ'
fut remplacé par ἐποίησεν, l'irréparable s'était accompli. Car
bien que la ποίησις ait été en un sens l'horizon même de la
philosophie grecque, celui à l'intérieur duquel le divin lui-même
avait pu apparaître philosophiquement comme ἐνέργεια, et qu'en
ce sens Aristote rende possible le thomisme, le dieu n'en est pas
moins « exempt de πράττειν, et plus encore de ποιεῖν [37]. » Or,
voici que ὁ θεός devient le sujet de ἐποίησεν. La scolastique
interprétera dans le langage de la *cause,* et même de la cause
comme *efficiente,* cette singulière innovation. Dieu, dira saint
Thomas, est *prima causa efficiens.* Mais comment est-ce possible ?
Dans la mesure où l'être lui-même, et, avant tout, ce sommet
ou ce foyer de l'être qu'est l'être divin, est : *actus essendi.*
Actus est dit ici *ab agendo.* M. Gilson écrit : « Mais que signifie
le *verbe* être ? Lorsque je dis que je suis, ma pensée ne va
généralement pas au-delà de la constatation empirique d'un fait
donné par l'observation interne. Il en allait tout autrement aux
yeux des penseurs du Moyen Age. Pour eux, le verbe *être* était
essentiellement un verbe actif qui signifiait l'acte même d'exister.
Pour concevoir exactement la notion médiévale de causalité, c'est
jusqu'à cet acte même de l'existence qu'il est nécessaire de
remonter, car il est clair que si l'être est acte, l'acte causal devra
nécessairement prendre racine dans l'être même de la cause [38]. »
On ne peut mieux dire que si le sens grec de l'être était, comme
nous l'avons signalé plus haut, la pensée du *verbal* dans le

---

37. Aristote, *Ethique Nic.*, X, 1178b 20-21.
38. *Op. cit.*, I, p. 92sq.

nominal, saint Thomas interprète ici le *verbal* par *l'actif*. Or *verbal* et *actif* font deux. En réalité, l'actif n'est pas à proprement parler l'interprétation scolastique, mais bel et bien l'interprétation *romaine* du verbal, dont les Scolastiques ne sont ici que les héritiers. Pour les Grecs, l'actif n'est même pas au niveau du verbal, c'est-à-dire de l'être. Il n'est donc même pas au niveau de la causalité. Il ne fait, dit, çà et là, Aristote, que « ramer en sous-œuvre ». Il est ὑπηρετικόν. Il est donc infra-causal. Or le voilà maintenant supra-causal, et racine de la causalité elle-même. On ne peut rêver plus extraordinaire renversement du pour au contre. Ce renversement est-il un progrès ? Oui, dit M. Gilson. Les Grecs ont vécu dans l'*oblitération* de la cause efficiente [39], parce qu'ils ont vécu dans l'ignorance de son enracinement supra-causal dans l'*actus essendi*. Mais n'est-ce pas plutôt la scolastique qui vit dans l'oblitération romano-biblique de la pensée grecque ? Une telle oblitération est-elle un progrès ? Ou le contraire ? Ce sont des questions qu'il faudrait bien poser enfin. D'autant plus qu'elles sont, soit dit en passant, celles que ne cesse de se poser et de poser Heidegger depuis plus de trente ans. Dans notre monde où la « recherche » fait rage et où la vitesse est reine, il y a quand même un certain « retard à l'allumage ».

On peut évidemment contester à Heidegger que le fond de la philosophie soit cette différence de l'être et de l'étant, ou, comme il dit aussi, cette différence ontologique qui porta, d'Héraclite à Aristote, la parole grecque et, au-delà d'Aristote, cet au-delà de la parole grecque qu'est la philosophie depuis les Grecs. C'est à quoi s'attacha M. Wahl dans le livre de deux cent cinquante pages qu'il consacra au livre de cent cinquante pages que Heidegger avait publié en 1952 sous le titre : *Introduction à la métaphysique,* livre dont il tira également un article, tiré lui-même en triple exemplaire, chacun pour une revue différente. Dans la version destinée à la *Revue de métaphysique,* M. Wahl dénombre, dans la philosophie de Heidegger, plus d'une demi-douzaine de mythes. Comme dit Molière,

    Quand nous serons à dix, nous ferons une croix

Parmi tant de mythes si plaisamment accumulés figure, *the last not the least,* celui de la différence. Quelle raison M. Wahl donne-t-il de sa dénonciation qui lui fait retrouver le style si imprudemment péremptoire des qualificateurs du Saint-Office quand ils décidaient du mouvement de la terre ? Aucune. C'est pourquoi je ne puis que renvoyer le lecteur à celui de ses textes ou plutôt de ses tracts qu'il pourra trouver le plus aisément.

Dans un esprit analogue, mais avec beaucoup plus de bien-veillance, M. Gilson écrit de Heidegger, dont il croit assez

---

39. *L'Etre et l'Essence* (Vrin, 1948), p. 61.

naïvement qu'il « reproche » (c'est son mot) aux « métaphysiciens d'autrefois » de s'être attardés autour du problème de l'étant sans aborder franchement celui de l'être : il ne parle, à son tour, de l'être que pour annoncer : à partir de demain seulement on en parlera « autrement que pour dire qu'il serait grand temps d'en parler [40] ». Tant de légèreté consterne de la part d'un grand historien à qui l'admiration ne doit pas être marchandée. Car enfin l'auteur de *Sein und Zeit* avait quand même apporté, trente-cinq ans plus tôt, à la question qu'il posait, à savoir la question de l'être, une réponse suffisamment explicite : la vérité de l'être, c'est le temps. Il est vrai que, dans les années qui suivent 1927, Heidegger dit de cette réponse qu'elle est « seulement avant-courrière ». Un peu comme Leibniz avait dit, reprenant presque une parole de Platon : « Après avoir établi ces choses, je croyais entrer dans le port, mais, lorsque je me mis à méditer sur l'union de l'âme avec le corps, je fus comme rejeté en pleine mer. » Heidegger aurait pu dire : « Après *Sein und Zeit,* je croyais entrer dans le port, mais, lorsque je me mis à méditer sur l'union de l'être et du temps, je fus rejeté au grand large. » D'où une « seconde navigation » dont quelque écho ne parvint en France que vers 1946. On peut trouver étrange la pensée de l'être comme temps, encore plus étrange la méditation ultérieure du temps de l'être comme époque. On ne peut quand même pas dire que tout se réduit ici à la procrastination. Autant nier du Pont-Neuf qu'il ait jamais été construit.

Infiniment plus méditée est l'objection que le R. P. Lotz — mais c'est en allemand qu'il écrit — adresse à l'auteur d'*Introduction à la métaphysique*. Il ne s'agit plus, cette fois, d'un jugement totalement extérieur à la pensée de Heidegger, et qui par conséquent ne la rencontre même pas, mais d'une objection qui, présupposant cette *pensée,* cherche à établir que le jugement de Heidegger sur la philosophie chrétienne, représentée en l'espèce par le thomisme qui n'en est, bien sûr, qu'une variante, n'est pas conforme à sa propre pensée à lui, Heidegger. Autrement dit : la philosophie, quand elle prononce l'identification de Dieu et de l'être qui est, dit M. Gilson, le « bien commun de la philosophie chrétienne comme chrétienne », prononce d'autant mieux la différence de l'être et de l'étant, Dieu n'étant pas, pour saint Thomas, un étant, mais *ipsum esse,* l'être même. Tel est le sujet que traite d'une manière très circonstanciée le R. P. Lotz dans la *Festschrift* du soixante-dixième anniversaire de Heidegger en 1959. Un écho de cette objection se retrouve dans l'avant-propos à la présentation, texte et traduction, de

40. *Introduction à la philosophie chrétienne* (Vrin, 1960), pp. 171-172.

l'Avant-propos à *Qu'est-ce que la métaphysique ?* dans la *Revue des sciences philosophiques et théologiques,* juillet 1959, numéro malheureusement épuisé. Nous voilà enfin en terrain plus solide. Tout ce que je pourrais dire sur ce point — car ce ne serait pas trop de plusieurs autres exercices pour le traiter à fond —, c'est que l'objection, doxographiquement exacte, n'a qu'un défaut, c'est de commencer par prêter libéralement à saint Thomas la pensée même de Heidegger, par un de ces σοφιστικοὶ ἔλεγχοι qu'étudie Aristote à la fin des *Topiques,* et qui se rattacherait à la « pétition de principe » dont Aristote, qui en parle à plusieurs reprises, disait qu'elle « a l'air de réfuter par l'impossibilité de bien voir ensemble le même et l'autre [41] ».

Il est on ne peut plus exact que saint Thomas rappelle souvent de Dieu qu'il est l'être même, et non pas simplement un *ens* au sens de *esse habens.* Donc qu'il *diffère* incommensurablement de tout étant. Mais sa manière de différer n'a rigoureusement rien à voir avec ce que Heidegger nomme : différence ontologique. Non seulement il en diffère à la romaine, c'est-à-dire comme *actus purus essendi,* et non pas en mode grec et comme ἐνέργεια ; mais il en diffère *per modum excellentiae et remotionis* [42], comme ce πέλαγος οὐσίας de saint Jean Damascène qui se retrouvera non seulement dans saint Thomas, mais jusque dans les *Réponses* de Descartes aux objections faites aux *Méditations,* Dieu étant comme « lorsque nous jetons les yeux sur la mer, on ne laisse pas de dire que nous la voyons, quoique notre vue n'en atteigne pas toutes les parties et n'en mesure pas la vaste étendue [43] ». Descartes joint même ici la montagne à la mer, la montagne n'étant pas moins analogique à Dieu que la mer, alors que ni la mer ni la montagne ne nous aident en quoi que ce soit à faire l'épreuve de cette épiphanie du verbal dans le nominal que Heidegger nomme *différence.* C'est pourquoi, lorsque nous lisons dans l'avant-propos de la *Revue des sciences philosophiques et théologiques* à la présentation de l'Avant-propos à *Qu'est-ce que la métaphysique ? :* « Il se trouve que (...) la difficulté que soulève Heidegger avec ce qu'*il* appelle la différence ontologique, reçoit une solution dans la philosophie de saint Thomas d'Aquin avec ce que *nous* nommons l'analogie de l'être » [43 bis], il est permis de rester rêveur. Le fait d'ailleurs que le texte dont je viens de citer la proposition principale ne soit pas signé est ici plein de sens. Je ne crois pas que ce soit trahir un secret d'Etat que de dire qu'une première version, rédigée et signée par un philosophe

41. *Topiques,* 167 a 38.
42. *Somme théologique,* I, q. 13, a. 1, *ad Resp.*
43. *Réponses aux premières objections,* A. T., VII, 113.
43 bis. C'est nous qui soulignons.

beaucoup plus circonspect était beaucoup plus réservée. Faudrait-il aller jusqu'à dire avec Valéry : « La théologie joue avec la vérité comme un chat avec une souris [44] » ? Cela lui arrive en effet. Mais non pas seulement à elle.

Si donc le fort de la « philosophie chrétienne », telle du moins qu'il est convenu d'en demander le modèle à la Scolastique, est l'oblitération ou la stérilisation de la pensée même à laquelle elle demande des armes et un équipement pour l'entreprise herméneutique à laquelle elle se consacre, il devient difficile de l'interpréter avec M. Gilson comme un « progrès décisif [45] » sur la pensée grecque qu'elle « prolongerait en la dépassant ». Progrès suppose en effet réussite plus parfaite sur la base d'une aspiration identique. Les Scolastiques, bien sûr, s'imaginent naïvement poser, dans la *même lumière* que les Grecs, celle qu'ils nomment *lumen naturale,* les *questions mêmes* que se posèrent les Grecs — et ils s'imaginent aussi, avec l'aide de la foi, parvenir jusqu'où Aristote par exemple n'était pas parvenu : *credo tamen quod non pervenit ad hoc,* disait saint Bonaventure d'Aristote [46]. A ce titre ils sont bien en progrès sur eux. « Platon et Aristote étaient sur la bonne voie, et c'est justement parce qu'ils étaient sur la bonne voie que les dépasser était un progrès [47]. » En réalité, d'Aristote à saint Thomas, c'est la lumière elle-même qui, secrètement, a changé, ce changement de la lumière entraînant avec lui — *Wandel der Grundbegriffe* — celui de toute la problématique. En ce sens Heidegger écrit : « Ce qui, au sens d'Aristote, détermine l'étant par où il est et comment la chose a lieu est tout autrement éprouvé que dans la doctrine médiévale de l'*ens qua ens.* Il serait cependant insensé de dire que les théologiens du Moyen Age auraient mésinterprété Aristote ; ils l'ont bien plutôt compris différemment, conformément à l'autre mode selon lequel l'être se destinait à eux [48]. » Ce texte pourrait donner à penser que la philosophie médiévale est tout simplement d'une originalité tout à fait autre que la philosophie grecque, dans la mesure où elle suppose un *Seinsgeschick,* un *coup d'envoi* tout à fait autre que le *griechischer Ansatz* — donc que la philosophie chrétienne n'est nullement un *hölzernes Eisen* ou un cercle carré. En réalité, ce que dit Heidegger est bien plutôt ceci : ce qu'il y a d'authentiquement philosophique dans la philosophie du Moyen Age n'est nullement cette « philosophie chrétienne » qui se produit et qui parade au premier plan, mais une mutation plus

44. *Tel Quel,* II, p. 246.
45. *Esprit de la phil. méd.,* I, 85.
46. Cité par Gilson, *ibid.,* 249.
47. *Ibid.,* p. 86.
48. *S. G.,* p. 136.

secrète, inaperçue des Scolastiques, celle qui correspond à la traduction ou plutôt à l'*interprétation* du grec ἐνέργεια par le latin
actus, lequel se dit *ab agendo,* et dont la thématisation expressément ontologique sera l'entreprise, non de la scolastique, mais
bel et bien de la philosophie moderne. C'est la philosophie
moderne en effet, de Leibniz à Nietzsche, qui met en route la
méditation de l'*être* comme *agir,* jusqu'à sa détermination ultime
comme volonté de puissance. Non que les Scolastiques soient, à
ses yeux, déjà des adeptes de la volonté de puissance, au sens
où, en juillet 1964, un savant auditeur d'un exposé que j'avais
fait à Royaumont sur la notion de valeur dans la philosophie de
Nietzsche et la référence platonicienne qu'elle implique, concluait
naïvement qu'à mes yeux « Platon serait le premier philosophe
de la valeur » — et pourquoi pas un disciple de Nietzsche ? On
ne peut mieux comprendre à l'envers. Les Scolastiques n'ont rien
de nietzschéen : pour eux, Dieu n'est pas mort. Peut-être
pourrait-on cependant dire que leur ontologie activiste qui l'assi-
mile déjà à une *cause efficiente,* loin de lui conférer par là plus
de dignité, à savoir la dignité causale, prélude au contraire, sous
le nom de philosophie chrétienne, à cette *Herabwürdigung Gottes* dont le *déicide,* celui dont Nietzsche se bornera à enregistrer
le constat, n'est que l'épisode terminal. Car il s'agit bel et bien
d'un meurtre (*wir haben ihn getötet*) et non d'une mort naturelle, si l'on peut dire. Tout se rassemble finalement dans la
question insolite que Heidegger, un jour de dégel en Forêt
Noire, posa pour terminer par là sa carrière de professeur :
Wie kommt der Gott in die Philosophie ? On peut dire en français : Que diable allait-Il faire dans cette galère ? Car il est
bien possible que ce ne soit pas en mode philosophique que l'être,
selon la question de *Holzwege,* « puisse encore une fois devenir
capable d'un Dieu [49] ».

Le Dieu des philosophes, nous le savons depuis Pascal, n'est
certes pas le Dieu de l'Ecriture. Mais ce que Pascal ne sait
pas, c'est que son Dieu sensible au cœur n'est encore une fois
peut-être que le Dieu des philosophes, à savoir celui de ce retournement du cartésianisme qu'est sa philosophie du « sentiment »
— et non, comme il le croit, le Dieu d'Abraham, d'Isaac et de
Jacob. Encore moins le Dieu dont il entend la parole dans ce
qu'il nomme pourtant très bien : la simplicité de l'Evangile. Et
quand Nietzsche, deux siècles plus tard, prétendra, sur la base
non plus du sentiment mais de la corrélation métaphysique de
la volonté de puissance et de l'éternel retour, faire « refleurir
le divin dans toute sa luxuriance », il ne fera à son tour qu'extor-

49. *Hzw.,* p. 103.

quer au second souffle de la métaphysique un nouveau chant du
coq. Non celui qui précéda le reniement de saint Pierre. Mais
celui qui ne cesse de se « répéter » depuis l'origine grecque de
la métaphysique. Car, dit encore Heidegger, « on ne se débarrasse
pas de la métaphysique comme on change de point de vue ».
Métaphysique est ici le nom le plus propre de la philosophie.
Peut-être la seule *pensée* qui, dans notre Occident, prélude à
une pensée du christianisme en rétrocédant de la *métaphysique*
est-elle à chercher dans ce que Heidegger a nommé, cheminant
à son tour sur le même chemin : *Hölderlins denkende Dichtung,*
la poésie pensante de Hölderlin [50]. S'il en était ainsi, ce ne serait
nullement par la rénovation de la philosophie scolastique qu'une
telle pensée aurait chance d'éclore. Encore moins par la substitution à la philosophie thomiste d'une philosophie plus moderne,
au sens où Carl Braig qui fut le professeur de théologie du jeune
Heidegger, pensait que c'était plutôt dans un débat avec Hegel
et Schelling que la théologie catholique pourrait retrouver son
rang et sa dignité. Peut-être serait-il plus décent de renoncer à
asseoir philosophiquement le christianisme. A-t-il vraiment plus
besoin d'une telle assiette que la philosophie de prendre assise
sur lui ? Ou la philosophie n'éprouve-t-elle ce besoin que quand
elle ne sait plus ce qu'elle est ? Et le christianisme quand la foi
dont il fut l'initiateur unique commence à lui manquer ?
    La philosophie, de nos jours, est consécration suprême. Philo-
sophie des sciences ou philosophie de la vie, philosophie de
l'histoire ou philosophie de l'art, philosophie de la technique
industrialisée ou de la pêche à la ligne, philosophie du langage
ou de l'engagement, philosophie de la misère et misère de la
philosophie, devenir philosophie du monde comme devenir monde
de la philosophie, c'est toujours la philosophie qui remonte de
partout, en se proclamant *perennis,* elle dont la fin est peut-être
déjà derrière nous. Pourquoi pas dès lors une philosophie chrétienne, le christianisme devenant par là une idéologie aussi sortable
que les autres, entrant même en compétition avec elles ? Le
seul faible de tout cela est l'indétermination croissante de ce
que l'on entend quand on fait sonner le mot : philosophie.
Qu'est-ce que la philosophie ? Cette question, posée en 1955
au fond d'un pays perdu de Normandie est restée sans écho, du
moins pour les spécialistes de la chose, y compris pour nombre
de ceux qui étaient présents. A cette rencontre de Cerisy, il y
eut pourtant quelques bons moments. Mais enfin, si la philosophie est, peut-être, comme le disait Heidegger en 1955, cette
guise de la parole dont l'origine et l'enjeu sont initialement et
essentiellement grecs, sans que non seulement les Grecs, mais

---

50. *Ibid.,* p. 252.

aucun des philosophes aient jamais médité à partir d'où, à
l'intérieur de quelles limites et jusqu'où ils vont philosophant
— ἐν ᾧ πεπλανημένοι εἰσίν — en quoi c'est, selon le mot du
pré-philosophe, l'errance plus que l'erreur qui est leur partage,
alors bien des questions commencent à se poser. Est-il vraiment
indispensable d'astreindre, par principe, le christianisme à la
limitation philosophique ? Ou même de le flanquer d'une telle
limitation ? N'est-il pas mieux chez lui quand il est hors philosophie ? Lui est-il essentiel de se déguiser en philosophie pour
entrer d'autant mieux en compétition avec ce qu'il lui arrive
de se représenter comme des idéologies rivales ? Qu'il se soit,
historiquement, voulu philosophant, faut-il l'interpréter comme
sa force ou sa faiblesse, si la question de l'Apôtre que rappelle
Heidegger dans l'Avant-propos à *Qu'est-ce que la métaphysique ?* : οὐχί ἐμῶρανεν ὁ θεὸς τὴν σοφίαν τοῦ κόσμου ; n'est
pas une plaisanterie ?

En tout cas, et pour terminer, je mets aujourd'hui au défi tout
« philosophe chrétien », comme disait Malebranche, de jamais
promouvoir sérieusement une philosophie comme chrétienne tant
qu'il n'aura pas d'abord pris la mesure, en l'affrontant à visage
découvert, de cet *hölzernes Eisen,* de ce « fer en bois » par lequel
nous avons commencé. Aucune esquive n'est plus de mise, aucun
alibi de saison, aucun contresens plus longtemps secourable. Ou
alors le philosophe chrétien n'est plus, comme les autres, que
le paresseux de l'Ecriture qui, convaincu que quelques fréquen-
tations structuralistes et un minimum de dialogue avec l'existentialisme et le marxisme suffisent à son courage, n'a plus, comme
la porte tourne sur ses gonds, qu'à se retourner dans son lit.

> *Sicut ostium vertitur in cardine suo,*
> *Ita piger in lectulo suo.*

REMARQUES SUR DESCARTES

I

La garantie divine de la vérité

Les exégètes de Descartes ne s'entendent pas toujours entre eux. Mais il y a un point au moins sur lequel tous sont d'accord, c'est que, selon Descartes, la vérité aurait besoin d'être « garantie » par Dieu. C'est bien vrai en un sens, celui où Descartes, dès 1632, écrit à Mersenne que les prétendues vérités éternelles sont en réalité d'institution divine. Tant que Dieu n'a pas décidé, la nature de la vérité n'est pas encore fixée, bien que nous soyons assurés qu'une fois fixée, il ne la changera pas. Tel est le sens de ce que nous lisons dans le *Discours de la méthode* quand il nous apprend que « si nous ne savions que tout ce qui est en nous de réel et de vrai, vient d'un être parfait et infini, pour claires et distinctes que fussent nos idées, nous n'aurions aucune raison qui nous assurât qu'elles eussent la perfection d'être vraies [1] ». Il est symptomatique que, dans le *Discours,* cette thèse soit énoncée après la démonstration de l'existence de Dieu et non pas avant, comme si elle n'était de nul besoin pour que soit cependant valide cette démonstration telle qu'elle vient d'avoir lieu au fil de l'évidence des idées claires et distinctes. Dans les *Méditations,* les choses sont sensiblement différentes. La *Première Méditation,* à la différence du *Discours,* évoque en effet comme

---

1. *Discours de la méthode,* 4ᵉ partie, A. T., VI, 39, lignes 3 à 7.

une « possibilité l'hypothèse d'un Dieu trompeur qui pourrait
« m'avoir fait tel que je me trompasse toujours [2] ». Cette remarque précède la démonstration de l'existence de Dieu. Descartes
n'en établit pas moins cependant au fil de l'évidence d'abord qu'il
est, puis que Dieu existe et que ce Dieu n'est pas trompeur. Mais
alors cette chaîne de vérités ne risque-t-elle pas d'être telle qu'il
ne l'établit peut-être qu'en se trompant lui-même toujours, si bien
que la démonstration que Dieu n'est pas trompeur pourrait bien
n'être que l'ultime tromperie d'un Dieu qui serait dans son fond
trompeur ? Nous voilà, aurait dit Montaigne, « au rouet ». S'il
avait pu lire Descartes, il se serait certainement gaussé de lui
autant qu'il l'avait fait, cinquante ans plus tôt, des géomètres, à
l'occasion de leur découverte de l'asymptote [3].

Les contemporains de Descartes n'y ont pas manqué. Vous
tombez ici, lui fut-il écrit de plusieurs côtés, dans « la faute que
les logiciens nomment cercle ». La réponse de Descartes est
ici merveilleusement invariable. Il n'y a là, dit-il, aucun cercle.
Dès lors la vérité et son évidence n'ont besoin d'aucune garantie
divine. Mais alors pourquoi Descartes tient-il tant à la thèse que,
sept ans après les *Méditations,* il affirme encore à l'intention de
Burman, à propos précisément du *Discours : Si enim ignoraremus,
veritatem omnem oriri a Deo, quamvis tam clare essent ideae
nostrae, non sciremus eas esse veras, nec nos non falli [4] ?* Il
ajoute seulement : *scilicet cum ad eas non adverteremus, et
quando solum recordaremur nos illas clare et distincte percepisse [5].*
L'adjonction ici fixe tout. Elle précise en effet, comme Descartes
l'avait dit sept ans plus tôt à Arnauld, que le risque d'errer
décroît d'autant plus que la pensée est plus attentive, et que
par conséquent, quand l'attention est à son comble, l'évidence
présente ne nous trompe nullement. Mais alors à quoi bon le
recours à une garantie divine de la vérité ?

Pour comprendre la *condition* (*si enim*), il faut partir de la
réserve (*scilicet cum*). L'évidence, quand elle nous est présente,
n'est nullement trompeuse. Mais un Dieu tout-puissant ne pourrait-il pas « truquer » cette évidence ? Ainsi parle M. Gouhier [6].
Non pas cependant Descartes. Mais alors en quoi un tel Dieu

---

2. A. T., IX, 16.
3. *Essais,* livre II, ch. XII.
4. « Si en effet nous ignorions que toute vérité a son origine en Dieu,
si claires que fussent nos idées, nous ne saurions pas qu'elles sont vraies
et que nous ne nous trompons pas... »
5. « ...Du moins quand nous n'avons plus l'attention fixée sur elles et
que nous nous souvenons seulement les avoir perçues clairement et distinctement. » *Entretien avec Burman* (Boivin et Cⁱᵉ, 1937), pp. 124-126.
6. *Descartes, Essais* (Vrin, 2ᵉ éd., 1949), p. 152 et *La Pensée métaphysique de Descartes* (Vrin, 1961), pp. 118 et 311.

pourrait-il nous tromper ? La réponse de Descartes à cette question est non moins invariable que sa réponse à l'accusation de cercle. Elle figure déjà dans les *Regulae,* quand Descartes nous dit que si un géomètre maintient fermement son regard sur l'évidence présente, il ne court aucun risque d'erreur, étant donné que, dans la science qu'il cultive, « à moins d'inadvertance, il semble quasiment impossible à un homme de se tromper ». *Citra inadvertentiam*[7] *:* à moins d'inadvertance. Là où l'évidence est présente, l'erreur ne peut donc se produire que par inadvertance. C'est donc ainsi qu'il nous faut comprendre le mécanisme possible d'une tromperie même divine — au lieu de professer, comme on le fait communément, qu'au temps des *Regulae* Descartes n'avait pas encore la tête métaphysique. La certitude, cherchée par Descartes, d'un Dieu non trompeur ne ferait dès lors que *dégrever* la possibilité pour l'homme d'accéder, par l'évidence, à la vérité, de la difficulté dont elle serait surnaturellement affectée si, à l'infirmité naturelle de l'homme venait s'ajouter, de la part d'un Dieu tout-puissant, une volonté d'égarer son homme. Mais pourquoi l'hypothèse en Dieu d'une telle volonté ? Saint Paul ne nous l'a-t-il pas déjà dit du Dieu dont il s'est fait, bien que tardivement, l'apôtre : « N'a-t-il pas frappé d'ineptie la sagesse du monde ? » Mais, derechef, pourquoi ? Pour d'autant mieux ramener les hommes à l' « unique nécessaire » en bafouant à leurs yeux la *libido sciendi* qui est, d'après saint Jean, comme le rappellera Pascal, l'une des trois concupiscences, elles-mêmes conséquences du péché originel. L'hypothèse d'un Dieu qui se plairait à égarer les chercheurs d'une sagesse inutile au salut, non sans doute en truquant l'évidence, mais en les rendant souverainement inadvertants, n'est nullement absurde en climat chrétien. Mais Descartes, même chrétien, est déjà d'un autre monde que Montaigne. La science ne lui est plus *desertio meliorum.* Elle ne peut porter ombrage au vrai Dieu qui déjà s'apprête à bénir la domination du monde par l'homme. Si donc la raison arrive à démontrer non seulement l'existence de Dieu, mais aussi que ce Dieu, loin de l'égarer quand elle fait droitement usage de sa *facultas percipiendi,* est tel qu'aucune erreur ne puisse venir de lui, alors c'est adossé à Dieu et non contre sa volonté que, sans avoir à passer par la Révélation de l'Ecriture, je m'applique à « voir clair en mes actions et marcher avec assurance en cette vie ». La seule réserve est de procéder « avec mesure et discrétion », ce qui est ne pas prétendre « ajuster au niveau de la raison » ce dont la foi est la seule gardienne. Par exemple, dit Descartes à Burman, il serait « abusif » de soumettre à nos

---

7. *Règle II, in fine,* A. T., X, 365.

raisons toute la théologie judéo-chrétienne, au-delà de ce que l'on peut connaître de Dieu philosophiquement, à savoir qu'il existe comme souveraine perfection. Bien que, même là, il y ait des nuances : si la Trinité, par exemple, n'est pas démontrable rationnellement, du moins suffit-il d'avoir l'idée de Dieu et celle du nombre trois pour concevoir au moins les « éléments et rudiments » de ce mystère [8].

Supposons [9] au contraire que quelqu'un, un géomètre par exemple, ignore la vraie nature de Dieu. Si quelque autre le fait s'aviser qu'il pourrait bien être à son insu trompé par un Dieu encore inconnu, le voilà inquiet dès que l'évidence cesse de lui être directement présente. Telle propriété qu'il se souvient avoir perçue comme évidente, est-il bien sûr qu'il ne l'a pas en son temps (*antea*) trouvée telle à la faveur d'une inadvertance plus que naturelle ? Il lui faut donc sans cesse y revenir pour s'en assurer à nouveau. Mais, dès qu'il la perd de vue, elle lui redevient tout aussitôt et tout aussi suspecte. S'il est au contraire certain que le Dieu inconnu dont il redoute la tromperie n'est nullement trompeur, alors le voilà beaucoup moins menacé. Dans la recherche de la vérité il n'est plus aux prises qu'avec des inadvertances toutes naturelles, contre lesquelles l'attention est un souverain remède, d'autres précautions, comme prendre des notes, pouvant également être de bon secours. Au fond, tant que Descartes ne sait pas tout ce qu'établit la *Méditation Troisième*, il est lui-même dans la situation du « géomètre athée » des *Deuxièmes objections*. C'est pourquoi il ne craint pas de *trop* concéder à la défiance. A la fin de la *Méditation Troisième*, il est au contraire en droit de se relâcher d'un tel excès qui n'est plus de saison. La recherche a trouvé son rythme de croisière.

Ainsi les *Méditations* II et III sont des « veilles » beaucoup plus « laborieuses » que les *Méditations* IV, V et VI, Descartes portant dans les deux premières seulement la *diffidentia* [10] à son comble, c'est-à-dire s'y mettant en garde contre une inadvertance qui pourrait bien être surnaturelle, sans que pourtant l'évidence comme évidence lui soit jamais truquée. Mais j'ai trop souvent éprouvé que je puis me tromper par inadvertance *etiam in evidentissimis* pour ne pas former l'hypothèse que, si un Tout-Puissant se met de la partie, je pourrais être assez le jouet de sa volonté hostile *ut (propter inadvertentiam) semper fallar* [11]. C'est

---

8. *Entretien avec Burman*, p. 76.
9. *Réponses aux Secondes Objections*, A. T., VII, 141, lignes 3-13.
10. *Méditation I*, A. T., VII, 22, ligne 20.
11. *Méditation I*, A. T., VII, 21, ligne 13. La parenthèse n'est évidemment pas dans Descartes. Elle n'en constitue pas moins à mon sens le *sous-entendu* de sa proposition.

pourquoi il me faut redoubler d'attention, ce qui me permettra
même d'avancer si mon attention ne se porte que sur des évidences assez simples pour être toujours présentes. Telle est en
premier lieu l'évidence que m'est à moi-même *ego sum*. Telle
également l'évidence de la causalité et, sur la base de ces deux
évidences, l'évidence enfin que Dieu existe. Car, même si les
évidences de base sont deux et la troisième encore une autre,
rien n'empêche que ces trois évidences me soient présentes *à la
fois*. C'est ce qu'explique Descartes à Burman qui croyait devoir
objecter sur ce point. Burman disait : *Mens nostra non potest
simul nisi unam rem concipere*. A quoi Descartes répond : *Quod
mens non possit nisi unam rem simul concipere, verum non est ;
non potest quidem simul multa concipere, sed potest tamen plura
quam unum* [12]. Le mot essentiel est ici : *simul*. L'arme décisive
contre une tromperie même surnaturelle est donc la *simultanéité*
possible de plusieurs évidences. Le propos de Descartes à Burman
fait ici directement écho à ce que sept ans plus tôt il disait aux
auteurs des *Deuxièmes objections* : « Il y a des choses qui sont
connues sans preuves par quelques-uns, que d'autres n'entendent
que par un long discours et raisonnement [13]. » Cette fois, le mot
essentiel est *long*. Mais la *Méditation Troisième* est longue ?
Assurément. Elle ne l'est toutefois qu'en apparence. Elle est
dans son fond *simultanéité*. Descartes pense l'existence de Dieu
sur la base de l'axiome de causalité sans que la proposition *je
suis* cesse de lui être présente. Tout cela se fait « d'une seule
œillade ». A quoi Descartes ajoutera, dans la *Méditation Cinquième* une seconde « œillade », aussi souveraine que la première mais encore plus rapide. Car elle n'a même plus besoin
de penser à la fois (*simul*) trois évidences. Une seule suffit. Mais
pourquoi Descartes n'a-t-il pas commencé par le plus court ?

A cette question la réponse de Descartes est la distinction qu'il
fait entre l'*ordo inveniendi*, qui est celui de la recherche, et l'*ordo
docendi* [14], qui est celui du pédagogue. Relativement à quoi
M. Gueroult introduit aussi la thèse que le plus court, c'est-à-
dire la preuve de la *Méditation Cinquième*, ne s'applique qu'à
ce qu'il nomme très bien la « face mathématique [15] » de l'idée de
Dieu, dont l'existence n'est qu'une « propriété » pour le moins
aussi certaine que celles que considère le géomètre dans ses

---

12. « Notre pensée ne peut concevoir qu'une seule chose en même
temps. » — « Que notre pensée ne puisse concevoir qu'une seule chose en
même temps n'est pas vrai ; elle ne peut certes en concevoir beaucoup
en même temps, mais elle peut cependant en concevoir plus d'une. »
(*Entretien*, 8 à 10).
13. A. T., VII, 164 (5° postulat des *Rationes*).
14. *Entretien avec Burman*, pp. 26-28.
15. *Descartes selon l'ordre des raisons* (Aubier, 1953), I, 214.

démonstrations. Mais le « principe de la tromperie universelle érigé depuis le début en règle imprescriptible de la recherche méthodique [16] » rend tout aussitôt précaire une telle certitude. Que sais-je en effet si l'évidence que me prodigue la « face mathématique » de l'idée de Dieu ne serait pas, selon le mot de Kant à qui M. Gueroult compare ici Descartes, un « simple jeu de représentations » auquel manquerait tout « rapport à l'objet » ? La première preuve, à la différence de la seconde, établit au contraire chemin faisant le « rapport à l'objet », autrement dit la « valeur objective » de l'idée de Dieu en posant explicitement « hors d'elle et de moi la chose d'où elle provient et à laquelle elle est conforme [17] ». Grâce à cette « polyvalence [18] », la preuve par la causalité, qui est celle de la *Méditation Troisième,* garantit qu'appartient en effet à un Dieu extérieur à l'idée que j'en ai et à qui celle-ci est « conforme » ce que je me représente comme lui appartenant nécessairement, alors que la preuve « ontologique » me fait seulement concevoir comme logiquement nécessaire l'existence d'un Dieu dont l'idée est peut-être sans aucune « valeur objective ». N'est-ce pas ce dont Descartes lui-même nous avertit en écrivant : « Même si toutes les choses que j'ai méditées les jours précédents n'étaient pas vraies, l'existence de Dieu devrait avoir au moins le même degré de certitude que jusqu'ici les vérités mathématiques [19] » ? N'est-ce pas dire que la preuve que Descartes établit *de intrinseco conceptu essentiae divinae* [20] n'a sa place qu'au sommet de la certitude préphilosophique, sauf si elle est préalablement rattachée à celle qu'il nomme *a perfectionum excessu* [21]. La tromperie possible est ici à la mesure d'une non-conformité éventuelle de l'idée à son idéat. Mais dans son fond elle peut aller encore beaucoup plus loin. Ce n'est pas seulement *sur* la conformité d'un système des essences à une existence extérieure à celles-ci, mais *dans* les essences elles-mêmes et leur évidence intrinsèque que je puis être trompé, abstraction faite de toute existence extérieure. Sur ce point, M. Gueroult retrouve l'interprétation courante, celle que fait sienne M. Gouhier à qui il s'était pourtant opposé à propos de l' « ordre » des preuves, entendant avec lui être trompé comme : se représenter en toute évidence, mais dans une évidence positivement falsifiée, 2 + 3 comme autre que 5. « Qu'il soit désormais entendu que tout se passe comme si je vivais et je

---

16. *Ibid.,* I, 155.
17. *Ibid.,* I, 182.
18. *Ibid.,* I, 206.
19. *Méditation V,* A. T., VII, 65, lignes 26 à 30.
20. A. T., III, 416-417.
21. A. T., VIII, 363.

pensais dans un univers entièrement truqué par un Trompeur omnipotent[22]. »

S'il en était ainsi, on ne voit pas très bien comment Descartes aurait jamais pu sortir, sans commettre la faute que « les logiciens nomment cercle », du réduit défensif que lui est l'*ego sum cogitans* de la *Méditation Seconde*, à supposer qu'il ait même pu y entrer. Dans l'hypothèse d'un « Trompeur omnipotent » qui aurait truqué démiurgiquement l'évidence comme on machine la scène d'un théâtre ou comme on fausse une balance par l'adjonction de poids inapparents, tout appel à l'évidence ne pourrait que me renfermer d'autant plus dans un monde où « ce qui esr vrai pour moi est faux pour le démiurge[23] ». Mais c'est précisément une telle hypothèse qu'il est difficile de tenir pour cartésienne. A qui dit 2 + 2, jamais aucune évidence n'a répondu ni ne répond 5 au lieu de 4, mais 5 peut prendre ici la place de 4 à la faveur d'une inadvertance qui n'a rigoureusement rien à voir avec aucun *trucage* de l'évidence. Sans doute un malin génie peut-il insidieusement me détourner de la *veritas aperta*[24] qu'est l'évidence, mais est-il en son pouvoir de lui porter atteinte ? Je ne connais qu'un seul texte où Descartes paraisse formuler dans l'absolu la thèse hyperbolique de la falsification de l'évidence même actuelle. C'est celui des *Secondes réponses* où nous lisons que, si notre faculté de connaître « ne tendait pas au vrai », si au contraire elle « tendait positivement au faux (...), ce serait à bon droit que celui qui nous l'a donnée serait tenu pour trompeur[25] ». Mais alors, par quel miracle le *cogito* lui-même pourrait-il seulement être vrai, son existence n'étant saisie comme vraie que par une pensée dont la nature serait de tendre positivement au faux ? Suffira-t-il de dire que la réponse à la question de mon existence est ici impliquée comme condition dans la question elle-même ? L'évidence d'une telle implication n'est-elle pas déjà en elle-même un piège tendu à ma crédulité, s'il n'apparaît pas qu' « on puisse jamais dire d'aucune chose qu'elle est impossible à Dieu[26] » ? Et si, d'un bout à l'autre, les *Méditations métaphysiques* n'étaient que le rêve d'une ombre, celui-ci n'ayant d'autre rapport qu'au « plaisir de Dieu seul », qui n'aurait même pas créé celui qui se prétend exister ? C'est pourquoi Descartes restreint très régulièrement la portée de son hypothèse d'une tromperie surnaturelle « en faisant distinction de ce que nous percevons *in praesenti* clairement et distinctement d'avec

---

22. H. Gouhier, *La pensée métaphysique de Descartes*, p. 118.
23. H. Gouhier, *Essais,* p. 152.
24. *Méditation V,* A. T., VII, 63, ligne 25.
25. *Réponses aux Secondes Objections,* A. T., VII, 144.
26. A. T., V, 223-224.

ce que nous nous ressouvenons d'avoir autrefois clairement perçu [27] ». Est-ce là un recul de Descartes devant sa propre audace au sens où Heidegger parlera d'un recul de Kant devant la portée que la première édition de la *Critique* attribuait à l'imagination ? N'est-ce pas plutôt le fond de sa pensée qui dès lors exclut toute possibilité d'une falsification surnaturelle de l'évidence comme évidence ? Ou faut-il poser que ce que Descartes dit une fois, dans un contexte qui n'a d'ailleurs aucun rapport direct avec les raisons de douter qu'expose la *Première Méditation,* rend « métaphysiquement insuffisante [28] » la réponse qu'il fait invariablement à ceux qui l'accusent de cercle ?

Reste, bien sûr, la solution que propose M. Alquié quand il suppose une différence *qualitative* entre les évidences mathématiques et celles qui portent directement sur l'existence, celles-ci étant seules à n'avoir besoin d'aucune garantie divine à cause d'un « contact essentiel [29] » dont elles auraient, paraît-il, le privilège. Il est en effet patent que Descartes « n'invoque jamais la véracité divine dans l'affirmation du *cogito* ou de Dieu luimême [30] », mais l'invoque-t-il vraiment à propos d'aucune évidence présente ? N'invoque-t-il pas plutôt la difficulté de s'installer à demeure à un tel niveau ? Sans doute le géomètre est-il ici un virtuose. Il n'en reste pas moins sans aucune « certitude métaphysique » que l'inadvertance contre laquelle il est professionnellement en garde ne lui est pas destin surnaturel. Quand donc devant l'évidence il n'est plus *in praesenti* dans une « insomnie laborieuse », il peut toujours douter qu'il y ait jamais véritablement été, sauf s'il ne cesse d'y revenir, ce qui lui interdit d'avancer beaucoup plus loin que les axiomes, bien qu'il lui faille pourtant les perdre de vue pour établir des théorèmes ou pour résoudre des problèmes. Si au contraire Dieu n'est pas trompeur, le souvenir d' « avoir vu », bien qu'il ne comporte aucune évidence présente, ne devient inquiétant pour le « voir » que dans la mesure où il peut être suspect de prolonger jusqu'à lui une distraction seulement naturelle contre laquelle il n'est nullement nécessaire d'en appeler à la métaphysique. Qui n'a été victime de telles méprises ? L'évidence présente n'a donc besoin d'aucun autre garant que son rapport à mon attention portée à l'extrême. Si Dieu est supposé trompeur, je saurai être, comme Jacob, *fortis contra Deum,* usant contre lui de

---

27. A. T., VII, 246. Descartes dit ici *reipsa,* qu'il interprète comme *in praesenti* dans la réponse à Hyperaspistes, A. T., III, 434.

28. Gueroult, *Nouvelles Réflexions sur la preuve ontologique de Descartes* (Vrin, 1955), p. 44.

29. *Descartes, L'Homme et l'œuvre* (Hatier), p. 119

30. *Ibid.,* p. 118.

l'*evidentia perceptionis,* en vertu de laquelle le premier combat
pour l'existence m'est déjà une première victoire. La seconde
victoire, celle qui m'assure de Dieu lui-même comme non trompeur, n'est donc nullement la conquête d'une garantie enfin *de*
l'évidence. Elle est *dans* l'évidence l'établissement d'un principe
à partir duquel elle m'est beaucoup moins malaisée et pour tout
dire moins héroïque qu'auparavant.

Le drame n'est donc pas au départ que dans l'intuition actuelle
de l'évidence nous nous trouverions dans un monde où « ce qui
est vrai pour moi est faux pour le démiurge ». Il est seulement
qu'en face de l'évidence nous sommes peut-être surnaturellement
inadvertants. Mais être inadvertant, même surnaturellement, n'est
pas devenir l'un de ceux à qui la perception est assez truquée
(Descartes dit dans les *Regulae : laesa* et dans les *Quatrièmes
Réponses : perturbata*) [31] pour qu'ils « s'imaginent être des cruches
ou avoir un corps de verre ». Il s'agirait bien là d'une « fausseté
absolue » au sens des *Secondes réponses.* Mais, les victimes de
cette « fausseté absolue », Descartes les excepte précisément de
son propos en les appelant par leur nom : « Mais quoi ! Ce sont
des fous, et je ne serais pas moins extravagant si je me réglais
sur leurs exemples [32]. » Aucun malin génie, aucun Dieu trompeur
ne m'a rendu fou, c'est-à-dire n'a fait de moi l'un de ceux pour
qui l'évidence est truquée comme quand un fou, devant la
Joconde, croit avoir sous les yeux la lutte de Jacob avec l'Ange
ou l'*Heureuse famille* de Greuze. S'il l'avait fait, la situation
serait sans issue et les *Méditations* elles-mêmes folles. Car la folie
ne manque pas nécessairement de suite dans les idées. Elle n'est
pas incohérence. Cependant, dit Descartes, non seulement je ne
suis pas incohérent mais je ne suis nullement fou, aussi longtemps
du moins que je garde en moi *hoc quod in me est,* à savoir : *ne
falsis assentiar* [33]. Sans cette réserve initiale, plus de philosophie.
L'interprétation de la tromperie surnaturelle comme *trucage* de
l'évidence reviendrait à faire de la philosophie un délire lucide,
ce qui, grâce au ciel, doit être écarté. Mais, s'il n'y a pas trucage
de l'évidence, celle-ci à son tour n'a besoin d'aucune « garantie
divine ». Le Dieu auquel pense Descartes comme à un *Dieu non
trompeur* n'est nullement un *Dieu non truqueur,* mais tout simplement un Dieu qui ne me fait pas surnaturellement inadvertant,
donc qui ne rend pas inévitable, comme unique condition d'un
progrès dans la vérité, la simultanéité des évidences qui ne peut
réussir que dans quelques cas privilégiés. Il faudra attendre
Spinoza pour que la simultanéité des évidences devienne la règle

---

31. *Regulae,* A. T., X, 423 et 4ᵉˢ *Réponses,* A. T., VII, 228.
32. *Méditation I,* A. T., VII, 19, lignes 5 à 7.
33. *Ibid.,* 23, ligne 6.

d'or de la vérité. Mais Descartes n'a jamais formé l'ambition d'une « connaissance du troisième genre ». Pas plus qu'après lui Malebranche ni Leibniz.

Descartes, dès le départ, est un homme de bon sens. Il joue une partie difficile, mais il ne se heurte pas à ce mur d'impossibilité que dressent, entre lui et la vérité, les interprètes de la tromperie surnaturelle — celle dont il fait certes l'hypothèse et qu'il se concrétise à lui-même dans la fiction d'un malin génie — comme *trucage* de l'évidence. Pour lui, comme pour le roi Ferrante de Montherlant, « Dieu n'en demande pas tant ». Que pourrait en effet le bon sens si l'évidence lui était dès le départ truquée ? Mais interpréter en ce sens la *Méditation Première,* est-ce lire Descartes « à la loupe » ? Ou à travers les lunettes du grand Arnauld ? Ou du jeune Burman, même s'il n'avait pas encore besoin de lunettes ? Voici la question de Burman : « Il semble bien que l'auteur a commis un cercle ; car dans la *Méditation Troisième* il prouve que Dieu existe par des axiomes, alors qu'il ne lui est pas encore constant qu'il ne soit pas trompé en eux ». Et voici la réponse de Descartes : « Il la prouve en effet, et il sait qu'en ces axiomes il n'est pas trompé, du moment que son attention est fixée sur eux [34] » (...), « car autrement nous ne pourrions pas démontrer que Dieu existe [35]. » C'est clair ? M. Gueroult n'en trouve pas moins « de toute évidence métaphysiquement insuffisante » la réponse de Descartes à Burman. Descartes *aurait dû* dire : durant que notre attention est fixée sur les axiomes, nous ne pouvons pas nous empêcher de les croire vrais, tant leur évidence nous charme. Mais ce n'est encore, paraît-il, qu'une « nécessité psychologique », aussi longtemps du moins que ne se sera pas produit le coup de théâtre qu'est la révélation de la véracité divine qui seule permettra la « transmutation » de la nécessité psychologique en nécessité métaphysique. Mais que vient faire ici la psychologie, tarte à la crème de l'exégèse contemporaine ? Enfin et surtout, si l'exégèse avait raison contre le texte, la véracité divine serait bel et bien un coup de théâtre, car elle ne se produit que dans le contexte d' « évidences pour lesquelles je tremble », dit M. Gouhier, en sorte que toute la philosophie de Descartes dépendrait en fin de compte d'un *Deus ex machina !* Le plus extraordinaire est ici que c'est à Heidegger qu'il est couramment reproché de faire violence aux textes, alors qu'il ne lui est jamais venu à l'esprit d'imputer à Descartes la « faute qu'on nomme cercle ».

Alors, pas de cercle ? Pas le moindre ! Ou plutôt si, mais le cercle est ailleurs où il n'a rien de spécialement cartésien. Le

---

34. *Entretien,* p. 8.
35. *Ibid.,* p. 126.

cercle à l'intérieur duquel se meut Descartes est bien plutôt celui
de la métaphysique elle-même quand à la fois elle va de l'étant
à l'être et de l'être à l'étant, chacun des deux pouvant dire à
l'autre, comme dans le conte de Grimm « *Le lièvre et le
hérisson* » : « Je suis déjà là ! » Un tel cercle sera encore plus
apparent dans la philosophie de Leibniz que dans celle de Descartes. Leibniz, comme on sait, démontre ontologiquement l'existence de Dieu comme « suite simple de l'être possible ». Mais
le possible de son côté n'a de « suite » existentielle que s'il
réside déjà dans l'entendement de Dieu, hors de quoi il demeure
inerte. Ici la pensée se meut bel et bien en cercle. Heidegger
ajoute cependant à ce propos : « Nous demeurerions à vrai dire
très extérieurs à la pensée de Leibniz si nous faisions nôtre
l'opinion que Leibniz aurait, à l'occasion d'un tel cercle, trouvé
la paix, alors qu'il est à la portée de tout un chacun de le mettre
aisément en évidence voire de le dénoncer comme vicieux [36]. »
Car la question est bien plutôt : d'où Leibniz a-t-il bien pu entrer
dans le cercle à l'intérieur duquel seulement il est l'un des plus
grands philosophes d'Occident ? C'est la question de la « structure
onto-théologique de la métaphysique », qui n'est pas plus évidente que la distinction dans l'être de ces « principes de l'être »,
disait Leibniz, que sont l'essence et l'existence. Descartes lui
aussi pense en mode onto-théologique, et c'est pourquoi il affirme
concurremment le double primat et de la vérité comme évidence
et d'un suprêmement étant qui est à la fois le comble de l'évidence et l'origine de celle-ci.

Ainsi la vérité dans laquelle Dieu est clair à l'entendement est
elle-même pour lui d'institution divine et l'ombre du suprêmement étant recouvre d'un bout à l'autre la question de l'étant
dans son être. Mais ce recouvrement total n'est à son tour qu'un
cas limite d'où la question de l'être, sous le titre nouveau
d'*ontologie,* ne va pas tarder à se dégager jusqu'à devenir avec
Kant question fondamentale. N'est-il pas significatif que le créateur probable du vocable d'ontologie soit précisément un ami de
ce François Burman qui, à l'âge de vingt ans, était venu « inter-
viewer » Descartes à Egmond ? Burman aurait même dicté à
son ami Clauberg le texte de son mémorable *Entretien avec
Monsieur Descartes.* Le mot ontologie, vraisemblablement forgé
par Clauberg, figurera bientôt dans les papiers de Leibniz, qui
donne pour tâche à l'ontologie de déterminer ce qu'est non pas
l'auteur du monde, mais plus généralement « le quelque chose
et le rien, l'étant et le non-étant, la chose et ce qui lui est mode,
la substance et l'accident [37] » — *aliaque hujusmodi generaliora,*

---

36. *S. G.*, p. 56.
37. *Opuscules et fragments inédits*, éd. Couturat, p. 512.

précise-t-il dans un autre texte [38]. N'est-il pas permis de penser que pour Leibniz la vérité fait partie de ces *generaliora* dont l'étude relève d'une science distincte de la théologie, bien que celle-ci demeure à une place centrale ? Dès lors, la métaphysique ne serait pas la *sphère* ou le *cercle* que nomme Parménide ; elle évoquerait bien plutôt la figure d'une *ellipse* comportant deux foyers qui se répondent l'un et l'autre, bien que « dans une connexion à vrai dire obscure [39] ». Il ne sont en effet nullement au regard l'un de l'autre dans un rapport de subordination. Mais ils ne sont pas davantage coordonnés au sens tout à fait univoque selon lequel, aux yeux de Kant, les analogies de l'expérience arrivent à égalité pour se compléter réciproquement. La « structure onto-théologique de la métaphysique » — ainsi la nomme Heidegger — s'établit au sein d'une mêmeté qui demeure à ce point voilée que la dualité qui la caractérise est à son tour énigmatique à la métaphysique elle-même. Celle-ci ne serait pas dès lors, comme le croyait encore Husserl, « métier de pointe ».

Quand cependant la métaphysique, devenue scolastique et de là cartésienne, prétend redevenir un cercle, mais avec Dieu pour centre unique, elle n'en est pas moins rappelée à son autre foyer qui est, pour Descartes, celui d'où la vérité de l'être lui apparaît originalement comme *evidentia perceptionis,* une telle expérience de la vérité étant beaucoup plus décisive que la thèse « pour ainsi dire hyperbolique », comme dit très bien M. Bréhier [40], qui la fait dépendre de la volonté de Dieu. C'est pourquoi, à l'inverse du « bon M. Poiret », les grands philosophes cartésiens retiendront l'expérience mais repousseront la thèse. Sans doute la vérité reste bien pour eux chose divine, mais par son rapport à l'*essence* de Dieu, non à sa *volonté*. Elle est par là, selon Spinoza, *index sui* et, selon Malebranche, « plus indépendante que Dieu même [41] », au point qu'il faut oser dire que sa sagesse le rend « pour ainsi dire impuissant [42] ». Mais alors, dira Leibniz, Dieu lui-même « n'en peut mais » ? Ainsi avait percé dès son départ l'expérience grecque pour laquelle ce n'est pas le divin qui l'emporte sur l'être, mais plutôt l'inverse. C'est bien pourquoi l'étude aristotélicienne de l'être, même si elle est résolument théologie, n'a pas, n'en déplaise à Leibniz, pour *desideratum* la seule théologie, mais aussi un autre savoir auquel Aristote ne donne pas de nom. Si, dit Heidegger, « l'homme doit encore une fois parvenir en cherchant jusqu'à la proximité de l'être, il lui

---

38. *Ibid.,* p. 160.
39. Heidegger, K. M., § 39.
40. *Revue Philosophique,* « Descartes », 1937, p. 29.
41. *Recherche de la Vérité,* X° Eclaircissement.
42. *Traité de la nature et de la grâce,* I, art. 38, Additions.

faut préalablement apprendre à exister dans le sans-nom ». Car
le vocable d'ontologie, s'il s'impose en son temps contre la
réduction cartésienne de la métaphysique à la théologie du Tout-
Puissant, et même lorsque Kant donne à l'ontologie moderne
l'envergure d'une *Critique de la raison pure,* nomme un simple
préalable à la théologie qui demeure, selon Kant, le « but final »
de la métaphysique, dans une herméneutique dont la corrélation
onto-théologique est le *punctum caecum.*

Heidegger, au soir du temps, tente pour la première fois de
rétrocéder de la métaphysique elle-même et de son herméneutique pour qu'apparaisse enfin comme une question l'aporie qui
en est secrètement l'essence. La tentative revient à délivrer aussi
bien l'être de l'ontologie que le divin de la théologie, qui est,
aux yeux de Nietzsche, l'étouffoir du divin. Rétrocéder de la
métaphysique n'est pas toutefois s'en libérer en la surpassant par
un exercice de style aujourd'hui en honneur, mais, entrant plus
à fond dans l'épreuve qu'elle nous est, demeurer au niveau d'une
telle épreuve, et par là seulement devenir capables peut-être de
nous en remettre. Nul ne se remet d'une épreuve en la laissant
seulement derrière lui. Il ne s'en remet qu'en gagnant une paix
qui demeure rapport à l'épreuve. Seule une telle paix, reprise plus
sereine, fonde un « autre commencement ». L' « autre commencement » — *der andere Anfang* [43], dit Heidegger — n'est donc
pas un retour à zéro qui annulerait tout *jusqu'ici.* Son apparition
place bien plutôt le *jusqu'ici* lui-même dans une autre lumière.
Nous l'éprouvons alors non pas comme marqué de l'insuffisance
qui serait celle d'un simple balbutiement antérieur, mais comme
déjà l'éclair dans lequel c'est toute l'histoire du monde qui nous
est destinée d'une manière plus instante.

Qu'en est-il cependant de l' « autre commencement » ?
Sommes-nous en attente de lui face à un avenir dont nous ne
pouvons rien savoir ? N'est-il pas au contraire, bien qu'à notre
insu, déjà derrière nous, inexperts que nous sommes à le reconnaître comme tel ? Au regard méditant de Heidegger, l' « autre
commencement » transparaît au temps même de la philosophie
moderne et dans ce qu'il nomme la « poésie pensante » de
Hölderlin. Mais ce recours de la philosophie à la poésie n'est-il
pas une échappatoire que l' « angoisse devant la pensée » se
procurerait pour d'autant mieux cesser de penser ? Ou faudrait-il
que le philosophe apprenne à lire Hölderlin ? Mais où est ici
le rapport à Descartes, si ce n'est que Hölderlin fut l'ami de
Hegel ? « Descartes est un héros », dira bien plus tard Hegel.
Il le dira au temps de son plus grand éloignement de celui qui

43. *Sch. Abh.*, p. 227.

lui fut un ami de jeunesse. Entendons-nous ce que nous dit Hegel ? Entendons-nous la parole de Hölderlin ? De telles questions sont insolites. Elles sont en effet les questions que se pose à lui-même le plus insolitement inactuel des nôtres.

II

Cogito ergo sum

Si cependant les choses sont comme nous les avons dites, s'il est donc légitime de penser que tromperie divine et trucage de l'évidence font deux, pourquoi la première vérité de la métaphysique cartésienne est-elle *je suis* et non par exemple l'axiome de causalité ou 2 et 3 font 5, qui n'ont pas plus besoin que *je suis* de la garantie divine pour être vrais ? Tout simplement parce que ces dernières propositions ne sont pas existentiales, tandis que le thème des *Méditations* est d'un bout à l'autre : *de re existente, an ea sit. Je suis* est la première vérité *de re existente,* sans qu'il y ait besoin de marquer aucune différence de niveau entre une telle évidence et les autres. Mais pourquoi est-il évident que *je suis ?* « Aimé-je un rêve ? » se demande le Faune de Mallarmé. Si oui, lui répond Descartes, c'est donc de toute évidence que tu rêves, mais si tu rêves, il est non moins clair que tu es. Le rêveur perdu dans son rêve n'est pas lui-même rêvé, quelque trompeur que soit le rêve, ou alors c'est qu'un autre est en train de rêver, devenant par là même le sujet sans qui le rêve cesserait à son tour d'être rêve. « Je suis trompé », déclare Descartes, comme le pense Georges Dandin, mais tout aussitôt le premier ajoute : « donc je suis ». Cela, Georges Dandin ne le dit pas. S'il l'avait dit, le comique eût été à son comble. Descartes le dit le plus sérieusement du monde, mais personne ne rit. C'est qu'avec Descartes nous ne sommes pas à la comédie, mais à la philosophie. Il faudra attendre plus d'un siècle pour qu'enfin avec Kant le *je suis* triomphant de Descartes commence à devenir un peu comique. Tant est grande, dit M. Alquié, la « force de persuasion [44] » que déploie, pour lui comme pour d'autres, l'*ego cogito* comme *res cogitans,* autrement dit le « dépassement du *cogito* vers la substance [45] ».

44. *La Découverte métaphysique de l'homme chez Descartes* (P.U.F., 1950), p. 190.
45. *Ibid.,* p. 197.

Rien n'est en effet plus naturel à la philosophie, mais non pas seulement à celle de Descartes, que ce passage à la substance, car c'est elle, la substance qui, nous dit Aristote, déjà transparaît (ἐμφαίνεται) partout où règne au premier plan quelque autre « catégorie ». Mais avec Aristote ce passage a lieu ἐν φαινομένῳ, le « phénomène » à son tour étant tel que la « conscience », à savoir le « je me voyais me voir » de la *Jeune Parque* qui, sur ce point, raffine, n'intervient que comme un « à-côté » (πάρεργον) qui est loin de pouvoir usurper à son profit exclusif la force suprême du φαίνεσθαι. Pour Aristote, voir un arbre n'est pas d'abord se voir le voyant, c'est l'arbre lui-même comme apparition, de telle sorte que l'ὑποκείμενον ou substance est des deux côtés à la fois. Les deux apparaissent en effet, le second seul ayant la particularité de s'apparaître à lui-même. Mais il n'y a pas là de quoi tout faire basculer à son profit. Sans doute « nous rendons-nous compte que nous voyons et entendons [46] », mais sans tout attirer à nous-mêmes au détriment du « vu » et de l' « entendu ». L'essentiel est simplement de ne pas oublier l'une des dimensions du « phénomène », à savoir la singularité *en lui* de la ψυχή. L' ἐμοὶ φαίνεται des Grecs n'est nullement la confiscation du « phénomène » par un *cogito me videre,* bien que telle en soit l'interprétation cartésienne. Voyant l'arbre, je me vois bien le voir, *dum in meipsum mentis aciem converto [47],* mais non pas de telle sorte que nous ne puissions rien connaître *quin idem etiam multo certius in mentis nostrae cognitionem nos adducat [48].* Ce que dit ici Descartes eût été pour un philosophe du Moyen Age aussi dépaysant que stupéfiant pour un Grec. Mais c'est qu'avec Descartes le monde grec et sa lumière que le verbalisme scolastique cherche encore à suivre à la trace s'en sont allés. Le monde que Descartes a sous les yeux, celui dont il vit, est bien plutôt le monde judéo-chrétien de la *promesse,* qu'il entend flanquer d'un autre monde qui ne lui soit pas moins certain que le premier, d'où la recherche d'un *inconcussum* qu'il place dans la manifestation à soi-même, le *Sicherscheinen [49]* de l'*ego* comme *cogitans.*

Le « phénomène » et l'ἀλήθεια d'où il apparaît comme tel dans la lumière de l'être, lumière à son tour ambiguë puisque l'être lui-même selon Aristote est essentiellement ἀληθὲς ἢ ψεῦδος, se sont, dira Nietzsche, « retirés ». Il n'est plus question maintenant — à la suite de quelle inassurance secrète ? — que de s'assurer de l'étant. Même le sublime impératif de Sophocle,

---

46. *De Anima,* 425 b 12.
47. *Méditation I,* A. T., VII, 51, lignes 23-24.
48. *Principes,* I, § 11.
49. *Hzw.,* p. 185.

προφάνηθι θεός, qui vibre encore dans la théologie d'Aristote, est devenu un théorème que Descartes se démontre à lui-même « selon l'ordre des raisons ». Fort de son Dieu connu comme non trompeur, l'*ego cogito* est déjà à pied d'œuvre pour la domination méthodique de l'étant. Pascal aura « beau crier » contre cette nouveauté décisive et s'évertuer à sauver dans l'homme une vie chrétienne, il ne pourra le faire que sur la lancée de Descartes, c'est-à-dire du point de vue d'une subjectivité devenue souveraine, celle qu'il nomme le « consentement de vous à vous-même », le fond d'un tel consentement étant le « sentiment du cœur ». Mais le conflit du sentiment et de la raison n'est qu'une querelle de famille entre les zélateurs de la même subjectivité. Il rebondira dans le débat de Kant avec Leibniz, lorsque Kant après Pascal découvrira à sa façon contre Leibniz que « le cœur sent qu'il y a trois dimensions dans l'espace ». A travers ces divergences, ce qui demeure en route, c'est l'interprétation de plus en plus résolue de la substance comme sujet, telle que Hegel l'affirmera dans une célèbre Préface au *Système de la science*. La réduction nietzschéenne de l'*ego cogito* à un *ego volo,* dont l'essence est la volonté comme volonté de puissance, ne sera à son tour qu'un déplacement de frontières à l'intérieur de la subjectivité qui, depuis la révolution cartésienne, est devenue fondamentale. Aux yeux de Nietzsche, Hegel ne pense pas encore assez résolument la substance comme sujet. Il faut donc dépasser même Hegel dans le sens où il va. Car, pour Nietzsche, Hegel n'est nullement un repoussoir comme pour le faible Schopenhauer, mais déjà le penseur d'une « initiative grandiose [50] » qui est l'affirmation enfin de l' « innocence du devenir ».

La subjectivité qui, à partir de Descartes, prend le pas sur l'antique substantialité au point de se substituer à elle avec Hegel dans la représentation d'un sujet absolu, ne signifie nullement que l'objet fasse défaut. Elle est en effet, dans son essence, ouverture à l'objet. Cézanne disait : « Quand la couleur est à sa richesse, la forme est à sa plénitude. » Hegel aurait pu dire : « Quand le sujet est à sa richesse, l'objet est à sa plénitude. » L'absolu de Hegel, s'il est sujet, ne manque nullement de l'objet. Mais l'objet n'est qu'un satellite du sujet qui a pris la place centrale. Il n'en allait pas ainsi, dit M. Alquié, pour Descartes, dont la philosophie n'est nullement l' « idéalisme » mais l'insertion dans un « réalisme » du primat de la pensée [51]. Certes. Dans l'optique des *Méditations,* le sujet pensant n'est premier que comme « chose qui pense ». Il s'agit pourtant moins d'une subs-

---

50. Der Wille zur Macht, § 416.

50. *Der Wille zur Macht,* § 416.
51. *La Découverte métaphysique de l'homme...,* p. 182.

tantialisation, c'est-à-dire d'un devenir-chose de la pensée dans l'*ego,* que de l'égoïsation du rapport de la pensée à la chose, qui est la représentation de celle-ci comme objet. Faire de la chose pensante une substance et de la chose pensée un objet font deux. L'objet est bien toujours la chose, mais dans l'optique du sujet à qui l'objet n'est présent qu' « ajusté », dit Descartes, à une mesure ou à un « niveau » que le sujet porte d'abord en lui et auquel il rapporte réflexivement ce qui lui fait face. Ce que Descartes substantialise, c'est en réalité un tel rapport, sans nullement se demander si, comme rapport, il peut être aussi une substance. Husserl, à travers Kant, a très bien sur ce point dégagé l'essentiel, soulignant que Descartes n'a vu, dans le *je pense,* qu'un « point archimédique [52] », ce qui n'empêchera nullement les lecteurs français des *Méditations* de Descartes, fidèles aux meilleures traditions indigènes, de négliger cordialement les *Méditations cartésiennes* de Husserl.

Au vrai, dans le *je* du *je pense,* il y a plusieurs *je.* Au moins les trois suivants :

1) Le *je* qui est substance et sur lequel Descartes s'appuie pour prouver de Dieu qu'il existe. La philosophie se représente une telle substance comme distincte de la substance corporelle, mais unie à elle dans l'homme encore plus étroitement que le pilote à son navire, au point qu'il est bien difficile de dire ce que la première devient au juste quand la machine du corps cesse de fonctionner.

2) Le *je* qui est sujet, à savoir celui du verbe *cogitare,* donc l'*ego cogito,* tel qu'il procède toujours *se solum alloquendo,* ne se parlant qu'à lui seul, bien qu'il s'emploie du même coup à jeter des regards à la ronde par lesquels il est, mais en sens inverse : *undique circumspiciens.*

3) Le *je* qui n'est ni l'un ni l'autre, à savoir, éponyme des deux précédents, celui du « sens intime », c'est-à-dire de tout un chacun avec ses humeurs, ses passions, ses préventions, ses plaisirs, ses ambitions, ses manies, ses traits de caractère, etc. C'est le *je* de Descartes tel qu'il apparaît dans la biographie de Baillet. Un tel *je* est non seulement gibier de biographie, mais aussi de psychologie, de sociologie, comme aussi bien de tout ce qui se rattache aux « sciences humaines » en général.

Le premier *je* appartient à ce que Leibniz nommera le « monde intelligible des substances », celui dont certains phénomènes au moins nous sont, pensait-il, un « avant-goût », mais dont Kant

---

52. *Erste Philosophie,* 1923/24 (La Haye, 1959), p. 342.

au contraire dira que nous n'en pouvons rien connaître. Dans
ce monde, Descartes, face au malin génie qu'il se feint à lui-
même pour être bien sûr de douter à fond, s'installe en toute
naïveté. Libre à chacun de l'y rejoindre et de s'y substantialiser
avec lui.

Le second et le troisième *je* sont si étrangement enchevêtrés
que les démêler l'un de l'autre est un art difficile. Dans la
Critique de la Raison pure Kant ne s'occupe que du sujet en
tant que cogitant dont il nomme la *réflexivité* essentielle : aperception transcendantale. Dans aperception, *a-*, qui est là pour
ad, est dirigé vers le sujet, tandis que perception désigne en sens
inverse le rapport à l'objet. Cette réflexivité est appelée transcendantale parce qu'elle appartient au *je* non pas « tel qu'il est en
lui-même » (le *je* comme substance), ni « tel qu'il s'apparaît à lui-
même » (le *je* du « sens intime »), mais, dit énigmatiquement
Kant, en deçà du premier mais au-delà du second, tel qu'avec
lui « j'ai seulement conscience *que* je suis [53] ». La conjonction *que*
est en italique. Une telle conjonction est essentiellement posante.
Mais de quoi ? Du *je* lui-même qui, dès lors, se pose comme centre de tout pour tout ramener synthétiquement à lui. C'est bien en
effet le sens de *cogitare*, fréquentatif, disait saint Augustin, de
cogere : rassembler, réunir, concentrer tout ce qui tend à se dis-
perser.

Quant au *je* du sens intime dans son rapport non seulement
aux choses mais aussi à autrui qui lui est *tu, il* ou *elle, nous* ou
vous, elles ou *eux,* Kant en traite dans une *Anthropologie* qu'il
tient non plus pour transcendantale mais pour seulement empirique. C'est le *je* des affections, sentiments ou passions, des sou-
venirs, de l'imagination, de l'habitude, etc., qui nous le font
paraître comme aussi « bariolé [54] » que le *je* qui cogite est au
contraire invariablement lui-même. Toutes les modalités du *je*
de l'anthropologie, ou, si l'on veut, de la psychologie, Descartes
les rassemblait cependant sous le nom de *cogitationes*. La raison
en était que, même au plus bas degré de ces modalités, à savoir
dès le *modus sentiendi*, l'ego de la *cogitatio* est déjà présent et
ne demande qu'à s'éveiller à sa tâche propre qui est de cogiter
ce qui n'est d'abord que senti. Descartes affirme donc : *in nostro
sentiendi modo cogitatio includitur* [55]. Mais alors l'ego sujet *de*
cogito et l'ego sujet *aux* affections de la sensibilité sont finalement le même ? Pas tout à fait. A vrai dire, le second est bien
le premier, mais quand celui-ci, comme dans la chanson, se laisse
aller, sans cependant qu'il lui devienne jamais impossible de se

---

53. *Critique de la Raison pure*, § 25, T. P., p. 135.
54. *Ibid.*, p. 112 (§ 16) : « ...d'autant de couleurs... »
55. A. T., V, 277.

reprendre cogitativement jusqu'à redevenir à lui-même sa propre tête. C'est là un trait qui s'effacera relativement avec Kant et plus encore avec Husserl. Kant ne dirait nullement comme Descartes des intuitions de la sensibilité : *intellectionem non nullam* (...) *includunt* [56]. Elles ne contiennent en effet aucune intellection. Elles ont leur clarté à elles, clarté *esthétique,* spécifiquement différente de la clarté logique du concept [57]. Dans le même esprit et plus résolument encore, Husserl ne considère nullement la perception sensible et l'imagination comme une dégradation de l'entendement. Ce sont pour lui d'autres *noèses,* auxquelles répondent d'autres *noèmes.* Comme telles, elles n'appartiennent pas moins fonctionnellement que l'intellection à la « multiradiance » du *je pense* et leur étude n'est pas moins transcendantale que ne l'était pour Kant celle au moins de l'imagination. Dès lors le *je* du sens intime, celui qui est « polarisé en un moi psychique [58] », est numériquement distinct du *je pense,* au point que Husserl le nomme : *je* psycho-physique. Le *je* psycho-physique est *intramondain,* non transcendantal. Une telle « monade » (*res*) n'est que l'une des « transcendances » qui doivent être « constituées (...) à l'intérieur de la sphère transcendantale universelle », mais comme pourvue d'un corps, alors que ce caractère est radicalement étranger au *je pense* entendu comme « sphère ontologique des origines absolues », le propre d'une telle sphère étant que *nulla* « *re* » *indiget ad existendum* [59]. Pour que la relation au corps soit à son tour pensée au niveau même de l' « originalité primordiale » et non pas comme une simple dérivation, il faudra cependant attendre *Sein und Zeit,* où elle devient pour la première fois radicale au *Dasein.* C'est cependant sans nulle concession au « matérialisme » que *Sein und Zeit* répond à sa façon et pour la première fois à l'impatiente parole de Rimbaud : « Posséder la vérité dans une âme et un corps. »

Pour en revenir à Descartes, nous pourrions dire : l'*ego cogito* de Descartes comporte un *atavisme* métaphysique qui lui vient directement de la tradition scolastique : celui par lequel il se représente à lui-même comme une substance, à savoir la « chose qui pense ». Mais, d'autre part, il va déployer dans la philosophie moderne une double postérité.

En un sens, il est l'origine du sujet tel qu'après Kant le nomme Hegel, comme celui à qui tout le reste est objet, dans la mesure où, ne prenant appui que sur lui-même, il lui revient, comme nous le lisons dans la *Phénoménologie,* de « faire front

56. *Méditation VI,* A. T., VII, 78, lignes 25-26.
57. *Réponse à Eberhard,* VI, 35 (note).
58. *Méditations cartésiennes,* § 35.
59. *Ideen I,* p. 92.

de toutes parts sans jamais pouvoir être pris à revers [60] ». Le nom métaphysique d'un tel sujet sera dans la philosophie de Nietzsche *volonté de puissance*. Quand Nietzsche prétend dépasser le « sujet » tel qu'il était à ses devanciers « ligne d'horizon [61] », il ne fait que se le représenter d'autant plus résolument comme sujet. A un tel sujet, ce qui fait face n'est même plus objet : il n'est plus en effet que *valeur*. Mais le passage au « point de vue de la valeur » n'est, comme nous l'avons dit, qu'un déplacement de frontières à l'intérieur de la subjectivité telle que pour la première fois Descartes en avait ouvert la contrée.

En un autre sens, il est la source de la psychologie au sens moderne comme étude des phénomènes du « sens intime » ou, comme on dit encore, de la « conscience ». Ce mot de « conscience », Descartes déjà l'emploie parfois, bien que rarement, mais toujours le plus ambigument du monde. Il désigne pour lui aussi bien le rapport à la chose comme objet, rapport qu'il nomme d'autre part *cogitatio,* que la clôture sur soi de l'expérience qui sera dite subjective. La subjectivité du sujet est dès lors à la fois le centre de la *cogitatio* et la dimension d'intériorité des états de conscience. Autrement dit, il y a deux modes de la « relation à soi ». L'une institue ou fonde l'objectivité elle-même et l'autre la rapporte seulement au sujet et à son « état ». C'est celle-ci que Husserl corrigera par le contre-mouvement de l'intentionalité dans une interprétation « élargie » de ce que les Allemands nommaient déjà : *das Erlebnis*. La traduction française est : le *vécu*. C'est dans la ligne de Descartes que Husserl entreprendra son analyse phénoménologique du vécu, le propre de sa phénoménologie étant que la psychologie lui demeure « rigoureusement parallèle ».

Où en sommes-nous avec Heidegger ? Sa tentative est de délivrer le domaine d'ouverture où nous avons séjour de la corrélation ambiguë du *sujet* et du *vécu* telle que, prenant issue du *cogito* de Descartes, elle demeure encore le fond de la phénoménologie husserlienne. Penser ainsi n'est nullement prétendre dépasser le cartésianisme, mais revenir de lui à une source plus essentielle. La philosophie grecque ignore le *sujet*. C'était même, selon Hegel, son faible. Mais, ajoute Heidegger, elle ignore non moins le *vécu*. « Les Grecs, grâce au ciel, n'avaient pas de vécu. » Personne jusqu'ici n'avait rien dit de tel. Expliquons-nous sur ces deux points.

Etrangère au sujet qu'est déjà pour l'essentiel l'*ego cogito* de Descartes, la philosophie grecque n'a pourtant pas méconnu le *je*, dont Protagoras soulignait même la puissance au point de

60. Traduction J. Hyppolite, I, 318.
61. *Werke*, XIII, § 627.

mériter l'approbation sans réserves de Socrate. Mais le *je* de
Protagoras n'est pas le sujet cogitant, porteur en lui de la mesure
qui décide de la vérité de l'étant. Cette mesure, Protagoras la
reçoit bien plutôt du rapport grec de l'étant à son être dans
l'expérience de l'étant comme « phénomène ». C'est comme
« phénomène » que l'étant se manifeste dans son être, car,
« phénomène », il l'est du fond de lui-même et non à partir de
l'homme seulement. C'est ce que nous enseigne le ciel nocturne
de Sapho, qui n'a nul besoin de l'homme pour briller. Mais le
« phénomène » est aussi en relation avec l'*ego*. Par cette
seconde relation, la relation à l'être n'est nullement *ouverte* mais
bien plutôt *restreinte*. C'est pourquoi il est difficile de conquérir
à partir de cette restriction un ἰδεῖν qui soit comme le voudra
Platon συνοπτικόν. Mais Protagoras n'en est pas moins, selon
le mot de Nietzsche, *aus griechischer Atmosphäre (...) gebo-
ren* [62]. Il respire le même air que Platon. Non pas cependant
que Descartes, à qui rien ne brille que pour l'*ego* tel qu'il ne
s'apparaît qu'à lui-même comme le fondement inébranlable de
toute certitude relative au reste de l'étant.

Mais le *je* de Protagoras, s'il n'est pas un sujet cogitant, n'est
pas non plus celui de la « vie intérieure », éponyme du premier,
et à qui ses états ne seraient que des « états d'âme » plus ou
moins diversement ou intensément vécus, au sens où, à la fin
du siècle dernier, Brunetière avait imaginé de définir le
lyrisme comme « la réfraction de l'univers à travers un tempé-
rament ». Tant que les connaissances ne sont pas « ramenées à
l'unité objective de l'aperception », elles ne sont encore, dit
Kant, que des modifications de l'état du sujet. Mais enfin, pense
Protagoras, la table qui est devant moi et même le rouge du
tapis ou la fraîcheur de l'air ne sont nullement de simples modifications de mon état, mais les choses mêmes avec leurs qualités
que je *perçois* bien moins qu'elles ne *m'appellent à elles* là où
elles sont et où je les rencontre à découvert. Sans doute n'appa-
raissent-elles pas identiquement à tous. Protagoras disait, selon
Platon : « Est-ce que rien, à un autre homme, apparaîtra pareil
à ce qui t'apparaît [63] ? » Et Valéry dira à propos de Mallarmé :
« Je ne sais démêler ce qu'il fut de ce qu'il me fut [64]. » Valéry
parle ici comme Protagoras. C'est dire que le Mallarmé dont
parle Valéry n'est pas pour autant une simple modification intérieure de Valéry et, pour tout dire, un phénomène de « réfraction morale [65] ». Il y a bien plutôt en lui de l'ἀδηλότης, du

---

62. Nietzsche parle à vrai dire du quatrième Evangile.
63. *Théétète*, 154 a.
64. *Variété*, II, p. 212.
65. Maine de Biran, *Mémoire sur la décomposition de la pensée*, éd.
Tisserand, III, 166.

non-clair, au point qu'il ne cesse de donner à penser, du moins à qui s'interroge au lieu de faire sienne ce que Platon nommait « la première venue des apparences ». C'est bien pourquoi Protagoras dit sobrement : « Il y a au savoir beaucoup d'obstacles, tant la non-clarté de la chose que la brièveté de la vie de l'homme. » Tout appartient cependant au jeu des choses et n'implique aucune intériorisation du moi en lui-même. Bien dit ! répondra Socrate, « c'est un homme avisé qui parle sans se complaire à bavarder[66] ». C'est plutôt le bavardage de l'intériorité que Socrate eût trouvé insipide. Alors, pas d'intériorité ? Pas la moindre. Au plus intime de nous-mêmes nous sommes déjà dehors et non pas retranchés dans la subjectivité sans dehors d'un milieu purement intérieur.

Sans doute Husserl s'est-il phénoménologiquement dégagé de la fascination qu'exerçait sur la plupart de ses contemporains le fantôme de la prétendue vie intérieure. « Il nous a délivrés de la vie intérieure », dit Sartre. A vrai dire, il ne nous en a délivrés qu'à demi. Continuant à nommer *Erlebnis* (vécu) ce dont il entreprend l'analyse, il persiste en effet à maintenir dans l'*Erlebnis* une *couche hylétique* qui lui appartient comme *contenu,* et une *dimension noétique* qui, bien que *stofflos,* n'en est pas moins caractérisée à son tour comme *couche.* Ainsi se « constitue » à ses yeux, dans son rapport à l'objet noématique, ce qu'il appelle admirativement « le merveilleux *être pour soi-même* de l'*ego*[67] ». Celui-ci n'est en effet qu'à partir de là relation à la chose, au point que Brentano avait pu encore caractériser « non sans fondement légitime[68] » comme psychique tout un côté de la vie qu'est à elle-même la conscience. Il y a là cependant, ajoute Husserl, quelque abus du terme, et il éloigne bien davantage que Brentano de sa phénoménologie la psychologie dite introspective. Mais il ne l'en maintient pas moins comme « rigoureusement parallèle » à la première. Pour en effet se dégager plus entièrement du psychique, ce n'est pas seulement jusqu'à Descartes autrement pensé qu'il suffit de rétrocéder, mais bien de Descartes lui-même jusqu'à une percée antérieure pour laquelle l'*ego* n'est pas plus le sujet de la vérité qu'il n'est sous le même nom la dimension d'intériorité de ses prétendus « états ». C'est pourquoi le point de départ de *Sein und Zeit* n'est plus, comme pour Husserl, selon qui « il n'est de commencement possible que par l'*ego cogito*[69] », la conscience, mais « ce dont nous nous

66. *Théétète*, 152 a b.
67. *Méditations cartésiennes*, § 18, in fine.
68. *Ideen I*, p. 174.
69. *Méd. Cart.*, § 16 : *Offenbar ist (...) kein anderer Anfang als der mit dem ego cogito.*

saisissons terminologiquement comme *Dasein*[70] ». Non pas sans
doute *Dasein*, qui ne dit que l'existence par opposition à l'essence,
mais *Dasein* ou, comme l'écrit parfois Heidegger, *Da-sein*, tel
qu'il fait écho à *Bewusstsein* (conscience), mais selon le remplacement de *bewusst*, qui évoque le rapport du sujet à lui-même
— *ich bin mir meiner selbst bewusst* (je me suis conscient de
moi-même), disait Kant — par *Da*, qui dit l'ouverture du
domaine où tout se manifeste à la mesure d'un monde.

Le *Da-sein*, être-le-là, qui est le point de départ de *Sein und
Zeit*, nous apparaît ainsi beaucoup plus proche de la ψυχή des
Grecs que du *cogito* cartésien, si du moins ψυχή, comme nous le
donne à entendre Aristote, est électivement le sujet du verbe
ἀληθεύειν : se tenir au sein de l'Ouvert où tout se présente à
découvert. Non sans doute pour s'y exhiber sans réserves, car
ce qui est pensé jusqu'à son être et à partir de lui n'est pas
tout uniment ἀληθές, mais bel et bien ἀληθὲς ἢ ψεῦδος, à
découvert ou en retrait, ce retrait projetant phénoménologiquement en avant de lui-même un autre visage de la chose que celui
qui s'abrite en lui. Mais alors la ψυχή des Grecs serait aux antipodes de tout *psychique* au sens moderne ? Assurément. Beaucoup
plus *rapport* qu'elle n'est *chose*, la ψυχή apparaît telle à Aristote
qu'elle « est à sa façon tous les étants autant qu'ils sont[71] ».
Cela ne veut pas dire que, voyant un arbre, par là je m'arborise,
mais que je lui réponds au plus proche au sens où j'en suis le
là, autrement dit la présenteté, au point que lui et moi ne sommes
séparés l'un de l'autre que par l'entre-deux qui nous établit l'un
pour l'autre. Ainsi la ψυχή est le *là* de tous les étants par où ils
sont. C'est ainsi que Heidegger interprète le πώς d'Aristote, qui
ne nous livre encore qu'une énigme. Et c'est pourquoi aussi il
est essentiel de traduire *Da-sein* par *être le là* et non par *être là*
comme on le fait communément.

Si le trait fondamental de la philosophie grecque est, comme
nous le dit Platon, « s'étonner », une question en effet se pose :
de quoi les Grecs s'étonnaient-ils en s'en émerveillant ? D'exister ? Certes, mais au sens grec du mot et de la chose. Les Grecs
n'étaient nullement ceux qui n'en revenaient pas d'*être là*. Un
tel étonnement n'a rien de grec. Il sera bien plutôt celui de Cébès
au début de *Tête d'Or* :

> Me voici,
> Imbécile, ignorant,
> Homme nouveau devant les choses inconnues...

---

70. *S. Z.*, p. 11.
71. ἡ ψυχὴ τὰ ὄντα πώς ἐστι πάντα (*De Anima*, III, 8, 431 b 21).

Ce dont les Grecs ne cessèrent de s'étonner, au moins jusqu'à
Aristote, n'était nullement d'*être là,* mais bien d'*être le là,* la
présenteté même de toutes choses, au point que les dieux, dit un
fragment d'Hésiode, « leur ont fait face dans tout leur éclat ».
Lire autrement la philosophie grecque, c'est se fermer d'avance à
ce qu'elle nous donne à entendre. Un lourdaud comme Hippias
n'entendait goutte à la parole de Platon. « Entre : qu'est-ce qui
est beau (τί ἐστι καλόν;), et : qu'est-ce que le beau (τί ἐστι
τὸ καλόν;) ne vois-tu pas de différence ? » demandait Socrate.
« Pas la moindre », répondait Hippias. Heidegger nous demande
aujourd'hui : « Entre *être là* et *être le là,* ne sentez-vous pas la
différence ? » Οὐδὲν γὰρ διαφέρει [72], continue à répondre l'éternel
Hippias.

Si, cependant, la ψυχή au sens grec n'a rigoureusement rien à
voir, pas plus, malgré sa traduction par *âme,* avec l'âme chrétienne qu'avec le *cogito* de Descartes qui en est la fenêtre ouverte
sur la chose comme objet, l'inverse pourtant n'est nullement vrai.
L'âme chrétienne et le *cogito* ont au contraire beaucoup à voir et
beaucoup plus qu'ils ne le pensent avec la ψυχή des penseurs
grecs. Il est clair en effet que mainte proposition de la *Méditation quatrième* sort tout droit du *De Anima.* Comment cependant entendre ce rapport ? Comment, sinon par une méditation
de l'histoire autre que celle qu'autorise aujourd'hui la croyance
naïve au progrès ? Il se pourrait en effet que l'*ego cogito* de
Descartes ne soit nullement la promotion enfin de ce qu'Héraclite,
Platon et Aristote avaient nommé ψυχή, mais l'oubli radical de
ce qu'ils entendaient par là, bien qu'ils n'aient jamais clairement
précisé ce que leur était la ψυχή. Platon cependant écrit à la fin
de *Phédon* que μὴ καλῶς λέγειν « n'est pas seulement commettre une faute de langage », mais, traduit-on à l'ordinaire,
« fait du mal aux âmes ». Mais en quoi ? Et que viennent faire
ici les âmes ? Platon ne dit-il pas bien plutôt que μὴ καλῶς
λέγειν détraque le *là* qu'est en chacun de nous la ψυχή, en faisant
de nous autant de déserteurs du monde ? Quand Marx dit par
exemple que la philosophie de Platon n'est pas autre chose en
son fond que « l'idéalisation athénienne du système égyptien des
castes », sa proposition parle μὴ καλῶς au sens de Platon. C'est
dès lors le *là* comme tel qui lui échappe au profit d'entreprises
certes plus excitantes. Aussi bien les « âmes » que l' « être-là »
sont hors de question. Il s'agit bien plutôt d'une évacuation du
là lui-même en celui dont l'être est d' « être-le-*là* ». Ainsi la
nomination du *Da-sein* revient du *cogito* cartésien à la pensée
grecque dont le *cogito* est l'éclipse. C'est bien pourquoi aux yeux

72. *Hippias majeur,* 288 d.

de Sartre Heidegger « évite » le *cogito*. Autant dire qu'il l'esquive et qu'il s'en détourne. Il ne l' « évite » à vrai dire nullement, mais il remonte à ce qui est *übersprungen,* franchi d'un saut, par le *cogito* de Descartes. D'où l'entreprise de ce que Heidegger nomme la « destruction phénoménologique » du *cogito,* entendant « destruction » au sens où René Char nous dit : « Enfin si tu détruis, que ce soit avec des outils nuptiaux. »

Une « opinion » bien arrêtée et non moins régulièrement professée est cependant que Heidegger « déteste » Descartes. Parler ainsi est aussi sot que soutenir qu'il prêche le retour à la terre ou qu'il prétend nous faire redevenir des Grecs. Mais il n'y a pas de fumée sans feu. L'origine de cette consternante ineptie est sans doute à chercher dans les paragraphes 19 à 21 de *Sein und Zeit,* où Heidegger, au lieu de procéder à une « adoration de Descartes », rite obligatoire en climat français, ose dire, comme Leibniz, qu'il arrive parfois, même à Descartes et surtout à lui, de philosopher à la va-vite, dédaignant cavalièrement ce qu'au contraire Leibniz saura honorer aussi bien chez les Scolastiques qu'à sa façon, qui est cependant cartésienne, dans la philosophie grecque. Heidegger va même jusqu'à dire qu'en ce qui concerne l'élaboration ontologique de la question métaphysique Descartes demeure parfois bien en deçà de la Scolastique, dont le fil conducteur avait été pour saint Thomas une doctrine de l'analogie que Descartes trouve plus expédient de négliger. C'est pourquoi, professant d'un côté l'équivocité de l'être pour Dieu et les créatures, Descartes n'en démontre pas moins d'un autre côté de Dieu qu'il existe, sans trop se préoccuper de ce que le mot exister peut bien encore vouloir dire. De même, affirme-t-il : « J'existe ! » C'est clair ? Pas précisément s'il faut aller jusqu'à voir là, avec M. Gouhier, un « dévoilement ontologique » ou avec M. Alquié une « expérience existentielle » qui ne sont certes pas à la portée des « simples fils de la terre » parmi lesquels modestement se comptait Kant. Mais Kant n'était sans doute qu'un Prussien de l'Est qui ne pouvait comprendre Descartes, dont l'idiosyncrasie lui demeurait impénétrable. Que les Français, par une telle jactance, se couvrent de ridicule aux yeux du monde entier, ils n'en ont cure étant, à la face du monde, les « fils de la Révolution » qui est, comme on sait, d'origine cartésienne [73].

« Un penseur du rang de Descartes [74] », disait pourtant en 1940 Heidegger. Il voulait dire par là : « du premier rang ».

---

73. « ...les Français semblent des guenons qui vont grimpant contremont un arbre, de branche en branche, et ne cessent d'aller jusques à ce qu'elles sont arrivées à la plus haute branche, et y montrent le cul quand elles y sont ». Montaigne, *Essais,* II, ch. xvii.
74. *N.,* II, 150.

Mais cela est loin de suffire à nos irritables augures car ne disait-il pas la même année : « Le rapport de l'homme à l'être est obscur [75]. » Comment ? Ce rapport n'a t-il pas été décisivement éclairci dans les *Méditations* de Descartes ? Et Heidegger n'a-t-il pas intentionnellement négligé de se joindre, trois ans plus tôt, aux congressistes de tous les pays du monde réunis à Paris pour y « concélébrer » le troisième centenaire du *Discours de la méthode* ? Que cette absence de Heidegger ait plutôt été due à ce qu'il avait été à l'époque considéré comme inexportable par les autorités établies à Berlin, à qui le faire croire ? Il ne pouvait évidemment s'agir, dira même le moraliste, que de « dissentiments personnels » sur des sujets mineurs. Vive donc la Morale, mais aussi : en avant la musique ! Et, pour tout dire : ainsi soit-il !

---

75. *Ibid.*, 207.

PASCAL SAVANT

On ne peut parler de Pascal savant sans se remémorer les lignes un peu trop célèbres de Chateaubriand : « Il y avait un homme qui, à douze ans, avec des barres et des ronds avait créé les mathématiques ; qui, à seize, avait fait le plus savant traité des coniques qu'on eût vu depuis l'antiquité ; qui, à dix-neuf, réduisit en machine une science qui existe tout entière dans l'entendement ; qui, à vingt-trois, démontra les phénomènes de la pesanteur de l'air, et détruisit une des grandes erreurs de l'ancienne physique ; qui, à cet âge où les autres hommes commencent à peine de naître, ayant achevé de parcourir le cercle des sciences humaines, s'aperçut de leur néant et tourna ses pensées vers la religion ; (...) enfin qui, dans les courts intervalles de ses maux, résolut, par distraction, un des plus hauts problèmes de la géométrie, et jeta sur le papier des pensées qui tiennent autant du dieu que de l'homme. Cet effrayant génie se nommait Blaise Pascal. »

N'insistons pas sur la création des mathématiques à douze ans, légende célèbre accréditée par la relation un peu tendancieuse que fait Gilberte Pascal de la vie de son frère. Des événements plus récents — je pense à Rimbaud, autre effrayant génie — nous ont familiarisés avec le phénomène des sœurs abusives. Mais si Pascal à douze ans n'a pas inventé *ex nihilo* les trente-deux premières propositions du premier Livre d'Euclide, s'il a été plutôt surpris par son père, en train de reproduire, dans son langage des barres et des ronds, la trente-deuxième proposition de ce Livre qu'il avait lu en cachette, il est très exact que quatre ans plus tard, à l'âge de seize ans (1640), il fera imprimer un petit placard en forme d'affiche intitulé : *Essai pour les Coniques*.

Ce qui caractérise ce premier *Essai,* c'est qu'il reprend, nettoie
et dépasse les écrits du grand géomètre lyonnais, trop longtemps
et trop injustement oublié, Girard Desargues. Aux yeux des
Cartésiens, la géométrie de Desargues, dont l'originalité consiste
à prendre pour base la perspective et à traiter projectivement
des sections coniques, n'était, dans son dédain du calcul algé-
brique, dans l'étrangeté aussi de son langage, que *leçons de
ténèbres.* Mais l'attrait que Pascal éprouve pour le ténébreux
Desargues manifeste bien, dès la seizième année, la nature de son
génie. A l'encontre du parti pris d'analyse qui triomphe avec
Descartes et prétend, dira Leibniz, « représenter les figures sans
figures », Pascal est, d'instinct, intuitif et figuratif. Son affaire
n'est pas de traduire l'espace en équations, mais de s'y exposer
méthodiquement aux surprises que réserve la vision des figures.
L'homme d'une telle méthode, dira encore Leibniz, il lui faut
« toujours demeurer dans le solide et bander l'esprit par une
forte imagination du cône [1] » pour mener à bien son *Essai.* Il
y a ainsi en géométrie quelque chose de réfractaire à l'analyse,
un donné immédiat que l'on rencontre tel qu'il est et que sauve-
gardent, dans le discours, ces « mots primitifs » dont un texte
bien ultérieur (1660) [2] nous dira qu'ils sont irréductibles aux
définitions et aux axiomes. Dans les *Pensées,* pour caractériser
cette présence immédiate de l'espace à l'intuition du géomètre,
Pascal nommera tout naturellement le *cœur.* La géométrie est une
affaire de cœur. Elle est, pour ainsi dire, une *surprise du cœur.*
Mais elle demande aussi d'*avoir du cœur* pour jouer à fond la
difficulté et soutenir l'épreuve d'endurance par laquelle seule
l'appréhension des principes qui, dans une nouveauté déconcer-
tante, « sortent du néant », peut être à l'abri des *intermittences
du cœur.* Pour Pascal le géomètre *sans cœur* qu'est Descartes
ne sera jamais qu'un demi-habile. Pascal dirait certainement de
tels géomètres ce qu'il dira des libertins : « Ces gens manquent
de cœur, on n'en ferait pas son ami [3]. » « Platon pour disposer
au christianisme », lirons-nous dans les *Pensées.* Le jeune Pascal
aurait pu écrire : La géométrie pour disposer au christianisme.
Car la *géométrie du cœur* qu'est l'*Essai pour les Coniques* ne
prépare-t-elle pas déjà *Dieu sensible au cœur,* si le cœur que
suppose déjà la géométrie n'est pas une simple émotion de la
sensibilité, mais cet appel de la surprise au courage, sans quoi
la foi s'effondre dans la platitude libertine de l'indifférence ?

Pourtant, si les premiers travaux de Pascal sont géométriques,
c'est brusquement vers la physique que nous le voyons tourné

---

1. *Opuscules et fragments inédits,* éd. Couturat, p. 98.
2. Pascal, IX, 246.
3. *Pensées,* § 196.

quelques années plus tard — Pascal a vingt ans — par l'attrait d'une querelle qui agite son époque : celle des partisans du plein et des partisans du vide. Il ne s'agissait jusque-là que d'une discussion académique. Mais voici que des faits nouveaux donnent à réfléchir. Les fontainiers de Florence ont découvert qu'au-delà d'une certaine hauteur leurs pompes aspirantes n'élèvent plus l'eau. Surtout l'expérience de Torricelli est révélée en France par le P. Mersenne qui, avec sa maladresse expérimentale, tente en vain de la reproduire. Descartes, dans les *Principes,* vient de promulguer le dogme du plein. La curiosité de Pascal s'éveille. Ce sont d'abord les expériences de Rouen qui reproduisent celle de Torricelli. Mais qu'y a-t-il au juste dans la chambre baro-métrique ? Des vapeurs émanées du liquide employé ? De l'air qui aurait filtré par les pores du verre ? Ou un pur rien ? Il faudrait, disait naïvement le P. Mersenne, y aller voir : ne pourrait-on pas, dans l'espace suspect, ménager la présence d'une mouche, d'un oiseau, d'une souris, voire d'un homme muni d'un marteau qui lui permettrait de briser sa prison de verre en cas de danger ? Comme on voit, Mersenne va droit à l'essentiel ! L'*ingéniosité* de Pascal s'attachera plutôt à tourner la difficulté en variant l'expérience de diverses manières. Non, ce n'est pas de l'air filtré ni de l'air raréfié, ni de la vapeur émanée du liquide — ce n'est vraiment aucune substance connue. Et soudain son *génie* [4] transforme la question : au fond, affirmer le plein du vide, c'est demander la « raison des effets » à une *horreur du vide* imputée à la nature par cette enfance de l'homme que fut l'Anti-quité. Mais si une expérience nous permet de montrer avec évi-dence que les mêmes effets sont entièrement explicables par une *autre cause* que l'horreur du vide, alors l'affirmation du vide n'a plus rien de paradoxal. L'idée de cette autre cause était déjà, à titre d'hypothèse vraisemblable, dans quelques esprits audacieux : c'était la pesanteur de l'air — autant dire la pesanteur de la légèreté. Mais, pour démontrer avec évidence une telle hypothèse, il faudrait instituer une expérience de variations, où l'on ferait correspondre à des différences de pression atmosphérique des différences de hauteur de l'eau ou du mercure dans le tube de Torricelli, l'horreur du vide étant au contraire un absolu qui ne peut que rester le même universellement. Or, différences de pression, cela évoque différences d'altitude. D'où l'idée d'une montagne au pied et au sommet de laquelle on ferait le même jour l'expérience du vide. Il ne reste plus qu'à trouver la mon-tagne et à réaliser l'expérience. D'où la lettre à Florin Périer, beau-frère de Pascal, le 15 novembre 1647 :

---

4. « *Ingéniosité* se change en *génie* quand elle se manifeste par une simplification ». Valéry, *Tel quel,* I, 54.

« Mais comme la difficulté se trouve d'ordinaire jointe aux grandes choses, j'en vois beaucoup dans l'exécution de ce dessin, puisqu'il faut pour cela choisir une montagne excessivement haute, proche d'une ville dans laquelle se trouve une personne capable d'apporter à cette épreuve toute l'exactitude nécessaire. Car si la montagne était éloignée, il serait difficile d'y porter les vaisseaux, le vif-argent, les tuyaux et beaucoup d'autres choses nécessaires, et d'entreprendre ces voyages pénibles autant de fois qu'il le faudrait, pour rencontrer au haut de ces montagnes, le temps serein et commode qui ne s'y voit que peu souvent. Et comme il est aussi rare de trouver des personnes hors de Paris qui aient ces qualités, que des lieux qui aient ces conditions, j'ai beaucoup estimé mon bonheur d'avoir, en cette occasion, rencontré l'un et l'autre, puisque notre ville de Clermont est au pied de la haute montagne du Puy de Dôme, et que j'espère de votre bonté que vous m'accorderez la grâce d'y vouloir faire vous-même cette expérience ; et sur cette assurance, je l'ai faite espérer à tous nos curieux de Paris, et entre autres au R. P. Mersenne, qui s'est déjà engagé, par lettres qu'il en a écrites en Italie, en Pologne, en Suède, en Hollande, etc., d'en faire part aux amis qu'il s'y est acquis par son mérite. Je ne touche pas aux moyens de l'exécuter, parce que je sais bien que vous n'omettrez aucune des circonstances nécessaires pour la faire avec précision [5]. »

La réponse de Périer, modèle de relation scientifique, est datée du 22 septembre 1648 — dix mois plus tard. Un tube témoin ayant été laissé en observation à Clermont, dans le jardin des Minimes, on se transporte au sommet du Puy de Dôme pour y faire l'expérience. On la refait sur le chemin du retour au lieu-dit *Lafon de l'Arbre*. On recommence en bas et on compare les mesures : la hauteur du mercure varie bien avec l'altitude. Dès lors la cause est jugée. Il ne reste plus qu'à tirer les conclusions en les généralisant à tous les phénomènes du même genre.

« Qu'on rende raison maintenant, s'il est possible, autrement que par la pesanteur de l'Air, pourquoi les Pompes aspirantes élèvent l'eau plus bas d'un quart sur le Puy de Dôme en Auvergne qu'à Dieppe.

« Pourquoi un même siphon élève l'eau et l'attire à Dieppe, et non pas à Paris.

« Pourquoi deux corps polis, appliqués l'un contre l'autre, sont plus faciles à séparer sur un Clocher que dans la Rue.

« Pourquoi un soufflet bouché de tous côtés est plus facile à ouvrir sur le haut d'une maison que dans la cour.

---

5. Pascal, II, 160-162.

« Pourquoi, quand l'Air est plus chargé de vapeurs, le Piston d'une Seringue bouchée est plus difficile à tirer.

« Enfin, pourquoi tous ces effets sont toujours proportionnés au poids de l'Air, comme l'effet à la cause.

« Est-ce que la nature abhorre plus le vide sur les montagnes que dans les vallons, quand il fait humide que quand il fait beau ? Ne le hait-elle pas également sur un Clocher, dans un grenier et dans les Cours ?

« Que tous les Disciples d'Aristote assemblent tout ce qu'il y a de fort dans les écrits de leur Maître, et de ses Commentateurs, pour rendre raison de ces choses par l'horreur du vide, s'ils le peuvent ; sinon qu'ils reconnaissent que les expériences sont les véritables Maîtres qu'il faut suivre dans la Physique ; que celle qui a été faite sur les montagnes a renversé cette créance universelle du monde, que la nature abhorre le vide, et ouvert cette connaissance qui ne saurait plus jamais périr, que la nature n'a aucune horreur pour le vide, qu'elle ne fait aucune chose pour l'éviter, et que la pesanteur de la masse de l'Air est la véritable cause de tous les effets qu'on avait jusques ici attribués à cette cause imaginaire [6]. »

Mais les recherches physiques, commencées en 1646, et qui aboutissent en 1653 à la composition de deux traités, le traité de l'*Equilibre des liqueurs* et celui de la *Pesanteur de la masse de l'air,* ne sont qu'un épisode. L'intérêt du Pascal de trente ans revient aux mathématiques auxquelles, en dépit de ses *conversions* religieuses, il restera fidèle pendant les huit années qui lui restent à vivre. En mars 1657, Mylon écrit encore à Huygens : « Quoi qu'il soit très difficile d'aborder M. Pascal et qu'il se soit tout à fait retiré pour se donner entièrement à la dévotion, il n'a pas perdu de vue les mathématiques. »

Ses recherches vont être axées presque en même temps sur deux possibilités. D'abord, celle de l'application des mathématiques aux jeux de hasard. Puis, à la faveur d'une méditation arithmétique, la possibilité non moins insolite de faire entrer l'infini dans les calculs.

Au sujet du premier problème, donnons la parole à Leibniz qui, dans les *Nouveaux Essais,* raconte et commente la découverte :

« Les mathématiciens de notre temps ont commencé à estimer les hasards à l'occasion des jeux. Le chevalier de Méré, dont les *Agréments* et les autres ouvrages ont été imprimés, homme d'un esprit pénétrant et qui était joueur et philosophe, y donna occa-

---

6. Pascal, III, 265-266.

sion en formant des questions sur les paris, pour savoir combien vaudrait le jeu s'il était interrompu dans un tel ou tel état. Par là, il engagea M. Pascal, son ami, à examiner un peu ces choses. La question éclata et donna occasion à M. Huygens de faire son Traité *De alea.* D'autres savants y entrèrent. On établit quelques principes dont se servit aussi M. le pensionnaire de Witt dans un petit discours imprimé en hollandais sur les rentes à vie (..). Supposez par exemple qu'avec deux dés l'un doit gagner s'il fait 7 points, l'autre s'il en fait 9 ; on demande quelle proportion se trouve entre leurs apparences de gagner. Je dis que l'apparence pour le dernier ne vaut que deux tiers de l'apparence pour le premier, car le premier peut faire 7 de trois façons avec deux dés, savoir, par 1 et 6, ou 2 et 5, ou 3 et 4 ; et l'autre ne peut faire 9 que de deux façons, en jetant 3 et 6 ou 4 et 5. Et toutes ces manières sont également possibles. Donc les *apparences,* qui sont comme les nombres des possibilités égales, seront comme 3 à 2 ou comme 1 à 2/3. J'ai dit plus d'une fois qu'il faudrait une *nouvelle espèce de logique* qui traitât des degrés de probabilité, puisque Aristote, dans ses *Topiques,* n'a rien moins fait que cela, et s'est contenté de mettre en quelque ordre certaines règles populaires, distribuées selon les lieux communs, qui peuvent servir dans quelque occasion, où il s'agit d'amplifier le discours et de lui donner apparence, sans se mettre en peine de nous donner une balance nécessaire pour peser les apparences et pour former là-dessus un jugement solide. Il serait bon que celui qui voudrait traiter cette matière poursuivît l'examen des *jeux de hasard ;* et généralement voulût faire un ample ouvrage bien circonstancié et bien raisonné, sur toute sorte de jeux, ce qui serait de grand usage pour perfectionner l'art d'inventer, l'esprit humain paraissant mieux dans les jeux que dans les matières les plus sérieuses [7]. »

Cette idée que le hasard dans les jeux de hasard n'est pas seulement hasard, mais objet de géométrie par une alliance « stupéfiante [8] » de la géométrie et du hasard, Pascal la développe dans toute une correspondance avec Fermat, magistrat à Toulouse et, par les lois qu'il commence à établir, en s'aidant de leur relation au *triangle arithmétique,* dont il dit : « C'est une chose étrange combien il est fertile en propriétés [9] », devient ainsi l'initiateur du calcul des probabilités, auquel va se rattacher, dans les *Pensées,* le célèbre texte sur le *pari.*

Mais c'est non seulement comme fondateur du calcul des probabilités, c'est aussi par l'emploi qu'il va faire du calcul infini-

7. *Nouveaux Essais sur l'entendement humain,* IV, 16, § 9.
8. Pascal, III, 308.
9. Pascal, III, 465.

tésimal que Pascal force les portes de l'avenir. Tout repose ici
en apparence sur le langage des *indivisibles,* tel qu'il avait été
l'invention de l'Italien Cavalieri. En 1635, dans sa *Géométrie des
continus démontrée par les indivisibles,* Cavalieri avait entrepris
de rattacher les propriétés des volumes à celles des surfaces et
les propriétés des surfaces à celles des lignes en nommant *indivisible* la surface par rapport au volume et la ligne par rapport
à la surface. Descartes, en juillet 1638, « cavaliérise » à son insu
en posant, dans une lettre à Mersenne, l'axiome suivant qui,
dit-il, « ne serait peut-être pas avoué de tous » que « lorsque
deux figures ont même base et même hauteur et que toutes les
lignes droites parallèles à leurs bases, qui s'inscrivent en l'une,
sont égales à celles qui s'inscrivent en l'autre à pareilles distances,
elles contiennent autant d'espace l'une que l'autre [10] ». C'est là,
visiblement, raisonner comme Cavalieri des lignes aux surfaces
sans les confondre pour autant les unes avec les autres. De là
au contresens fait sur Cavalieri que les volumes seraient composés
pour lui de surfaces empilées et les surfaces tissées de lignes, il
n'y avait qu'un pas [11], et c'est celui que franchit Pascal. Ce
contresens est cependant celui d'un mathématicien hors pair. Car
pour Pascal les lignes et les surfaces ne sont plus des *indivisibles,*
mais bel et bien des *quantités infinitésimales* et, comme telles,
des *parties composantes* du continu, ce que n'étaient nullement
les *indivisibles* de Cavalieri. Dès 1654, Pascal mesure la puissance du nouveau calcul, bien qu'il continue à le confondre avec
celui de Cavalieri, comme on le voit dans le bref *Traité de la
Sommation des puissances numériques.* Après avoir donné les
règles qui permettent de calculer arithmétiquement des sommes
de termes de même puissance, il étend ces règles de l'arithmétique
à la géométrie, en considérant les surfaces délimitées par des
courbes comme des sommes d'ordonnées qui toutes sont en
effet de même puissance, cette puissance étant définie par le
degré de la courbe. Il s'agit en réalité de rectangles infiniment
minces plutôt que d'ordonnées, mais, comme il le dira plus tard,
il n'y a là qu'une manière de parler « qui ne peut blesser les
personnes raisonnables quand on les a une fois averties de ce
qu'on entend par là [12] ». C'est en ce sens qu'il ajoutera :

« Et c'est pourquoi je ne ferai aucune difficulté dans la suite
d'user de ce langage des indivisibles, *la somme des lignes,* ou
la somme des plans ; et ainsi quand je considérerai par exem-

---

10. Descartes, A. T., II, 261.
11. A. Koyré, « Bonaventura Cavalieri et la géométrie des continus » ;
Mélanges Lucien Febvre (A. Colin, 1954), pp. 319-340, ou *Etudes d'histoire
de la pensée scientifique* (P. U. F., 1966), pp. 297-324.
12. Pascal, VIII, 352-353.

ple (...) le diamètre d'un demi-cercle divisé en un nombre indéfini de parties égales aux points (...) d'où soient menées les ordonnées (...), je ne ferai aucune difficulté d'user de cette expression, *la somme des ordonnées,* qui semble n'être pas Géométrique à ceux qui n'entendent pas la doctrine des indivisibles, et qui s'imaginent que c'est pécher contre la Géométrie que d'exprimer un plan par un nombre indéfini de lignes ; ce qui ne vient que de leur manque d'intelligence, puisqu'on n'entend autre chose par là sinon la somme d'un nombre indéfini de rectangles faits de chaque ordonnée avec chacune des petites portions égales du diamètre, dont la somme est certainement un plan, qui ne diffère de l'espace du demi-cercle que d'une quantité moindre qu'aucune donnée. »

L'extension de l'arithmétique à la géométrie — « les nombres imitent l'espace, qui sont de nature si différente [13] » — magistralement exposée dès la conclusion du traité de 1654, contient l'acte de naissance en règle de l'intégrale, sur la base de la distinction des « ordres d'infinitude » sur laquelle elle repose.

« Ceux qui sont tant soit peu au courant de la doctrine des indivisibles ne manqueront pas de voir quel parti on peut tirer des résultats qui précèdent pour la détermination des aires curvilignes. Ces résultats permettront de quarrer immédiatement tous les genres de paraboles et une infinité d'autres courbes.

« Si donc nous étendons aux quantités continues les résultats trouvés pour les nombres, par la méthode ci-dessus exposée, nous pourrons énoncer les règles suivantes : »

Citons seulement la Règle générale (*Canon generalis*) que Pascal énonce ainsi :

« La somme des mêmes puissances d'un certain nombre de lignes est à la puissance de degré immédiatement supérieur de la plus grande d'entre elles, comme l'unité est à l'exposant de cette même puissance. »

Un mathématicien d'aujourd'hui traduirait ainsi cette phrase de Pascal :

$$\frac{\int_{0}^{x} x^n \, dx}{x^{n+1}} = \frac{1}{n+1}$$

Dès lors il ne lui reste plus qu'à conclure :

« Il me suffira d'avoir énoncé en passant les règles qui précèdent. On découvrira les autres sans difficulté en s'appuyant sur ce principe qu'*on n'augmente pas une grandeur continue lorsqu'on lui ajoute, en tel nombre que l'on voudra, des grandeurs*

---

13. *Pensées,* § 119.

d'un ordre d'infinitude inférieur. Ainsi les points n'ajoutent rien aux lignes, les lignes aux surfaces, les surfaces aux solides ; ou — pour parler en nombres comme il convient dans un traité arithmétique — les racines ne comptent pas par rapport aux carrés, les carrés par rapport aux cubes et les cubes par rapport aux quarro-carrés. En sorte qu'on doit négliger, comme nulles, les quantités d'ordre inférieur.

« J'ai tenu à ajouter ces quelques remarques, familières à ceux qui pratiquent les indivisibles, afin de faire ressortir la liaison que la nature, éprise d'unité, établit entre les choses les plus éloignées en apparence. Elle apparaît dans cet exemple, où nous voyons le calcul des *dimensions des grandeurs continues* se rattacher à la *sommation des puissances numériques*[14]. »

Quatre ans plus tard (1658), Pascal va trouver l'occasion d'appliquer brillamment son calcul alors que la question essentielle était pour lui non plus la science mais la vie chrétienne. Voici la circonstance telle que la relate sa nièce Marguerite :

« Pendant que M. Pascal travaillait contre les athées, il arriva qu'il lui vint un très grand mal de dents. Un soir, M. le duc de Roannez le quitta dans des douleurs très violentes ; il se mit au lit, et son mal ne faisant qu'augmenter, il s'avisa, pour se soulager, de s'appliquer à quelque chose qui pût lui faire oublier son mal. Pour cela, il pensa à la proposition de la Roulette faite autrefois par le P. Mersenne, que personne n'avait jamais pu trouver, et à laquelle il ne s'était jamais amusé. Il y pensa si bien qu'il en trouva la solution et toutes les démonstrations. Cette application sérieuse détourna son mal de dents, et quand il cessa d'y penser il se sentit guéri de son mal.

M. de Roannez, étant venu le voir le matin et le trouvant sans mal lui demanda ce qui l'avait guéri. Il lui dit que c'était la Roulette qu'il avait cherchée et trouvée. M. de Roannez, surpris de cet effet et de la chose même, car il en savait la difficulté, lui demanda ce qu'il avait dessein de faire de cela. Mon oncle lui dit que la solution de ce problème lui avait servi de remède et qu'il n'en attendait pas autre chose. M. de Roannez lui dit qu'il y avait bien un meilleur usage à en faire : que dans le dessein où il était de combattre les athées, il fallait leur montrer qu'il en savait plus qu'eux tous en ce qui regarde la géométrie et ce qui est sujet à démonstration ; et qu'ainsi, s'il se soumettait à ce qui regarde la foi, c'est qu'il savait jusqu'où devaient porter les démonstrations, et sur cela il lui conseilla de consigner soixante pistoles et de faire une espèce de défi à tous les mathématiciens habiles qu'il connaissait, et de proposer le prix pour celui qui trouverait la solution du

---

14. Pascal, III, 365 à 367.

problème. M. Pascal le crut, et consigna les soixante pistoles entre les mains de M..., nomma des examinateurs pour juger des ouvrages qui viendraient de toute l'Europe, et fixa le terme à dix-huit mois, au bout desquels personne n'ayant trouvé la solution suivant le jugement des examinateurs, M. Pascal retira ses soixante pistoles et les employa à faire imprimer son ouvrage dont il ne fit tirer que cent vingts exemplaires [15]. »

Les travaux dont parle ici Marguerite Pascal paraissent sous le nom de *Lettres d'Amos Dettonville,* anagramme de Louis d Montalte, qui fait lui-même écho à la « haute montagne » dont il était question dans la lettre de novembre 1647 à Florent Périer. Grâce à l'intégration qu'il pratique avec une virtuosité sans précédent, Pascal mesure non seulement la surface de la roulette ou *cycloïde* — courbe décrite, disait Descartes, par « un point de la circonférence d'un cercle qu'on imagine rouler sur un plan », mais les surfaces et les volumes engendrés par la rotation d'un segment de cycloïde autour d'axes donnés.

Pascal est-il donc l'inventeur du calcul infinitésimal ? Pas exactement, car il ne généralise pas son invention. Selon le mot de Léon Brunschvicg, il ne cherche pas à transformer son *procédé tactique* en un *instrument stratégique.* C'est précisément ce dont, une dizaine d'années après la mort de Pascal, va s'étonner un jeune Allemand, tout frais débarqué à Paris, et à qui Huygens avait conseillé la lecture des *Lettres de Dettonville,* Leibniz.

« Huygens, qui me croyait meilleur géomètre que je n'étais, me donna à lire les Lettres de Pascal éditées sous le nom de Dettonville. Et moi, tout aussitôt, en lisant Pascal, je jetai sur le papier les choses qui me venaient à l'esprit, parmi lesquelles plus d'une maintenant m'apparaît inepte, tandis que quelques autres, aujourd'hui encore, continuent à me satisfaire (...) Cette manière nouvelle de raisonner me frappa, car je n'avais rien remarqué de tel chez les disciples de Cavalieri. Mais ma stupeur vint surtout de ce que Pascal ait paru avoir les yeux couverts d'un voile par une espèce de sort. Car je voyais soudain que le théorème était général et valable pour n'importe quelle courbe. » [16]

On peut épiloguer sans fin sur cette négligence de Pascal à généraliser stratégiquement son opération tactique et incriminer, comme Valéry, les méfaits de l'obscurantisme s'épaississant de plus en plus dans l'esprit d'un homme qui, « ayant changé sa neuve lampe contre une vieille, se perd à coudre des papiers dans ses poches quand c'était l'heure de donner à la France la gloire

---

15. Pascal, I, 134, cf. I, 81.
16. Leibniz à Tschirnhaus, *Briefwechsel mit Mathematikern,* I, 408 ; et Brouillon de lettre de Jacques Bernoulli, *Math.,* III, 72.

du calcul de l'infini [17] ». C'est là bien sûr du plus mauvais roman. Le calcul de l'infini comme calcul intégral, c'est bien Pascal qui en établit le principe dans la *Canon generalis* de son traité de 1654, Fermat ayant, dix-sept ans plus tôt, préludé à l'invention du calcul différentiel. La France n'a donc pas à se plaindre. Mais il est bien vrai qu'en 1658 Pascal, entièrement pris pas son sujet particulier qui n'était que la « proposition de la Roulette », paraît à Leibniz passer à côté d'un autre but, à ses yeux beaucoup plus essentiel, et qui aurait dû être la détermination générale de la positivité propre aux infiniment petits, autrement dit de ce grâce à quoi, dira Lazare Carnot, ils « touchent, pour ainsi dire, à l'existence [18] », par la rémanence en eux des mêmes rapports que ceux que présentent des quantités finies, auxquelles les rattache une raison de similitude. C'est de là que sort la définition leibnizienne et non pascalienne des quantités infinitésimales : *non ut nihila simpliciter et absoluta, sed ut nihila respectiva... id est ut evanescentia quidem in nihilum, retinentia tamen characterem ejus quod evanescit* [19]. Pascal, selon Leibniz, quitte un peu trop vite la partie qu'il ne gagne qu' « en passant ». Peut-être est-ce même encore à Pascal qu'il pense sans le nommer quand il écrit dans les *Nouveaux Essais* : « Si l'inventeur ne trouve qu'une vérité particulière, il n'est inventeur qu'à demi [20]. »

Mais peut-être aussi pourrions-nous remarquer qu'il n'est nullement certain que Pascal ait jamais cherché à tirer au clair trop expressément l'union de l'infini et du fini dont il obtient de si brillants effets. Peut-être préférait-il respecter en elle une part de mystère, secrètement liée au mystère chrétien de la rédemption. Car l'élément frappé de nullité qu'est, ligne par exemple devant la surface, l'infiniment petit, mais qui dans son néant demeure cependant capable de la surface que retrouvera l'intégrale, ne figure-t-il pas le néant de l'homme devant la justice de Dieu, mais qu'une miséricorde, plus « énorme » encore que la justice divine, viendra sauver de son néant ? Certaines lignes des *Pensées* se laissent traduire rigoureusement dans le langage des « indivisibles » tel que l'entend Pascal [21]. Dès lors il n'y aurait aucune discordance entre Pascal géomètre et Pascal chrétien. Bien au contraire. N'oubliant pas que les *Lettres de Dettonville* sont de presque quatre ans postérieures au *Mémorial,* et exacte-

---

17. *Variété I*, p. 176.
18. *Réflexions sur la métaphysique du calcul infinitésimal* (Gauthier-Villars, 1921), II, p. 51.
19. « Non pas comme, simplement et dans l'absolu, des riens, mais comme des riens relatifs, (...) c'est-à-dire comme s'évanouissant certes dans le rien, mais non sans retenir le caractère de ce qui s'évanouit. » *Math.,* IV, 218.
20. IV, 7, § 11.
21. *Pensées,* § 430.

ment contemporaines des textes qui, après la mort de Pascal, seront publiés sous le titre de *Pensées,* nous conclurons plutôt ainsi : alors que « la philosophie ne vaut pas une heure de peine » — et par philosophie, Pascal entend d'abord la physique, qui ne fut en effet, nous l'avons vu, qu'un épisode dans sa vie —, la mathématique du moins garde l'ordre, et, même *inutile,* elle reste *profondeur.* Dans la foi insolite de ce génie du monde moderne que fut Pascal, l'intelligibilité mathématique et la vérité religieuse sont les deux faces d'un même mystère, mais de telle sorte que la première soit comme un *figuratif* de la seconde. Si la géométrie de l'espace prépare à *Dieu sensible au cœur* et la géométrie du hasard à *Dieu parié,* peut-être la géométrie de l'infini n'est-elle à son tour que pour figurer *Dieu caché,* le dispensateur de la grâce dont nous entretient l'Ecriture, et que nous ne cherchons que pour l'avoir déjà trouvé.

LA FABLE DU MONDE

Un portrait de Jean-Baptiste Weenyx que l'on peut voir depuis quelques années au Musée d'Utrecht propose une figure singulière de Descartes. La tête inclinée, un peu renversée en arrière, paraît sortir d'un songe et, sur un livret ouvert que tient le philosophe, sont écrits trois mots énigmatiques : *Mundus est fabula.* Il est aisé de réduire l'énigme aux proportions d'une simple devinette. Il est possible aussi de s'interroger sur le *fatum* de cette fable dont l'autre nom est monde. Mais là, nous aurons moins à revenir sur certaines affabulations cartésiennes trop connues qu'à méditer plutôt le destin fabuleux de ce monde que Descartes inaugure pour les temps à venir. Un demi-siècle à peine après les *Médita-tions,* Leibniz publie le *Discours de métaphysique* et engage une correspondance avec Antoine Arnauld qui en constitue l'indispensable commentaire. Le *Discours* et cette correspondance sont la première explicitation suivie du « principe de raison » qui est lui-même l'énigme majeure de la pensée de Leibniz.

Il y a en effet dans le monde des choses qui, logiquement, ne peuvent être autrement qu'elles ne sont. Ce sont les choses « immuables » ou « éternelles » dont la raison est à chaque fois *ipsa necessitas seu essentia.* Ainsi $2 + 2 = 4$. Mais le monde lui-même, celui auquel appartient notre « globe », n'est pas une de ces choses essentiellement fixes. Il est *series mutabilium.* Et dans cette série, rien n'arrive que pouvant logiquement être autre qu'il n'est. Mais si les choses de ce monde ne sont pas nécessairement ce qu'elles sont, du moins doit-il y avoir « une raison qui suffise à déterminer pourquoi il en est ainsi et non autrement ».

Suffire : mot ambigu. « Qui suffise » peut vouloir dire « faute de mieux » et indiquer ainsi une restriction, c'est-à-dire le non-

dépassement d'un niveau moyen. « C'est insuffisant », peut dire
un censeur d'une œuvre soumise à son jugement. « Suffisante »,
l'œuvre ne serait pas pour autant un chef-d'œuvre. Cependant,
la raison suffisante n'est pas minimum requis, elle est satisfaction
totale et ainsi unicité. Entre le nécessaire qui rejette dans l'impossibilité « absolue » du contradictoire toute détermination
autre que la détermination nécessaire et l'arbitraire qui renferme
l'idée d'une équivalence logique de plusieurs possibles, Leibniz
découvre qu'il y a « quelque milieu ». Mais ce « milieu », loin
d'être seulement un intermédiaire (ce serait le suffisant au premier sens), est finalement supérieur à la nécessité elle-même (et
là suffisance signifie plénitude). C'est pourquoi le principe de
raison suffisante est nommé *principium grande, fundamentale,
magnum, nobilissimum*. La non-nécessité, autrement dit la contingence du monde qui est de monde-ci, est cependant fixée ἱκανῶς,
en toute suffisance ou, dit Leibniz, selon un « principe d'infailli-
bilité » qui comporte paradoxalement d'autant plus de certitude
qu'il est plus loin de la nécessité. « Distinguons entre le nécessaire et le certain [1]. » Ce *distinguo* de Leibniz est le fond de sa
pensée.

La philosophie de Descartes est finalement le sacrifice de la
nécessité à la contingence par l'élévation en principe d'un incom-
préhensible mystère de liberté qui se réfléchit de Dieu jusqu'en
l'homme. Descartes professe la création divine des vérités éternelles. « C'était apparemment un de ses tours, une de ses ruses
philosophiques : il se préparait quelque échappatoire [2]. » A quoi ?
A l'un des deux grands « labyrinthes » de la philosophie, « celui
qui regarde la grande question du libre et du nécessaire ». Leibniz
dit aussi de Descartes qu'il s'est borné à trancher le nœud gor-
dien [3]. Pourtant, être philosophe, ce n'est ni simplement échapper
en jonglant, ni même trancher comme Alexandre ; c'est encore
moins tout simplifier d'un seul point de vue ainsi que le fait
Spinoza ; mais ce n'est pas non plus, comme « l'excellent auteur
de la *Recherche de la Vérité* », se résigner trop vite à « quitter
la partie » en faisant « venir ce qu'on appelle *Deum ex machina* ».
Etre philosophe, c'est se rendre capable de faire face en souplesse à tous les contrastes à la fois. C'est pourquoi Nietzsche
nommera Leibniz parmi ceux qui représentant à ses yeux cette
souplesse, caractéristique, dit-il de la « robuste manière allemande » : Haendel, Leibniz, Goethe, Bismarck. Tous les autres
se sont laissé plus ou moins fanatiser par un seul côté des choses.

---

1. *Théodicée*, § 408.
2. *Ibid.*, § 186.
3. *De Libertate*, in : *Nouvelles lettres et opuscules inédits*, éd. Foucher
de Careil (Paris, 1857), p. 180.

Nietzsche ne nomme pas Hegel, qui reste un « gothique » à ses yeux.

Partant de Descartes et de Spinoza à la fois, mais dans un style que n'a pas Malebranche, Leibniz n'en accomplit pas moins au cœur de la philosophie moderne le mouvement même que Hegel caractérisera plus tard comme *Aufhebung*. Leibniz dit lui-même que, par la mise au jour du principe de raison, *difficultas* (...) *tollitur*[4]. Le monde que régit une telle raison est essentiellement série, il est même série infinie et cet infini à son tour est plus encore intensif qu'extensif, étant la présence de toute la suite de l'univers en chacun de ses points. Chaque élément du monde est rumeur universelle, et c'est même cette rumeur « concentrée » en chaque point qui assure la cohésion de l'ensemble. C'est ce que Leibniz formule encore en disant que toute substance est un *miroir* de l'univers, une *perspective* ou *expression* du tout, qu'elle *sympathise* avec toutes les autres et qu'ainsi elle existe dans le monde, non comme un tout partiel, mais comme une *partie totale* qui en « *représente* finiment l'infinité[5] ». Si dès lors l'univers entier est ainsi intégré, concentré ou replié en chacune des substances qu'il contient, l'explication de ces substances élémentaires consistera à « déplier tous ces replis », mais, comme ils vont à l'infini, sinon « expressément » du moins confusément, quelque loin qu'on aille, « on n'est jamais plus avancé », car « c'est toujours la même question ». Toute raison que l'on peut trouver à l'intérieur de la série n'est jamais qu'une raison insuffisante ou incomplète. Pour être suffisante, la raison dernière qu'il nous est cependant impossible d' « esquiver » doit donc se trouver hors série. Et c'est de cette raison hors série de toutes les raisons intrasérielles qu'il est possible de dire enfin : *uno vocabulo solet appellari DEUS*.

Mais en quoi Dieu est-il la raison suffisante de la série ? En ce que, parmi l'infinité des séries logiquement possibles, il a détecté et choisi la plus parfaite. Non que tout soit bon en elle, mais ce qui n'y est pas bon est un « raccourci » vers des biens dont la somme entière est finalement supérieure à toute autre somme possible, compte tenu de la finitude nécessaire qui grève d'imperfection tout ce qui n'est pas Dieu. Le choix de Dieu fondé sur un « calcul » souverain a ainsi fixé d'avance l'identité de tous les sujets de la série, de telle sorte que le système selon lequel ils « sympathisent » soit le plus parfait possible. La bonté divine ne pouvait se soustraire à un tel choix. Mais pourquoi choisir ? Pourquoi Dieu a-t-il créé le monde ? Pourquoi, dira Hegel, l'absolu s'est-il anéanti jusqu'à être ? Leibniz ne dit rien

---

4. *Opuscules et fragments inédits*, éd. Couturat, p. 518.
5. *Phil.*, IV, 562.

du *pourquoi*. Il se contente de déterminer le *comment* du choix
divin. Il n'en résulte pas moins que rien n'arrive à aucun sujet
de la série qui n'appartienne dès l'origine à la notion de ce sujet
telle qu'elle se laisse identifier comme partie totale du meilleur
des mondes possibles. Mais si d'autre part deux et deux font
quatre ou si la somme des angles d'un triangle est égale à deux
droits, c'est aussi parce que de tels prédicats appartiennent à
l'identité des sujets dont ils sont affirmés. La différence est que,
dans le deuxième cas, on peut faire ressortir l'inclusion du prédicat dans le sujet au moyen d'une analyse, tandis que, dans le
premier, la vérité de la connexion est *analyseos incapax* [6], car
les replis à déplier vont à l'infini. Mais enfin, dans un cas comme
dans l'autre, la vérité est finalement même et, bien qu'il faille
« philosopher autrement de la notion d'une substance individuelle
que de la notion spécifique de la sphère », on n'en retrouve pas
moins à la base ce que Montaigne appelait déjà le « visage pareil
et universel de la vérité ». La vérité est soit nécessité, soit contingence, mais dans les deux cas elle repose sur l'inclusion du prédicat dans le sujet, leur coïncidence, leur identité, ou bien, écrivait
Leibniz à Arnauld « je ne sais ce que c'est que la vérité ».

« Haendel, Leibniz, Goethe, Bismarck — caractéristiques de
la robuste manière allemande. Vivant sans encombre au milieu
des contrastes, pleins de cette force souple qui se garde des
convictions et des doctrines, en les utilisant les unes contre les
autres pour se réserver en partage la liberté [7]. »

Dans cette manœuvre en souplesse qui rétablit la nature de la
vérité là même où aucune analyse ne peut aboutir à la solution
des problèmes, « une lumière nouvelle et inattendue » me vint,
dit Leibniz, « d'où je l'espérais le moins, à savoir de considérations mathématiques sur la nature de l'infini [8] ». Une telle
lumière est *inattendue,* car les mathématiques paraissent bien
plutôt réduire la vérité à la nécessité sans contingence. Toutefois,
il y a deux mathématiques, une plus extérieure qui démontre par
l'analyse que 2 + 2 = 4 ou qui établit la proposition si chère
à Spinoza de l'égalité à deux droits de la somme des angles du
triangle, et une plus profonde dont Descartes lui-même, encore
moins Spinoza, n'ont pas tenté l'accès. Cette mathématique profonde, c'est d'abord le calcul des séries infinies, où, à moins de
trente ans, Leibniz fait déjà figure de maître. Mais c'est surtout,
dix ans plus tard, le calcul différentiel, qui fut l'une de ses inven-
tions les plus brillantes. Telles sont pour lui les formes vraiment

6. *Phil.*, VII, 200.
7. *Der Wille zur Macht,* § 884.
8. *De libertate,* p. 179

modernes des mathématiques. C'est pourquoi la lumière qui en
vient est non seulement *inattendue,* mais aussi *nouvelle.*
Mais comment vient une telle lumière ? A la faveur d'abord
d'une analogie. De même que nous pouvons représenter mathématiquement une succession infinie de termes inextricablement
disparates, celle par exemple des décimales d'un nombre *sourd*
et même *plus que sourd* [9] comme π, par une série infinie telle
que, sa loi de progression étant connue, « elle est en son entier
suffisamment comprise par l'esprit [10] », de même chaque substance individuelle n'a-t-elle pas pour fond une *loi de série,* qui
lui est *fons modificationum,* et constitue ainsi le sujet permanent
d'où dérive secrètement toute son histoire ? Dès lors, « il n'y a
aucune vérité de fait relative à des êtres individuels qui ne
dépende d'une série de raisons infinies, tout ce qui est dans cette
série ne pouvant être vu que par Dieu seul [11] ». Cette analogie
cependant est encore trop courte. La loi de série où toute succession trouve sa raison ne pourrait-elle pas être pensée à son tour,
en mode spinoziste, comme l'expression nécessaire de la substance
infinie elle-même, de sorte que Dieu, loin d'apparaître comme
le créateur du monde, ne serait au bout du compte qu' « un
agent nécessaire en produisant les créatures [12] » ? A Spinoza
disant : Si Dieu est Dieu, le monde est nécessairement ce monde,
Leibniz objecte cependant : Si Dieu est Dieu, d'autres mondes
que celui-ci n'en sont pas moins à l'infini « disjonctivement »
possibles. Le possible n'intervient pas pour lui, comme au livre I
de l'*Ethique, respectu defectus nostrae cogitationis* [13]. Il n'est
nullement un « abus des mots », mais une dimension essentielle
des choses. Loin d'être « agent nécessaire », Dieu « ne produit
que le meilleur faisable [14] ». Mais encore faut-il, parmi l'infinité
des mondes possibles, qu'un seul soit le meilleur de tous, sinon
la création serait arbitraire et Dieu insensé. Force nous est donc
d'établir l'unicité nécessaire d'un meilleur des possibles qui, s'il
n'impose au Créateur aucun choix, le tire cependant de l'embarras du choix.
    Une fois encore, la lumière vient à Leibniz des mathématiques
en tant que celles-ci, depuis déjà cinquante ans, proposaient un
calcul où entre précisément l'infini, mais selon un fil de « considérations » qui diffèrent, dit-il, *toto genere* [15] de celles que pré-

9. *Nouveaux Essais,* IV, 3, § 6.
10. *Math.,* V, 120.
11. *De libertate,* p. 180.
12. *Phil.,* VII, 409.
13. *Ethique,* I, 33, scol. 1.
14. *Théodicée,* § 282.
15. *Lettres et opuscules inédits,* éd. Foucher de Careil (Paris, 1854),
p. 213.

suppose le calcul des séries infinies. L'origine de telles « considérations » remonte à Fermat, qui, dès 1637, avait subtilement montré, selon une règle que Descartes avait bien voulu trouver « assez bonne[16] », que, pour un point placé sur un segment de droite, le produit des distances de ce point aux extrémités du segment atteint nécessairement un maximum quand ces distances deviennent égales. Le ressort du calcul était l'introduction à titre auxiliaire d'une quantité assez petite pour qu'une fois isolée elle puisse être éliminée. Cette petite quantité qui, pour Fermat, demeurait finie, en sorte que, lui objecte Descartes, son « élision » dans la suite du calcul « semble s'y faire gratis[17] », Leibniz lui donne le statut rigoureux de l'infinitésimal. Dès lors, le calcul de Fermat n'est plus seulement « assez bon », il devient pleinement conforme à la rigueur des équations. La *Nova Methodus pro maximis et minimis* que Leibniz publie en 1684 est ainsi l'amélioration technique de la règle de Fermat. Leibniz ne s'en tient pas cependant à cette simple amélioration technique. Dans un essai non publié par lui[18] et qui est, selon Couturat, de plus de dix ans ultérieur à la *Nova Methodus,* il transforme entièrement l'esprit même du calcul de Fermat, en découvrant que les figures qui répondent en géométrie à la détermination d'un maximum, elle-même effectuée selon la *Nova Methodus,* ne sont pas seulement, de toute nécessité, uniques, mais constituent d'autre part des *formes optimales,* tandis que les autres ne sont, comparées à celles-ci, que des « composés passables », voire « fautifs[19] ». Mettant alors au premier plan ce que Fermat s'était à ses yeux résigné à « dissimuler[20] », il radicalise la proposition de son devancier en proclamant qu'elle revient à dire qu'il n'y a qu'une manière possible de réaliser la condition du maximum : c'est de placer optimalement le point considéré, donc de le placer au milieu même du segment, en sorte qu'il soit à celui-ci centre de symétrie. D'un côté, la proposition est mathématiquement nécessaire, toutes les solutions autres que la position médiane du point étant également fausses. De l'autre, aucune solution n'est fausse, mais toutes sont de plus en plus défectueuses à mesure que le point s'éloigne davantage de la position médiane qui seule détermine, « chose belle et régulière[21] », une figure pleinement symétrique. Ainsi la *Nova Methodus,* pensée à son tour « au-delà de l'ancienne méthode de *maximis et minimis*

16. A. T., I, 489.
17. A. T., II, 323.
18. *Tentamen Anagogicum, Phil.,* VII, 270-279.
19. *Théodicée,* § 214.
20. *Phil.,* VII, 273.
21. *Théodicée,* § 214.

quantitatibus [22] », nous conduit jusqu'au point où soudain
s'éclaire une parenté plus secrète entre le maximum dont l'unicité est nécessaire et l'optimum qui répond, pour le Sage, au
« plan le plus digne d'être choisi » en sorte que dans la nature
même des choses, « il y a (...) deux Règnes (...) qui se pénètrent
sans se confondre et sans s'empêcher [23] », celui du nécessaire dont
l'opposé implique contradiction et celui de la contingence qui
n'a d'autre raison que celle du meilleur, dont l'opposé implique
non plus contradiction, mais seulement imperfection. Cette
concordance des deux règnes perce *nouvellement* là où elle est
au plus haut point *inattendue,* à savoir au plus intime de la
mathématique elle-même, où Spinoza n'avait su voir encore que
l'exclusion de la finalité par la nécessité. Car, disait Spinoza de la
mathématique, *non circa fines, sed tantum circa figurarum
essentias et proprietates versatur* [29]. Leibniz dirait bien plutôt :
non circa figurarum proprietates versatur nisi etiam circa fines.

L'unicité nécessaire du meilleur des mondes possibles, loin
de le souder à sa cause selon le rapport inflexible de la conséquence au principe, est donc plus essentiellement appel au choix
divin auquel sa perfection le recommande sans rien lui imposer.
Car ce n'est pas comme *unicum* (μοναχόν), c'est comme *optimum*
qu'il est choisi plutôt que d'autres, Dieu étant incliné, non
nécessité à choisir ainsi. Contrairement à ce que professait Spinoza, d'autres mondes ne sont pas moins logiquement possibles
que celui-ci. Mais, contrairement à la thèse du « bon Monsieur
Poiret », le choix divin n'a rien d'arbitraire. Entre le nécessaire
dont l'opposé implique contradiction et l'arbitraire qui est sans raison, Leibniz établit en philosophie la dimension de la contingence,
dont la raison est celle du *plutôt que.* Rien n'est, sauf Dieu, qui
ne soit ainsi plutôt qu'autrement. La philosophie de Leibniz est
celle dans laquelle le *cur* (pourquoi) se définit essentiellement
comme *cur potius quam* (pourquoi plutôt que). La question que
nous pose cette philosophie est donc celle de la connexion, dans
l'être même, du *pourquoi* et du *plutôt que,* et de la définition de
celui-là par celui-ci. Dès lors, l'inhérence du prédicat au sujet
comme définition de la vérité n'est pas uniformément l'inclusion
nécessaire du premier dans le second, elle est aussi et plus profondément son inclusion en lui *plutôt que non,* qui est contin-
gente et non pas nécessaire, puisque le rejet de cette condition
n'est nullement contradictoire. C'est cette raison du *potius quam*
que Leibniz nomme *raison suffisante* et qu'il présente solennelle-
ment dans la première des vingt-quatre thèses qui, antérieurement

22. *Phil.,* VII, 272.
23. *Phil.,* VII, 273.
24. *Ethique,* I, Appendice.

à la *Monadologie,* constituent le premier résumé de sa propre
métaphysique : *Ratio est in Natura, cur aliquid potius existat
quam nihil.* Le mot *ratio* est lui-même souligné. Il s'agit ici de
la raison de la contingence dont, dit-il encore, « la racine est
l'infini [25] ». Non seulement parce que les substances individuelles
sont autant de séries infinies ; mais surtout parce que l'établissement de chaque *loi de série* comporte à son tour un calcul de
maximum et de minimum dont la *Nova Methodus* nous est
comme un « petit échantillon », bien qu'à la différence de l'usage
qu'en font les simples géomètres, la « mathématique divine » soit
un « usage plus sublime [26] » du même « principe de détermination ». Car elle ne regarde aux mesures nécessaires du maximum
et du minimum que dans l'optique plus radicale où elles coïncident « à point nommé » avec la détermination de l'optimum,
celui-ci, comme objet de choix, ne rendant nullement « impossible
ce qui est distinct du meilleur », même s'il le condamne à être
exclu comme « contraire à l'honneur de Dieu [27] ». C'est pourquoi
Leibniz recommande en 1696 à l'abbé Fardella, futur théologien
de l'empereur, quand s'engage leur correspondance philosophique,
de s'initier propédeutiquement à *son* analyse de l'infini, car,
pensée à fond, elle est à ses yeux non pas simple à-côté, mais
comme un « avant-goût [28] » de ce qui a lieu *in ipsa originatione
rerum* : « Peut-être ne sera-t-il pas inutile que, comme préambule
à ton travail, tu ne sois pas sans rechercher quelque contact avec
cette analyse de l'infini qui est nôtre, et qui dérive de la source
la plus intime de la philosophie ; c'est grâce à elle que la mathématique elle-même s'est transportée au-delà des notions ordinairement en usage jusqu'à présent, c'est-à-dire au-delà de celles qui
ne relèvent que de l'imagination, dans lesquelles seules jusqu'ici
ou peu s'en faut, géométrie et analyse restaient plongées. Et ces
nouvelles découvertes mathématiques recevront, pour une part,
de nos méditations philosophiques, de la lumière, et, pour une
autre part, les corroboreront en retour [29]. »

Calcul des séries infinies (1674), *Nova Methodus pro maximis
et minimis* (1684), puis, encore « au-delà » de celle-ci, méthode

---

25. *Opuscules et fragments...,* éd. Couturat, p. 3.
26. *Phil.,* VII, 273.
27. *Théodicée,* § 41.
28. *Phil.,* IV, 469.
29. *Fortasse non inutile erit, ut nonnihil in praefatione operis tui attin-
gas de nostra hac analysi infiniti, ex intimo philosophiae fonte derivata,
qua mathesis ipsa ultra hactenus consuetas notiones, id est ultra imagina-
bilia, sese attollit quibus pene solis hactenus geometria et analysis immer-
gebantur. Et haec nova inventa mathematica partim lucem accipient a nos-
tris philosophematibus, partim rursus ipsis autoritatem dabunt.* (Foucher de
Careil, *Nouvelles Lettre...,* pp. 327-328.)

de formis optimis (1696), ainsi s'avance Leibniz sur le chemin non
encore frayé de l' « immense subtilité des choses ». C'est sur un
tel chemin qu'il dépasse la myopie nécessitariste sans cependant
tomber dans la négation de l'ordre, car la nécessité n'en est
qu'un premier plan. Dès lors, le *principe de raison* se révèle à
lui dans toute son ampleur, inaugurant en philosophie un maintien nouveau, c'est-à-dire une correspondance nouvelle de l'homme
et de l'être. Cette correspondance, nous pouvons la caractériser
comme entrée dans la phase de la planification totale. Planification
et nécessité ne vont pas de pair. La nécessité purement logique est
trop courte pour une bonne planification. Mais planification et
perfection sont des termes corrélatifs. La planification s'installe
au niveau des possibles et aperçoit d'un coup d'œil infaillible
le meilleur de tous, c'est-à-dire celui qui comporte le plus
d' « ordre ». L' « ordre », qui est pour Leibniz un des noms
métaphysiques de la perfection, est au centre de sa méditation.
« Il y a ordre à mesure qu'il y a beaucoup à remarquer dans
une multitude [30]. » Il y a donc d'autant plus d'ordre qu'il y a
plus à remarquer sans que la multitude pourtant se répète ni
que la série vienne à rompre. Entre la monotonie et la cacophonie,
l'ordre est la plus riche polyphonie possible. Mais cette polyphonie sérielle est cependant sans imprévu, car tout dès le départ
y est calculé à fond. L' « ordre » est la supériorité du tout-fait
de la confection sur les essayages et les corrections ou retouches
qu'exige le travail sur mesures et ainsi la certitude que la planification qui préside au tout-fait atteint plus sûrement la perfection
que le tâtonnement qui ne la recherche que cas par cas. Dans
l'optique de la confection, le tout-fait, comme prêt-à-porter, est
immédiatement livrable (*reddendum*). Dans l'univers de Leibniz,
Sextus n'a pas à se chercher. Il lui suffit de revêtir le « person-
nage [31] » qui lui a été parfaitement confectionné ou « inventé [32] »
dès l'origine et selon les calculs infaillibles de la planification qui,
d'avance, a suffi à tout.

La découverte leibnizienne d'une raison ou, comme il dit,
d'une « racine » de la contingence, prenant naissance de la nature
de la vérité, va s'assujettir la vérité elle-même en lui imposant
d'apparaître à l'avenir dans la figure désormais décisive du « système ». Ce système est d'abord le *Système nouveau de la Nature
et de la communication des Substances* (1965). Le mot système
qui éclate dans ce titre de Leibniz n'avait pas encore de signification proprement philosophique. Il appartenait plutôt à la
langue des naturalistes (*Systema naturae*) ou à celle des astro-

30. *Phil.*, III, 528.
31. *Disc. de Mét.*, § 34 et *Phil.*, II, 125.
32. *Théodicée*, § 149 ; *Phil.*, VI, 198.

nomes (*Systema mundi*). Il va devenir désormais le nom le plus propre de la philosophie elle-même. Qu'est-ce qu'un système ? — se demandera bien plus tard Hamelin, « sinon un ensemble de termes nécessairement liés entre eux [33] ». Cette définition néglige l'essentiel. Pour Leibniz, en effet, le système ne commence qu'avec le dépassement de la nécessité par une harmonie plus secrète de l'ensemble lui-même dans son rapport avec un centre qu'il abrite en lui, et à partir duquel tout s'ordonne au plus haut niveau. Ainsi la *Critique de la Raison pure,* qui n'est d'abord qu'une analytique des conditions de possibilité pour les propositions nécessaires que sont les lois de la nature, exigera pourtant de s'achever en un système par la subsomption « architectonique » des lois particulières de la nature sous des lois de plus en plus universelles. L'achèvement systématique sera, dans la troisième *Critique,* la fonction propre du « jugement réfléchissant ». La distinction kantienne du jugement déterminant et du jugement réfléchissant suppose ainsi le projet leibnizien du système. C'est également pour que la vérité soit de fond en comble système que Hegel entreprendra la tâche de « concevoir » comme sujet ce que les philosophes n'avaient fait jusque-là que « représenter » comme substance. Comme la distinction kantienne des jugements déterminants et des jugements réfléchissants, la tentative hégélienne de penser la substance comme sujet est au service de la détermination de la vérité comme système. Ainsi l'exige le principe de raison dont Leibniz n'avait fait qu'entrevoir la puissance. Car le progrès de l' « idéalisme », celui qui commence avec Kant pour s'achever avec Hegel ou Schelling, sur la philosophie de Leibniz, tient à ce que celle-ci, dira Schelling, demeure dogmatisme. Il entendait par là qu'elle ne cherchait encore qu'à se rapprocher de l'absolu, alors que la tâche de l'idéalisme est, en sens inverse, de le rapprocher de nous dans un savoir plus immédiat qui est proprement le système [34]. Avec le système, dit Hegel, l'absolu lui-même « doit être réfléchi [35] », c'est-à-dire se montrer à partir de lui-même comme le soleil en plein ciel, saisissant tout de sa lumière. Leibniz ne pouvait arriver jusque-là. C'est pourquoi il laissait naïvement subsister l'extériorité relative d'une planification divine dans ce que la *Phénoménologie* conçoit enfin selon sa profondeur immanente en le nommant : *die Organisation.* Telle est la vérité spéculative, c'est-à-dire l'absolu même du

33. *Essai sur les éléments principaux de la représentation* (1925), p. 7.
34. « N'aspire pas à te rapprocher à l'infini de la divinité, mais à la rapprocher infiniment de toi ». Schelling, *Lettres sur le dogmatisme et le criticisme* (Aubier, 1950), pp. 148-149.
35. Hegel, *Differenz des Fichte'schen und Schelling'schen Systems der Philosophie* (Leipzig, Meiner, 1962), p. 17.

prétendu « plan divin », quand l'esprit est enfin « chez nous ».
Le renversement marxiste du système hégélien, comme aussi
bien son éclatement dans le sur-système de la volonté de puissance, porteront à son comble l'empire de l' « organisation ».
Américanisme et communisme n'en sont parmi nous que des
manifestations empiriques particulièrement voyantes.

La création du monde « digérée » en planification totale, la
planification pensée comme organisation absolue, l'organisation
déployée à son tour jusqu'à la conquête systématique de la terre
« au nom de principes philosophiques », constituent les phases
d'une époque de l'histoire. Cette époque qui est notre époque,
Leibniz en ramasse le secret dans une brève formule qu'il ne peut
cependant prononcer sans emphase : *nihil est sine ratione.* L'emphase n'est pas ici vaine grandiloquence, elle est correspondance
secrète à la dictée d'un unique *fatum,* et c'est d'un tel *fatum* que
la philosophie moderne ne cesse d'entendre et de transcrire la
fable. La parole philosophique est la fable du Monde. *Mundus
est fabula.*

KANT ET LA NOTION DE *DARSTELLUNG*

Aucun trait n'est peut-être plus caractéristique de la philosophie kantienne que la distinction qu'elle établit entre *connaissance* et *pensée*. Toute connaissance est essentiellement pensée, mais l'inverse n'est pas nécessairement vrai. Il y a des pensées qui ne sont nullement des connaissances.

Il est impossible selon Kant de connaître sans penser, c'est-à-dire sans établir certaines relations « discursives » entre les éléments d'une représentation. Nous pensons par exemple chaque fois que nous nous représentons une dépendance causale, un rapport de moyen à fin, une appartenance substantielle, une interaction des substances, ou encore quand nous procédons à la spécification d'un genre donné, quand nous « subsumons » un cas particulier sous une règle générale, ou quand nous composons en un tout une pluralité de parties. Mais de telles *pensées,* qu'il est possible de dénombrer et de classer selon les formes qu'elles peuvent canoniquement revêtir, ne sont pas pour autant des *connaissances*. Quelles que soient la régularité et même la rigueur qu'il leur arrive de comporter, elles n'en gardent pas moins la gratuité et l'innocence d'un jeu. Il ne s'agit évidemment pas d'un jeu arbitraire, mais d'un jeu soumis à des règles. Toutefois, le respect des règles n'empêche pas le jeu de n'être qu'un jeu.

Or l'ambition de l'esprit quand il pense n'est pas cependant de se contenter de jouer le jeu des représentations, mais de connaître effectivement ce qui lui est présent à titre d'objet. Si l'on ne peut connaître que selon les règles de ce jeu qui est le jeu de la pensée, on ne peut cependant rien connaître si l'on est seulement attentif à ne pas s'écarter des règles du jeu. La philosophie précritique joue très bien le jeu. Descartes démontre comme en se jouant la distinction de l'âme et du corps, la liberté de l'homme et même l'existence de Dieu, mais, ce faisant, il ne fait guère que jouer, en se laissant prendre à son propre jeu. Spinoza joue le jeu de l'unité de substance et de l'homme éternel, et Leibniz celui de l'harmonie des substances. Cette fois, c'est vraiment le grand jeu. Mais Leibniz ne fait toutefois que nous introduire par là dans la non-contradiction d'un monde enchanté, d'un monde où peut-être il ferait bon vivre, mais qui n'a, dit Kant, « ni sens ni signification », car vivre dans ce monde ne nous fait rien connaître de ce qui nous concerne vraiment, si bien qu'en fin de compte c'est nous qui sommes joués.

Que faut-il donc pour que nous puissions sortir enfin des jeux de la pensée pure et entrer dans le sérieux de la connaissance des choses ? C'est ce que nous apprend la première phrase de la première partie de la première *Critique* : « De quelque manière et par quelque moyen qu'une connaissance puisse se rapporter à des objets, le mode par lequel elle s'y rapporte immédiatement et auquel tend toute pensée comme au but en vue duquel elle est seulement moyen est l'*intuition*. » C'est avec l'intuition seulement que l'on entre dans le sérieux de la chose. Mais qu'est-ce que l'intuition ? L'intuition, lisons-nous dans les *Prolégomènes,* est une représentation telle qu'elle dépend immédiatement de la *présence* de son objet. Contrairement à la pensée, qui par elle-même, reste vide, l'intuition est mise en présence. C'est à une telle manifestation directe de la présence que tend toute pensée, comme au but en vue duquel elle est seulement un moyen. Voilà, dit Heidegger, et il le dit à Marbourg et contre l' « école de Marbourg », ce qu'il faut « s'enfoncer dans la tête à coups de marteau [1] » si l'on veut comprendre quoi que ce soit à la philosophie de Kant. Mais comment l'intuition peut-elle ainsi coïncider avec la présence de son objet ? De deux manières. Elle le peut d'abord dans la mesure où, de son propre fond, elle donne directement naissance à ce qu'elle se rend présent. C'est le cas privilégié de l'*intuitus originarius,* qui est par lui-même *originatio rerum.* Mais elle le peut tout aussi bien dans le cas où, bien qu'incapable de donner naissance à ce qui lui est présent, elle donne cependant accueil à ce qui lui est présent comme objet. A l'intuition qui l'accueille, l'objet n'est pas moins directement présent qu'à l'intuition originaire, bien que d'une manière tout à fait autre. L'objet est présent dans la modalité à la fois singulière et familière d'un *donné* que nous avons d'abord à *laisser être* devant nous, au lieu même de la rencontre que nous en faisons. En d'autres termes, si l'intuition infinie, celle de Dieu, est créatrice de présence, l'intuition finie, celle de l'homme, a pour nature de faire face et d'accueillir comme lui faisant face le don

---

1. *K. M., § 4.*

de la présence dans le vis-à-vis sans échappatoire de l'objectivité.
Le mot ob-jet dit très clairement cette antiphanie de la présence — que disait plus fidèlement encore le mot aristotélicien
d'ἀντικείμενον, où le *jacio* latin qui jette au visage et fait sauter
aux yeux n'est pas encore venu forcer de son insistance la réserve
du κεῖσθαι grec, qui nomme simplement la chose telle qu'elle
s'*étend* devant nous, comme dans l'*Odyssée,* Ithaque, donc en
nous laissant où nous sommes et en demeurant où elle est, bien
avant que ne s'exaspère dans notre monde la fièvre incessamment
montante de la corrélation sujet-objet, jusqu'à la crispation
moderne d'où se déchaîne sans frein l'emportement des sciences
à la conquête d'une terre qui, elle, se rétracte à vue d'œil,
jusqu'à n'être déjà plus que l'une des planètes du système solaire.
    Mais s'il en est ainsi, si seule l'intuition accueillante, dans le
cas du moins de la finitude dont nous sommes nous-mêmes un
cas, donne réalité à la notion, alors le problème est de savoir
comment une notion pure peut s'étoffer intuitivement et, sortant
de l'abstrait, nous devenir présence effective et concrète. Le mot
qui nomme relativement à la pensée cette présentation intuitive
de la chose sans quoi il y a bien pensée, mais non pas connaissance est : *Darstellung.* Ce terme, Kant en fait la traduction allemande d'un nom grec dont la rhétorique, plus que la philosophie [2], fait usage : *hypotypose,* à quoi répond le latin *exhibitio.* Kant dit encore pour *exhibitio : subjectio sub aspectum.*
On peut dire que le problème de l' « exhibition » des concepts,
c'est-à-dire de leur *présentation* sous un visage est le problème
même de la *Critique de la Raison pure.* C'est probablement pourquoi aucun chapitre de la première *Critique,* pas plus que d'aucun
autre livre de Kant, ne lui est spécialement consacré. Comment
les concepts sont-ils susceptibles de devenir figuratifs et de
comporter ainsi cet aspect de vis-à-vis sans quoi nous pensons
bien, mais dans l'abstrait et sans être jamais en face de rien ?
La réponse à cette question est l'élaboration de la notion kantienne de *Darstellung.*
    Pour entrer dans l'étude de la *Darstellung,* citons d'abord
deux textes appartenant à un essai que Kant laissa inachevé,
mais qui fut publié à Königsberg l'année même de sa mort (1804).
Il s'agissait d'une réponse qu'il avait projetée à une question
formulée en français et posée en 1788 par l'Académie des sciences
de Berlin : *Quels sont les progrès réels de la métaphysique en
Allemagne depuis le temps de Leibniz et Wolff ?*

---

2. Bien que l'emploi que fait Aristote du verbe, ὑποτυποῦσθαι au
chapitre II du livre Z de la *Métaphysique* n'ait rigoureusement rien de
rhétorique, comme l'a montré R. Boehm, *Das Grundlegende und das Wesent-
liche* (La Haye, 1965), p. 58.

Sous le titre : *De la manière de procurer de la réalité objective aux purs concepts de l'entendement et de la raison*, Kant écrit : « Un pur concept de l'entendement, le représenter comme concevable à même un objet d'expérience possible, c'est lui procurer de la réalité objective et, somme toute, le présenter (*darstellen*). Là où il n'est pas possible d'y arriver, le concept est vide, c'est-à-dire ne suffit à aucune connaissance. Cette opération, quand elle confère directement au concept une réalité objective grâce à l'intuition qui lui correspond, c'est-à-dire quand le concept est directement présenté, se nomme *schématisme* ; si le concept ne peut pas être présenté immédiatement, mais seulement dans ses conséquences, on peut la nommer *symbolisation* du concept. Le schématisme intervient à l'occasion des concepts du sensible. La symbolisation vient au secours des concepts du suprasensible, qui dès lors ne peuvent pas être à proprement parler présentés, c'est-à-dire donnés dans aucune expérience possible, bien qu'ils appartiennent toutefois nécessairement à une connaissance, celle-ci ne fût-elle possible que comme pratique [3]. »

Mais, dans les suppléments (*Beilagen*) annexés à son texte, Kant écrit :

« Quand à un concept l'intuition correspondante peut être adjointe *a priori*, on dit alors de ce concept qu'il est *construit* ; s'il s'agit seulement d'une intuition empirique, elle n'est, dit-on, qu'un simple *exemple* pour le concept. L'opération d'adjoindre l'intuition au concept s'appelle dans les deux cas *Darstellung* (*exhibitio*) de l'objet ; sans elle (qu'elle soit médiate ou immédiate), il ne peut y avoir aucune connaissance [4]. »

Dans le premier des textes que nous venons de citer, Kant divise dichotomiquement la *Darstellung* en *schématisme* et *symbolisation*. Dans le second, il la divise en *construction* et *exemplification*. Le début du paragraphe 59 de la *Critique du Jugement* correspond à la première division. Mais dans le corps du paragraphe une note évoque la construction sans cependant la nommer. N'est nommée dans cette note que la démonstration. Mais, nous le savons par la première *Critique,* démonstration implique construction : il n'y a en effet que « la mathématique qui contienne des démonstrations, parce qu'elle ne dérive pas sa connaissance de concepts mais de la construction des concepts [5] ». D'autre part, dans une note de la *Religion dans les limites de la simple Raison*, la symbolisation apparaît à son tour comme une modalité de la schématisation. C'est dire que Kant, malgré son

---

3. VIII, 260.
4. VIII, 313.
5. T. P., 505 (A 734, B 762).

goût pour les divisions, n'a jamais donné une division définitive du concept de *Darstellung* et que son vocabulaire demeure flottant. Non sans doute parce que la notion de *Darstellung* serait pour lui accessoire, mais au contraire parce qu'elle est au centre même de sa méditation. C'est sans doute pour la même raison que saint Thomas n'a jamais traité de l'analogie d'une manière parfaitement univoque bien qu'il y revienne si souvent. Il sera réservé bien plus tard à Cajetan de préciser et d'ordonner, peut-être à sa façon, ce qui, dans les écrits de saint Thomas, reste encore flottant à ses yeux.

Nous pouvons cependant, d'après les citations précédentes, distinguer dans la philosophie kantienne quatre modalités de la *Darstellung* (*exhibitio*) : l'exemple, le symbole, la construction, le schème. Nous allons les étudier séparément et dans cet ordre qui semble bien être pour Kant l'ordre même de la découverte.

L'exemple est le plus classique et le plus courant des modes de la *Darstellung*. Il consiste à montrer dans l'expérience un objet correspondant à un concept donné. L'exemple est dès lors une preuve de la réalité du concept, « autrement, il demeure toujours incertain si une pensée est telle qu'un objet lui corresponde ou si elle n'est qu'une pensée vide [6] ». La grande utilité des exemples est qu'ils « aiguisent le jugement ». Bien que penser soit « connaître par concept », le jugement n'est pas en effet simple affaire de concept, mais suppose la « subsomption » d'un objet empirique sous la règle que lui est le concept. On peut avoir la tête pleine de concepts et manquer totalement de jugement, comme ceux qui, « sachant très bien le général *in abstracto,* sont cependant incapables de distinguer si un cas y est contenu *in concreto* [7] ». Kant compare les exemples à ce que Leibniz nommait dans les *Nouveaux Essais* « cette petite machine roulante qui empêche les enfants de tomber en marchant ». Ils sont, dit-il, *der Gängelwagen des Urteils.* Et il ajoute en note : « Le manque de jugement est à proprement parler ce qu'on appelle sottise, et à ce vice il n'y a pas de remède. Une tête obtuse ou bornée en laquelle il ne manque que le degré d'entendement convenable (...) peut fort bien arriver par l'instruction jusqu'à l'érudition. Mais comme alors le plus souvent ce défaut (comme il est dit dans la seconde épître de Pierre) accompagne aussi l'autre, il n'est pas rare de trouver des hommes très instruits qui laissent incessamment apercevoir dans l'usage qu'ils font de leur science ce vice irrémédiable [8]. »

---

6. VIII, 313.
7. T. P., p. 149 (A 134, B 173).
8. *Ibid.*

Cependant, si les exemples sont indispensables au jugement dans la mesure où ils mettent sous les yeux une image au moins de la chose sur laquelle ils portent, ils ne sont jamais plus qu'un auxiliaire indispensable à la pensée. *Exemplifier,* comme disait Leibniz, n'est pas encore penser, car, disait-il aussi, « si l'inventeur ne trouve qu'une vérité particulière, il n'est inventeur qu'à demi [9] ». C'est pourquoi l'exemplification n'est encore qu'une présentation faible. De son côté, dans les *Leçons de logique,* Kant déclare : « Trouver le rapport entre la représentation *in abstracto* et *in concreto* dans la même connaissance, donc entre le concept et sa présentation, par quoi est atteint le maximum de la connaissance en ce qui concerne aussi bien l'extension que la compréhension, en cela consiste l'art de la popularité [10]. » Mais la popularité, si elle a son mérite, n'est pas, dans le domaine de la connaissance, le comble du sérieux. Une critique de la raison, lisons-nous dans la deuxième Préface à la première *Critique,* « ne peut en effet jamais devenir populaire, mais il n'est nullement nécessaire qu'elle le soit [11] ». Rendre la métaphysique populaire, ce projet qui fut longtemps celui de Kant, il lui faudra se résoudre à l'abandonner.

Ce n'est là cependant qu'un aspect de la question. Il y en a en effet un autre beaucoup plus important. Si sur le plan théorique, l'exemplification reste faible, sur le plan pratique, « les exemples sont contagieux [12] ». Ainsi la métaphysique comme pratique théorique a été historiquement victime du mauvais exemple que lui a donné la mathématique. Car « il ne convient pas à la nature de la philosophie de prendre des airs dogmatiques et de se parer des titres et des insignes de la mathématique, puisqu'elle n'appartient pas à l'ordre de cette science, bien qu'à la vérité elle ait tout lieu d'espérer être avec elle en union fraternelle [13] ». Que de « faux pas » ne sont-ils pas résultés de cette prétention ! N'est-ce pas en effet au nom des mathématiques que Platon a pu « allumer en philosophie le flambeau du mysticisme [14] » ? Mais il y a plus. Si l'exemple peut pervertir la pratique au sens large, il est encore plus pernicieux pour qui prétend passer par la « porte étroite » de la pratique au sens moral du terme. Combien de moralistes se sont imaginés que l'enseignement de la morale pouvait reposer sur la production d'exemples appropriés ! En réalité, rien n'est plus néfaste. « Car tout exemple qui m'en est proposé doit lui-même être jugé auparavant selon des prin-

---

9. *N. E.,* IV, 7, § 11.
10. VIII, 407.
11. T. P., p. 26 (B XXXIV).
12. T. P., p. 493 (A 712, B 740).
13. T. P., p. 505 (A 735, B 763).
14. VI, 480.

cipes de la moralité pour qu'on sache s'il est bien digne de
servir d'exemple originel, c'est-à-dire de modèle ; mais il ne peut
nullement fournir en tout premier lieu le concept de la moralité.
Même le Saint de l'Evangile doit être d'abord comparé avec notre
idéal de perfection morale avant d'être reconnu pour tel [15]. »

Ainsi l'exemple, s'il est indispensable à une connaissance qui
prétend se mettre au clair avec elle-même, ses inconvénients
dépassent largement ses avantages parce qu'il n'est rien d'originel.
La présentation par l'exemple n'est donc pas le sommet de la
Darstellung. Aristote avait bien raison de dire que l'exemple
n'était qu'une « figure de la rhétorique », et non le fond de la
philosophie. C'est pourquoi le moment est venu de passer
de l'exemple à une autre forme de la *Darstellung,* apparentée à
l'exemple mais bien différente de lui : le *symbole.*

Comme l'exemple, le symbole appartient au mode intuitif de
la représentation. Il est donc l'une des figures de la *Darstellung.*
Mais sa différence avec l'exemple est qu'il n'y a principalement
symbole que des concepts qui sont sans exemple, c'est-à-dire des
concepts supra-sensibles ; c'est seulement des concepts empiriques
qu'il est possible et légitime de donner des exemples. Platon le
savait déjà très bien, écrivant dans le *Politique :* « Il y a je
crois une chose que le plus grand nombre ignore : pour certains
des étants, il existe naturellement certaines ressemblances ; vu
que ces ressemblances sont sensibles, il est facile de les remarquer,
et il n'est nullement malaisé de les faire voir à qui demande une
explication quand on veut la donner sans peine, mais indépendamment du λόγος. En revanche, pour les étants les plus grands
et les plus dignes d'honneur, il n'y a pas du tout d'image,
œuvrée en clair à l'intention des hommes, et qu'il suffirait de
montrer pour remplir, à partir de là et en suffisance, l'âme de qui
cherche à savoir, à condition de l'harmoniser avec tel ou tel
de nos sens [16]. » C'est bien pourquoi quand Platon, dans *la
République,* nomme « le dieu », c'est par une suite de négations
qu'il le détermine, et non par des prédicats positifs.

Pour Kant également, le concept de Dieu, qui est le prototype
des concepts suprasensibles, échappe radicalement à l'intuition.
Cela ne veut nullement dire qu'un tel concept soit formé arbitrairement. Bien au contraire. Mais Dieu est sans exemple. Sans
doute peut-on parler non sans rigueur de Dieu comme *ens ori-
ginarium* ou *ens summum.* Mais on ne peut le réaliser par aucune
projection en aucune image. Dieu est une pure idée. « Lorsqu'on
nomme une idée, on dit beaucoup par rapport à l'objet (comme

15. *Fondements de la Métaphysique des mœurs,* éd. V. Delbos (Dela-
grave, 1924), p. 115.
16. *Politique,* 285 e-286 a.

objet de l'entendement pur), mais on dit très peu par rapport
au sujet (c'est-à-dire relativement à sa réalité sous des conditions
empiriques), précisément parce que l'idée, comme concept d'un
maximum, ne peut jamais être donnée *in concreto* d'une manière
adéquate[17]. » Il est absurde d'imaginer que Dieu puisse se
manifester empiriquement. D'où la sévérité, que l'on peut qualifier, par antiphrase, d'antikierkegaardienne, avec laquelle Kant
évoque, dans le *Conflit des facultés,* le sacrifice d'Abraham. A
la prétendue voix divine qui lui ordonnait d'immoler son fils,
Abraham, dit Kant, aurait dû répondre : « Ce qui est très sûr,
c'est que je ne dois pas tuer ce brave garçon qui est mon fils ;
mais que tu sois Dieu, toi qui m'apparais, voilà ce dont je ne suis
pas sûr du tout ni ne saurais le devenir, même si c'était du
haut du ciel (visible) que descendait ta voix retentissante[18]. »
Car, « si Dieu parlait vraiment à l'homme, comment pourrait-il
jamais savoir si c'est Dieu qui lui parle[19] » ? Le seul exégète
légitime de la parole de Dieu est la conscience morale, « parce
que la religion est une affaire de la raison[20] ».

Si toutefois nous devons fuir comme la peste toute théologie à
base de théophanie, vu qu'elle n'est jamais qu'un « anthopo-
morphisme dogmatique », du moins pouvons-nous nous permettre
à l'occasion un « anthropomorphisme symbolique[21] ». Nous pouvons très bien en effet dire symboliquement que le monde est
l'œuvre d'un entendement et d'une volonté suprêmes. Car alors
nous n'avons plus la prétention de parler κατ' ἀλήθειαν. Nous
parlons seulement κατ' ἄνθρωπον. Ce qui dès lors se concrétise
n'est plus qu'une présentation indirecte qui préserve la pureté
du concept de Dieu des conditions de la représentation intuitive.
Cette présentation indirecte, qui demeure pour le concept un
montage relativement extérieur, Kant la nomme du vieux nom
d'*analogie,* nom qui, précise-t-il, « ne signifie pas, comme on
l'entend d'ordinaire, une ressemblance imparfaite entre deux
choses, mais une ressemblance parfaite de deux rapports entre
des choses tout à fait dissemblables[22] ». C'est ainsi, écrit-il dans
la *Critique du Jugement,* « que l'on peut représenter un Etat
monarchique par un organisme vivant quand il est gouverné
selon des lois dont la source est au-dedans du peuple, mais par
une simple machine (par exemple, un moulin à bras) quand il
est gouverné par l'absolutisme d'une volonté unique ; dans les

17. T. P., p. 270 (A 327, B 384).
18. Trad. Gibelin (Vrin, 1955), p. 75.
19. *Ibid.*
20. *Ibid.*, p. 80.
21. *Prolégomènes,* § 57.
22. *Ibid.*, § 58.

deux cas, la représentation n'est que symbolique. Car, s'il n'y a aucune ressemblance entre un Etat despotique et un moulin à bras, il y en a une cependant entre les règles d'une réflexion sur ces deux choses et sur la causalité qu'elles mettent en jeu [23] ». Ainsi l'analogie au sens kantien, se bornant à « transporter la réflexion portant sur un objet de l'intuition à un tout autre concept auquel peut-être ne pourra jamais correspondre directement une intuition [24] », ne compromet pas la pureté de ce concept. Elle respecte la frontière entre les deux mondes, dont nous connaissons avec certitude la séparation depuis une « très illustre institution de l'Antiquité, celle qui traite du caractère des phénomènes et des noumènes [25] ». Kant n'est pas en philosophie un rôdeur des confins et son honnêteté piétiste répugne à toute contrebande. Penser à Dieu comme à un père ne paternalise nullement le vrai Dieu. Ce n'est que symboliquement qu'il nous est paternel. S'il nous est loisible avec Leibniz de dire de lui « qu'il s'humanise, qu'il souffre des anthropologies et qu'il entre en société avec nous [26] », c'est exclusivement sur le plan de l'analogie qui garde la distance au lieu de l'abolir.

Toutefois, si l'analogie au sens kantien est essentiellement séparatiste, la séparation qu'elle représente n'est nullement une rupture, car le noumène demeure inséparable du phénomène. Dès lors, « bien que nous devions dire des concepts transcendantaux qu'*ils ne sont que des idées,* nous n'irons nullement jusqu'à les considérer comme superflus et nuls [27] ». Parmi les idées de la raison, il en existe même une qui, quelque transcendante qu'elle demeure, ne nous en est pas moins intérieure et immanente, à savoir l'idée de la liberté. « Seul le concept de liberté permet de ne pas avoir à sortir de nous-mêmes pour trouver l'inconditionné et l'intelligible relativement au conditionné et au sensible [28]. » Bien que, pas plus que les autres idées, nous ne puissions la « scruter », la liberté est la seule idée de la raison pure qui puisse être rangée parmi les *scibilia,* et non pas seulement comme les autres parmi les *mere credibilia* [29]. De cette situation va résulter relativement à l'idée de la liberté une adaptation toute particulière du concept de symbolisme.

Cette adaptation est déjà annoncée énigmatiquement dès la *Critique de la Raison pure,* à la suite même du texte que nous venons de citer, celui où il était dit que les idées de la raison,

23. *Critique du Jugement,* § 59.
24. *Ibid.,* § 59.
25. *Dissertation de 1770,* section II, § 7.
26. *Discours de Métaphysique,* § 36.
27. T. P., p. 271 (A 329, B 385).
28. *Critique de la Raison pratique,* trad. Gibelin (Vrin, 1945), p. 137.
29. *Critique du Jugement,* § 91.

malgré l'impossibilité où nous sommes de les connaître, ne sont cependant « ni superflues, ni nulles ». Non seulement en effet elles ont pour le jugement un usage régulateur, mais on peut déjà pressentir que ces idées « peuvent rendre possible un passage des concepts physiques aux concepts pratiques et de cette manière fournir aux idées morales elles-mêmes un appui et de la connexion avec les connaissances spéculatives de la raison [30] ». Ce que toutefois Kant ne dit pas encore dans la première *Critique*, c'est ce qu'il développera seulement dans la *Critique de la Raison pratique,* au chapitre intitulé : *De la typique du jugement pratique pur.* Le bien au sens moral, celui que détermine le jugement pratique dans la mesure où il est pur, se définit essentiellement à son sens comme l'idée d'une liberté agissant exclusivement d'après des lois. Mais rien dans le monde ne peut égaler ce qu'exige de l'homme une telle idée. Aucune action, aucun exemple n'a jamais rempli une telle exigence. L'admiration des exemples que l'on peut donner n'est jamais, nous l'avons vu, garantie suffisante de leur pureté morale. Mais, d'autre part, si, comme nous le verrons plus loin, la causalité naturelle est schématisable, aucune schématisation n'est possible pour la causalité par liberté. Aucun regard, s'il est fini, ne peut donc pénétrer intuitivement la sublimité du monde moral. Alors, sommes-nous donc condamnés à ne pouvoir y entrer qu'en aveugles et à tâtons ? Ce serait le cas si, dit Kant, nous n'avions « en main » quelque chose sur quoi nous puissions nous régler intuitivement pour nous conformer à la loi d'une raison à la fois pure et pratique. Mais précisément, ce quelque chose, nous l'avons « en main ». C'est la représentation d'une loi de la nature, telle qu'elle nous est manifeste *in concreto* au niveau même des objets des sens. Une telle représentation comporte, relativement à la loi morale, une valeur que Kant nomme *typique.*

Le *type,* Kant le rapproche de l'exemple, mais encore plus du symbole et de l'analogie : « Le caractère qu'a la volonté de valoir comme une loi universelle pour des actions possibles a de l'analogie avec la connexion universelle de l'existence des choses selon des lois, qui est l'élément formel de la nature en général [31]. » Dans les deux cas, en effet, celui du symbole et du type, il y a « présentation indirecte ». Mais le type est beaucoup plus étroitement lié que le symbole à ce dont il est la *Darstellung.* En ce sens, le *monde étoilé au-dessus de moi* est le type plutôt que le symbole de la *loi morale en moi.* Nous ne pouvons en effet nous représenter la seconde sans une référence explicite au

---

30. T. P., *loc. cit.*
31. *Fondements...,* éd. cit., p. 165.

premier. C'est pourquoi Kant précise que la raison pure pratique est non seulement justifiée (*berechtigt*) mais même contrainte (*genötigt*) à faire usage de la nature comme *type* du jugement moral. Dans la symbolisation, au contraire, la marge de liberté est beaucoup plus grande. Rien n'y est proprement contraignant. Pour parler le langage de la *Critique du Jugement,* nous pourrions peut-être dire du symbole qu'il n'est que *relatio vaga,* tandis que le type serait plutôt *relatio adhaerens.* Si le symbole est à la fois plus variable et plus humain, le type est plus rigoureux. Dieu n'a sans doute nullement besoin d'une telle référence typique pour comprendre intuitivement le mystère de moralité qui est la raison dernière de la création du monde. Mais peut-être les « esprits finis en général », et non seulement les hommes qui, de plus en plus, n'en sont qu'un cas particulier, en ont-ils essentiellement besoin. Dès lors, le type répondrait à la finitude en général, le symbole appartenant plutôt à la réalisation humaine de la finitude. Ce sont là des questions auxquelles non seulement Kant ne répond pas, mais même qu'il ne pose nullement. Nous ne pouvons cependant pas nous dispenser de nous les poser si nous essayons de préciser la différence entre l'analogie proprement typique et l'analogie symbolique qui reste beaucoup plus flottante que la première.

Si toutefois la moralité comporte un type, il lui appartient aussi d'avoir un symbole. Ce symbole nous est révélé par le paragraphe 59 de la *Critique du Jugement* dont le titre est *De la beauté comme symbole de la moralité.* Là, nous redescendons pour ainsi dire du plan de la finitude en général, auquel s'était haussée la *Critique de la Raison pratique,* les anges n'ayant peut-être pas moins besoin que les hommes du spectacle du ciel étoilé pour former l'idée de la loi morale, à la version proprement humaine de la finitude. Car, si le bien fait loi « pour tout être raisonnable en général », alors que l'agréable attire « même les animaux sans raison », le beau, lui, « n'a de sens que pour les hommes qui tiennent de l'animal, mais sont aussi des êtres raisonnables ». Et ici, Kant s'explique plus amplement dans la deuxième édition où il ajoute : « Toutefois, le beau a du sens pour eux non seulement en tant qu'ils sont des êtres raisonnables comme tels (comme le sont par exemple les esprits), mais en tant qu'ils ont tout aussi bien quelque chose de bestial [32] ». Le beau est donc beaucoup plus humain que le bon, presque trop humain. Son rapport à la moralité, qui est le fond de tout, ne peut donc pas avoir la rigueur du type. Reste qu'il s'y rattache selon la modalité plus flottante du symbole. Mais, là, il faut se reporter à la définition kantienne de l'analogie qui est implicite au symbole : il

---

32. *Critique du Jugement,* § 5.

ne s'agit nullement d'une ressemblance imparfaite de deux choses, mais d'une ressemblance parfaite entre des rapports qui se laissent lire sur des choses tout à fait dissemblables. La beauté n'est pas une apparence qui laisserait transparaître quelque chose de la moralité, au sens où Victor Hugo dira de la nature qu'elle est « une apparence corrigée par une transparence ». Elle n'en laisse à vrai dire rien voir du tout. Pour Kant, la beauté est d'autant plus symbolique de la moralité qu'elle est davantage beauté et non moralité. Sur ce point, il est aux antipodes de Greuze, bien que tous les deux aient vécu au même siècle. Confondre l'œuvre d'art avec une démonstration morale dénote même une certaine « barbarie » dans le goût. « Tout intérêt corrompt le jugement de goût », fût-il l'intérêt moral, qui ne peut être qu'une addition extérieure et pour tout dire un « ornement ». Kant ici pense exactement ce que pensera Nietzsche, qui se croira pourtant aux antipodes de Kant. Mais la beauté qui plaît immédiatement, hors de tout intérêt, grâce à l'éveil en nous d'une liberté en rapport cependant avec une loi, et de telle sorte que l'approbation qu'elle requiert soit représentée comme universellement requise, est symbolique de la moralité qui repose sur les mêmes rapports, le symbole étant, au niveau du sensible, le jeu de ces rapports. Dans la mesure où c'est le symbole qui est lui-même porté par la chose symbolisée et non l'inverse, Kant ira même jusqu'à dire que c'est l'ouverture de l'homme à la moralité qui l'ouvre aussi à la beauté. Là seulement est la « véritable explication du langage chiffré que la nature nous parle figurativement dans la beauté de ses formes [33] ».

Nous venons d'étudier, parmi les modalités de la *Darstellung*, l'exemple et le symbole, et ce dernier dans son rapport avec cette spécification si originale du symbole qu'est le type. Il nous reste maintenant à examiner les deux autres modalités de la *Darstellung*, dont il faut dire qu'elles n'ont pas été seulement étudiées par Kant, mais qu'elles sont l'une et l'autre des créations originales : la *construction* et la *schématisation* des concepts. A la différence de l'exemple, qui n'est qu'une projection empirique du concept, et du symbole, qui n'en est qu'une présentation indirecte, la construction et le schème sont des présentations directes du concept dans sa dignité de concept, de telle sorte qu'il y devient intuitif sans cependant rien aliéner ni perdre de sa rationalité.

Aucun chapitre de la *Critique de la Raison pure* ne porte le titre de *Construction des concepts,* tandis qu'un bref chapitre

---

33. *Ibid.,* § 42.

qui passe intact de la première à la seconde édition, malgré le remaniement total de tout ce qui le précède, est intitulé *Du schématisme des concepts purs de l'entendement*. La raison en est certainement que la construction des concepts est la première conquête critique de Kant, celle qui s'accomplit de 1755 à 1769, à la faveur de *mancherlei Umkippungen* comme il dit, et qu'il mentionne lui-même comme ayant abouti à la *Dissertation de 1770,* où apparaît pour la première fois, à ma connaissance, dans son sens technique le mot de construction. *Constructio mentalis* précise Kant [34]. Lorsqu'en 1781 il publie la *Critique de la Raison pure,* cette conquête est déjà derrière lui. Ce qui compte à cette date, c'est bien plutôt la deuxième conquête critique, celle qu'il développera sous la forme d'une *Analytique transcendentale* dont le chapitre du schématisme est peut-être le centre.

La construction des concepts dont parle cependant çà et là la *Critique* n'est nullement une opération technique qui s'exécuterait à l'aide d'instruments, fussent-ils aussi simples et aussi précis que la règle et le compas. Elle est essentiellement *constructio mentalis*. Tout se passe donc à l'intérieur de la pensée. « Construire un concept, dit Kant, c'est présenter (*darstellen*) *a priori* l'intuition qui lui correspond [35]. » Et, à la page suivante, il précise : « Il n'y a que le seul concept de la grandeur qui se laisse construire. » L'idée de construction au sens kantien se rattache donc exclusivement à l'emploi des concepts mathématiques.

Pendant plus de vingt ans, Kant a cherché à comprendre quel pouvait bien être le secret de la vérité mathématique telle qu'elle brille aux yeux des hommes avec un éclat auquel prétendent vainement les propositions philosophiques, qui nous laissent d'autant plus perplexes qu'elles prétendent davantage à la vérité. Quand on demande à un philosophe, écrit-il encore en 1763, si un corps se compose ou non de substances simples, le voilà dans un embarras analogue à celui de saint Augustin quand il s'interrogeait sur la nature du temps. Quand au contraire un géomètre veut démontrer que l'espace est divisible à l'infini, il lui suffit d'en appeler à une figure parlante : « Il prend une ligne droite quelconque qui est perpendiculaire à deux parallèles, et il tire d'un point d'une de ces deux parallèles d'autres lignes qui les coupent. Il reconnaît à ce symbole [36] avec la plus grande certitude que la division doit continuer sans fin [37]. » Mais pour-

---

34. *Dissertation,* Section III, § 15.
35. T. P., p. 493 (A 713, B 741).
36. En 1763, ce que Kant appelera en 1770 construction n'est donc encore que symbole.
37. II, 179 (*Recherche sur l'évidence des Principes de la théologie naturelle et de la morale,* Considération I, § 2).

quoi cette disparité ? A l'époque Kant croit encore que le fort
de la géométrie est de procéder par « synthèses arbitraires »,
prélevées symboliquement sur ce que révèle des choses leur
représentation spatiale, alors que la philosophie s'attache à l'élucidation analytique de tout ce qui est synthèse. Il lui faudra plusieurs années pour comprendre que les synthèses géométriques ne
sont nullement des symbolisations arbitraires, mais répondent à
une nécessité tenant à la nature même de l'espace qui est moins
une chose parmi d'autres que, pour toutes choses, leur foyer de
présence, dont les propriétés ne doivent rien aux propriétés des
choses. De plus en plus, Kant découvre que c'est le poème de
l'espace, son *omnipraesentia phaenomenon* [38], qui est le véritable
sujet de la géométrie. En 1768, l'espace lui apparaît pour la première fois comme une immensité unique structurée en régions.
Un peu plus tard il notera : « L'année 1769 m'a apporté une
grande lumière. » Et, en 1770, c'est l'interprétation de l'espace
comme forme aprioriquement intuitive de ce qu'il appellera plus
tard « réceptivité originaire » et qu'il nomme alors *sensualitas*.
    Tout est en place dorénavant pour l'interprétation de l'évidence
géométrique comme *constructio mentalis*. C'est le regard du
géomètre qui est essentiellement constructeur. Cela ne veut pas
dire qu'il assemble des éléments en un tout comme on construit
un temple avec des pierres, mais qu'au sens du latin *sternere*,
dont le verbe *struere* n'est peut-être, d'après les grammairiens,
qu'un « élargissement », il laisse s'étendre devant lui, mais d'une
manière primordiale, ce dont l'expérience ne propose qu'une
extension secondaire et dérivée. La construction est moins exploitation d'un espace donné qu'apparition originelle de l'espace lui-
même dans la pureté de son omniprésence et selon les figures
qu'y trace une imagination non pas seulement *reproductrice* mais
bel et bien *productrice,* celle que Kant nommera plus tard *synthe-
sis speciosa*. Thalès, laissant paraître en sa figure spatiale le
triangle isocèle comme isocèle, procède en constructeur de ce
triangle. Dès lors, c'est de sa construction qu'il apprend ce que ne
pouvait lui donner aucune analyse du concept de triangle. Le
concept de triangle comme concept n'est encore qu'une détermination abstraite de la quantité, autrement dit de la « synthèse
de l'homogène », par opposition à la « synthèse de l'hétérogène »
qui définit non moins conceptuellement la substance ou la causalité. Dans le cas du triangle, la synthèse de l'homogène est elle-
même définie comme « synthèse d'agrégation ». Pour qu'il y
ait triangle, il faut en effet qu'un angle *s'agrège* à un autre angle
et un troisième aux deux premiers. Comme chaque angle a deux
côtés, cela fait au total six côtés. Mais autre chose est de penser

---

38. *Dissertation de 1770*, Section IV, § 22, scolie.

ainsi le triangle par son concept, autre chose de le voir immédiatement dans l'espace et comme une figure sur laquelle seulement devient évidente cette merveille que le triangle est du même
coup un trilatère [39]. Il faut, disait Leibniz, « un peu d'attention
pour voir qu'un polygone doit avoir autant d'angles que de
côtés [40] ». Ce n'est pas de l'attention qu'il faut, dirait Kant, mais
bel et bien de la construction, ce qui est tout autre chose: Nous
comprenons en tout cas le chemin parcouru entre 1763, lorsque
Kant disait encore des mathématiques qu'elles connaissent leurs
objets par des symbolisations arbitraires que la philosophie s'attache au contraire à analyser, et 1781 lorsqu'il dit : « La connaissance *philosophique* est la *connaissance rationnelle par concepts*
et la connaissance mathématique est une connaissance rationnelle
par *construction* des concepts [41]. »

Il est aujourd'hui de mode de reprocher à Kant d'avoir situé
au cœur des mathématiques la concrétisation intuitive des
concepts en quoi consiste ce qu'il nomme construction. Car,
dit-on, faire de la géométrie n'est pas concrétiser intuitivement
mais au contraire s'abstraire de plus en plus de toute concrétion
intuitive en logicisant des systèmes de propositions, ce qui revient
à les axiomatiser et à les formaliser. Kant, qui n'en savait pas si
long, aurait stérilisé d'avance la philosophie des mathématiques,
en les astreignant à un modèle qui ne serait, sous l'invocation
d'Euclide, que la transposition en intuition pure de nos habitudes
ancestrales. Tout cela est aussi vite dit qu'expéditivement pensé.
Ce que les interprétations « logistiques » des mathématiques
laissent en effet échapper, c'est peut-être bien ce qu'Henri Poincaré nommait, il y a cinquante ans, le sens d' « une réalité plus
subtile qui fait la vie des êtres mathématiques et qui est autre
chose que la logique [42] ». Cette « réalité plus subtile », le mathématicien ne l'a pas toujours thématiquement en vue, bien que ce
soit le sens qu'il en a qui le guide, fût-ce à son insu. Ainsi
Euclide croyait ne dégager que les propriétés fondamentales des
figures. En réalité, quelque chose est sous-entendu en tout ce
qu'il dit. Car ce qui caractérise à son insu les propriétés qu'il
établit, c'est qu'elles ne sont que les invariants de certaines trans-
formations qui ont elles-mêmes la propriété de former des groupes. Sous la géométrie plus immédiate, il y a ainsi, selon Poincaré,
une « géométrie plus profonde [43] », dont la première est à son
insu tributaire. Tout ce que l'on peut dire, c'est que Kant n'a

39. VIII, 310.
40. *Nouveaux Essais,* IV, 8, § 7.
41. T. P., p. 493 (A 713, B 741).
42. *Science et méthode* (Flammarion, 1940), p. 133.
43. *Ibid.,* p. 158.

pas soupçonné cette « géométrie profonde ». Mais le passage
de la géométrie immédiate à la géométrie profonde est bien plutôt celui d'une concrétion plus directement saisissable à une
concrétion plus secrète que celui du concret à l'abstrait. Que le
véritable fond de l'espace euclidien soit la sous-jacence d'un
groupe ou d'un système de groupes ayant pour invariants les
propriétés géométriques des figures plutôt que la structure régio-
nale qui suffisait à Kant pour fonder les propriétés que saisit
immédiatement l'intuition, cela ne parle pas contre Kant, mais
pour lui. Pas de mathématique sans intuition, c'est-à-dire sans
un rapport de la pensée à une certaine densité concrète de ce
qu'elle étudie mathématiquement. L'axiomatisation des systèmes
hypothético-déductifs n'est que l'apparence extérieure de ce qui
dans son fond est révélation plus essentielle. Il se pourrait que
le regard purement logique ne voie que le dehors des choses
mathématiques.

Nous en arrivons maintenant à la dernière des figures de la
Darstellung. Si pour les concepts empiriques des exemples peuvent
toujours être donnés, s'il nous est permis de symboliser les
concepts supra-sensibles et même, dans la beauté, celui de la
moralité, si le concept de grandeur se prête à la construction, tous
les concepts de l'entendement, autrement dit toutes les catégories,
y compris celles de la grandeur ou quantité se laissent schématiser. Le mot schématisation, qui sort tout droit du grec, évoque
encore plus que les autres l'apparition d'une figure parlante.
Ainsi la géométrie schématise son concept de vecteur par une
flèche dont la longueur dit ce qu'il a de « scalaire » et la pointe
de la flèche ce qu'il a d'orienté. Mais la construction elle aussi
était production immédiate d'une figure répondant intuitivement
à un concept abstrait. Où donc est la différence entre schématisme
et construction, et pourquoi une telle différence ? On peut dire
que son établissement répond à l'élaboration de l'*Analytique
transcendentale,* c'est-à-dire au travail de dix ans qui suit la
Dissertation de 1770. Cette élaboration revient à son tour à
développer par rapport au temps le caractère figuratif que la
Dissertation, avec son concept de la construction, attribuait au
contraire exclusivement à l'espace, bien qu'elle reconnût déjà
à la figuration spatiale la portée d'une schématisation. La
figure spatiale du concept n'était pas en effet simple *adumbratio
objecti* [44], mais *schema sibi coordinandi* [45], schème dont la fonction est de se coordonner à lui-même ce qui est seulement procuré
par les sens. Mais, alors que la *constructio mentalis* n'était que
production du concept comme figure dans l'espace, avec le

44. *Dissertation de 1770,* Section II, § 4.
45. *Ibid.,* Section III, § 15 D.

schématisme « je produis le temps lui-même » pour qu'y prenne
figure un concept qui, sans cette production, resterait aussi
« vide » que celui de triangle, aussi longtemps qu'il n'est pas
construit.

Le pouvoir de l'esprit qui est à l'œuvre dans les deux cas,
Kant, dans la *Critique,* le nomme *imagination.* C'est par cette
commune origine que la construction et le schématisme sont
assez proches l'un de l'autre pour que Kant puisse en 1790
interpréter explicitement comme déjà schématique la construction
elle-même. Celle-ci finit ainsi par apparaître comme un cas particulier de la schématisation, entendue comme le travail d'une
imagination qui n'est pas à son tour simplement reproductive,
mais directement présentative, et hors de laquelle nous n'aurions
que « pensée sans contenu » ou « intuition vide de pensée »,
autrement dit deux termes extrêmes sans connexion entre eux.
C'est donc par l'imagination et par elle seulement que sensibilité
et entendement peuvent devenir « sources de connaissances ».
Elle est pour ainsi dire à l'arrière-plan des deux qu'elle porte
l'une comme l'autre à la rencontre l'une de l'autre, unité d'une
dualité qui sans elle demeurerait sans « racine commune ».
L'originalité de Kant paraît être ici de tourner l'opposition platonicienne de l'intelligible et du sensible à la faveur d'un entre-
deux qui n'est cependant peut-être pas un simple intermédiaire
entre les deux, comme le tiède entre le chaud et le froid, mais
le foyer vivant de leur unité possible, le point d'où seulement
la connaissance puisse avoir devant elle (*sich gegenübersetzen*)
quelque chose comme lui faisant face (*etwas (...), was dawider
ist*). L'intuition ne serait en effet qu'un « ramassis d'impressions »
si l'imagination ne « descendait » jusqu'à elles pour en effectuer
la *synopsis.* « Que l'imagination soit nécessairement partie inté-
grante de la perception, voilà ce dont aucun psychologue ne
s'est encore avisé comme il se doit [46]. » Kant précise que ce qu'il
nomme maintenant *synopsis,* c'est ce dont il avait traité sans
avoir prononcé ce nom dans l'*Esthétique transcendantale,* c'est-à-
dire sans avoir encore souligné que les « formes *a priori* de la
sensibilité » s'enracinaient dans l'imagination. Il ose maintenant
les considérer comme « imaginaires », non pour en affaiblir la
réalité, mais pour faire apparaître la synthèse imaginative qui
est à l'œuvre en elles originairement. L'espace est ainsi un « produit primitif de notre propre imagination ». Tel est non moins
le temps. Mais si l'imagination recueille ainsi les intuitions en
leur donnant visage, elle ne les recueille que sous la régulation
du concept qui seule peut leur assurer l' « affinité » qui en fait
vraiment des objets. L'imagination serait-elle dès lors non moins

46. T. P., p. 134 (A 120, n.).

indispensable à l'usage du concept que, dans la *synopsis,* à la possibilité de la perception ? C'est ce que nous apprend le bref chapitre intitulé : *Du schématisme des concepts purs de l'entendement.*

Le schématisme, avons-nous dit, se distingue de la construction en ce que l'exercice de l'imagination est ici relatif au temps et non plus à l'espace. C'est ainsi que, même si le concept de grandeur peut être construit, c'est-à-dire immédiatement présenté comme figure spatiale, il se laisse également schématiser par le nombre qui, comme représentation embrassant « l'addition successive de l'unité à l'unité », est en lui-même production imaginative du temps et non plus de l'espace. Mais, si le concept de grandeur peut-être construit, il est le seul à pouvoir l'être. Les autres concepts se laissent seulement schématiser. Si en effet ils pouvaient être construits, la science de la nature ne serait plus que pure géométrie. Sans doute, « dans toute théorie particulière de la nature, il n'y a de scientifique, au sens *propre* du mot, que ce que l'on peut y trouver de mathématique »[47]. Mais *contenir* en soi du mathématique et *se réduire* aux mathématiques font deux. La « mathématique des phénomènes » qu'est la physique n'est pas une simple branche des mathématiques, sa tâche n'étant pas d'effectuer des lectures intuitives, mais « d' épeler les phénomènes ». La « loi dynamique du rapport des effets à leur cause » ne contient jamais l' « évidence immédiate » des propositions de la géométrie qui, disait Descartes, se laissent saisir *unico intuitu* — d'une « œillade », dit la traduction[48]. Pour aller de la cause à l'effet, force m'est au contraire d'être « circonspect », c'est-à-dire, « regardant à l'entour, de chercher par un tel regard un troisième terme » qui ne pourra être à son tour que « la condition de la détermination du temps dans l'unité d'une expérience[49] ». Si donc je ne me reporte à la représentation intuitive du temps comme *succession constante,* je n'arriverai jamais à voir comment, à quelque chose = A, quelque chose de tout à fait différent = B peut bien être lié nécessairement. De même, sans fixer le regard sur la représentation non moins temporelle de la *permanence,* je ne verrai rien du rapport de l'accident à la substance, pas plus que de l'action réciproque des substances sans la représentation du temps comme *simultanéité.* Permanence, succession et simultanéité sont les trois visages temporels des rapports dynamiques d'*inhérence,* de *dépendance* et de *concurrence* que les trois concepts de subs-

47. *Premiers principes métaphysiques de la science de la nature,* préface ; IV, 372.
48. A. T., IX, 101.
49. T. P., p. 504 (A 733, B 761).

tance, de cause et d'interaction ne déterminent encore que comme logiquement possibles, c'est-à-dire comme non contradictoires. Autrement dit, ils sont les schèmes de ces concepts. Mais, à la différence des constructions qui sont pleinement intuitives, les schèmes maintiennent, dans l'intuitivité qu'ils procurent aux concepts, un aspect essentiellement discursif. Si, dans une analogie mathématique, lorsque deux termes sont donnés, le troisième l'est tout aussitôt dans son rapport à un quatrième, dans les « analogies de l'expérience », au contraire, même lorsque trois termes sont connus, je ne connais encore avec certitude que le rapport du troisième à un quatrième, et non ce quatrième terme lui-même, que je ne puis demander qu'à l'expérience, ayant cependant « une règle pour l'y chercher et un signe pour l'y découvrir [50] ». D'où l'interprétation des schèmes comme autant de *méthodes* qui ne gardent de l'intuition que ce qu'il faut pour pouvoir « épeler les phénomènes », c'est-à-dire pour chercher dans l'expérience et au fil du temps un phénomène qui soit par exemple à la chute d'un corps ce qu'est à l'échauffement d'une pierre l'action du soleil donnant sur elle, c'est-à-dire sa cause.

L'élaboration de la notion de schématisme est donc directement liée à l'effort de Kant pour se préciser à lui-même le rapport et la différence entre la science mathématique dont, dès 1770, il pensait avoir, dans la construction, surpris le secret, et la « mathématique de la nature » qui, plus encore que la géométrie, devient à ses yeux ce qu'était autrefois la seule géométrie, à savoir : *omnium phaenomenorum fidissimus interpres* [51]. Il en résulte que, si en 1770 il n'y avait pour lui d'autre schématisme que celui de la construction, il découvre laborieusement que la construction schématique des concepts n'est pas le tout du schématisme, puisque, des concepts « dynamiques » que suppose la physique, il y a schématisme sans qu'il n'y ait nullement construction. C'est à cette élaboration qu'appartient aussi la promotion philosophique du concept d'imagination, qui n'était d'abord pour lui qu'un pouvoir d'illusion. Quand en 1770 il qualifie l'espace-temps de Newton d'*ens imaginarium*, il n'entend encore l'adjectif qu'au sens de : *pertinens ad mundum fabulosum* [52]. *Ens imaginarium* signifie ici *ens rationis*. En 1781, au contraire, c'est l'espace vrai qui est *ens imaginarium,* mais dans un sens tout à fait positif. Cette fois, *ens imaginarium* et *ens rationis* font deux. Au lieu donc de rester étrangère aux vraies « sources » de la connaissance, l'imagination apparaît comme aussi radicale à l'usage du concept qu'à l'exercice de la sensi-

---

50. T. P., p 176 (A 180, B 222).
51. *Dissertation,* Section III, § 15 D.
52. *Ibid.*

bilité [52 bis]. Mais le double enracinement de la sensibilité et de l'entendement dans l'imagination est lié à son tour à la découverte que le lieu d'implantation de cette racine commune elle-même est le temps, pensé dans son essence « d'une manière plus originelle que ne le manifeste sa description provisoire dans l'esthétique transcendentale [53] ». On comprend aisément en quoi une telle élaboration a pu fixer l'intérêt de l'auteur de *Sein und Zeit,* au point de l'amener à publier en 1929 une étude confrontant à la première édition la deuxième édition de la *Critique de la Raison pure* sous le titre : *Kant et le problème de la métaphysique.*

L'originalité de Heidegger est ici d'interpréter, à la lumière de la première édition de la *Critique,* l'imagination que Kant nomme « productive », non comme un simple intermédiaire entre le concept et le phénomène, mais comme le terme peut-être ultime de « l'analyse poussée à fond du pouvoir que nous nommons entendement ». Tel est ce que la première *Préface* présente comme l'objet même de la *Critique.* Le *je pense* serait donc, lui-même et dans son fond, un « je me représente figurativement ». Par là seulement nous pouvons passer de la possibilité simplement *logique* du concept à la possibilité *réelle* d'un « objet d'expérience ». Une telle interprétation s'oppose à l'interprétation courante pour laquelle, loin d'être radicale à l'entendement lui-même, l'imagination, même *a priori,* n'est là qu'à son service. Cette interprétation avait été, à la fin du siècle dernier, développée d'une manière particulièrement poussée par l' « Ecole de Marbourg » pour qui le centre de la pensée critique est la *Logique,* la mise en avant de l'*Esthétique* n'étant qu'un trompe-l'œil qu'il importe de dissiper au profit du primat de la *Logique* dans l'ensemble de l'œuvre. La prise de position de Heidegger, lui-même à l'époque professeur à Marbourg, contre l'école de Marbourg, sera dès lors aisément caricaturée en une lecture de la *Critique* à partir de l'*Esthétique.* Telle est la thèse de M. Vuillemin dans un livre apparemment documenté [54]. Heidegger a beau dire que son interprétation ne consiste nullement à mettre en question le primat de la Logique « au profit de l'*Esthétique transcendantale,* mais bien au profit d'un questionnement qui reprend sur une base plus originelle le problème de l'unité essentielle de la connaissance comme ontologique et de sa justification [55] », M. Vuillemin n'en a cure. Il

52 bis. N'est-ce pas en effet l'imagination en tant que pure qui est évoquée au § 13 de la *Déduction* comme *der innere Quell des reinen Anchauens und Denkens ?* (A 86, B 118).

53. K. M., § 10.

54. *L'Héritage kantien et la révolution copernicienne,* (P.U.F., 1954).

55. K. M., § 15.

préfère en effet l'omettre opportunément pour d'autant mieux composer son roman dont Heidegger est l'un des personnages. Il y apparaît en effet, ou plutôt il y est démasqué comme le troisième traître d'une triple félonie, les deux premiers étant Fichte et ... Hermann Cohen. Mais en quoi consiste la félonie des traîtres que s'invente à lui-même M. Vuillemin ? A avoir par trois fois discrédité l'homme à l'avantage de l'Eternel. C'est ainsi que, sur la piste de Fichte et d'Hermann Cohen, l'auteur de *Sein und Zeit* aurait, contre l'histoire, proclamée éternelle la temporalisation elle-même. « Par ce biais », paraît-il, Heidegger « sauve Dieu » (*sic*) [56].

Pour en revenir de ces fantaisies d'érudition à la simple lecture d'un texte pourtant bref, posons l'unique question que soulève l'interprétation de Heidegger. L'imagination, qui constitue la source du schématisme, est-elle pour Kant le terme ultime qu'atteint « l'analyse poussée à fond du pouvoir que nous nommons entendement », comme il ose le dire dans la première édition de la *Critique* quand il écrit en italiques : *L'unité de l'aperception, dans son rapport à la synthèse de l'imagination, voilà l'entendement* [57] ? Ou n'est-elle qu'un simple intermédiaire entre l'entendement et la sensibilité, comme elle le devient dans la seconde édition, où nous lisons que c'est l'unité de l'aperception qui constitue « le point le plus élevé auquel il nous faut rattacher tout usage de l'entendement ». A quoi il ajoute aussitôt, comme pour écarter d'autant plus décisivement ce qu'avait pourtant dit la première édition : *ja, dieses Vermögen ist der Verstand selbst* — « *oui,* c'est bien ce pouvoir qui est l'entendement lui-même* [58] ». La « synthèse de l'imagination » n'est plus dès lors ce à quoi « se rapporte l'unité de l'aperception » ; c'est bien plutôt celle-là qui se rapporte à celle-ci. Le renversement est ici patent. Nier la discordance des deux textes est refuser de lire. C'est donc cette discordance qu'il faut interpréter. L'exégèse de Marbourg se borne ici à dédaigner la première édition de la *Critique,* tenue pour trop « psychologique ». Kant ne s'y serait pas encore délivré de son envoûtement par Tetens. La seconde édition serait au contraire plus « logique ». Ce n'est, dit Heidegger, ni l'un ni l'autre. Mais « la seconde édition a tranché en faveur de l'entendement pur contre l'imagination pure afin de sauver la suprématie de la raison [59] ». Dans la marge de son propre exemplaire de la *Critique,* Kant, ayant laissé passer d'une édition à l'autre l'affir-

---

56. *Op. cit.* p. 295.
57. T. P., p. 133 (A 119).
58. 2ᵉ déduction, § 16, T. P., p. 111 (B 134).
59. *K. M.,* § 31.

mation que l'imagination était une « fonction inapparente, mais indispensable de l'âme [60] », substitue à « fonction de l'âme » : « fonction de l'entendement ».

Ainsi l'imagination, loin de constituer le trait le plus original de la connaissance elle-même, *racine* peut-être des deux *souches* que sont l'entendement et la sensibilité, n'est plus qu'un trait d'union entre le premier et la seconde, trait d'union à son tour aussi ambigu que la chauve-souris de La Fontaine :

> Je suis oiseau, voyez mes ailes...
> Je suis souris, vivent les rats !

Mais la raison a triomphé et l'imagination est asservie. Le triomphe de la raison, pour M. Vuillemin, suppose par surcroît la défaite de Heidegger. C'est bien pourquoi il le réfute sans trop le lire, ayant appris de maîtres éminents que, dans la philosophie de la raison, autrement dit le cartésianisme, Heidegger ne voit qu' « un déplorable accident qui a retardé l'avènement de la seule vraie philosophie, qui est l'allemande [61] ». Kant, bien sûr, n'en demande pas tant. Mais ayant corrigé son propre texte, il n'en maintient pas moins sans changement, dans la seconde édition de la *Critique,* le chapitre du schématisme, bien que celui-ci, note Heidegger, montre *deutlich genug* que les « corrections » introduites laissent cependant intacte la thèse qu'il évite maintenant de faire sienne, celle de la radicalité de l'imagination non seulement à la perception, mais aussi à l'entendement. Tout est en apparence rentré dans l'ordre, et le lecteur n'a plus qu'à s'en tirer comme il peut, Kant ne s'étant pas avisé qu'il aurait un jour pour lecteur Heidegger.

Mais enfin, pourquoi celui-ci tient-il tant à privilégier la première édition de la *Critique* sur la seconde ? Tout simplement parce que la radicalité de l'imagination à l'entendement constitue à ses yeux le fond même de la finitude de l'homme, qui est, dit-il aussi, « ce dont Kant avait entrepris la conquête [62] ». Dans une note de sa copieuse Préface au *Kantbuch* de Heidegger, M. de Waelhens nous invite à douter que tel ait été le sens de l'entreprise kantienne. Car comment comprendre dès lors que Kant ne traite de la connaissance humaine que dans son contraste avec la connaissance divine qui serait le fond de la connaissance en général, « ainsi que Heidegger le reconnaît lui-même » ? Il est certes clair que Kant, au contraire de Rousseau quand celui-ci nous dit en commençant : « C'est de l'homme que j'ai à

---

60. T. P., p. 93 (A 78, B 103).
61. Cette énormité est de M. Gueroult, *Descartes selon l'ordre des raisons,* II, 318.
62. K. M., § 45.

parler », ne commence pas en déclarant : « C'est de la finitude
de l'homme que j'ai à parler. » Ce dont il traite, c'est bien
plutôt de la *synthèse* « pour laquelle c'est toute la *Critique* qui
est là ». Mais la *Critique* n'en est pas moins « étude de notre
nature intérieure [63] ». Et là, le souci qu'a Kant de distinguer,
à propos de celle-ci, de la notion de borne (*Schranke*), la notion
de limite (*Grenze*) manifeste insolitement l'originalité de son
analyse, si on la compare à toutes les doctrines antérieures de
la finitude, la philosophie grecque exceptée.

Jusqu'à Kant, en effet, la finitude de l'homme est couramment
interprétée comme un simple bornage. Avec lui au contraire
bornage renvoie à limitation. Les deux termes ne sont nullement
synonymes. La borne frappe d'impuissance tandis que la limite
frappe d'interdit. A un esprit borné, c'est l'espace même qui
manque pour aller plus loin qu'il ne va. La limite au contraire
laisse s'ouvrir au-delà d'elle un autre espace, mais celui-ci est
espace interdit. Halte-là ! dit la limite, car, si vous continuez
à avancer, ce ne peut être qu'à vos dépens, même si vous croyez
entrer dans la Terre promise. La Terre promise de la métaphysique, c'est celle que Leibniz nommait, en écho à Platon,
le « monde intelligible des substances ». Telle est bien, pour
Kant aussi, la Terre promise, mais une limite nous en sépare.
Les substances, nous ne manquons pourtant pas de concepts
pour les penser à fond. Nous ne sommes donc nullement *bornés*
à leur égard comme lorsque Hume déclarait n'y rien trouver
d'original à comprendre. Kant au contraire les *comprend* très
bien. C'est seulement à les *connaître* que notre entendement est
naturellement impropre, à cause d'une limite qui le lui interdit.
Mais là n'est encore que le sens négatif du concept kantien
de limite, qui a aussi un sens essentiellement positif. La limite
n'est pas seulement le *nihil ulterius* [64] de la connaissance, l'extré-
mité à laquelle elle cesse, mais ce à partir de quoi elle commence
au sens où l'on pouvait lire, au temps de la Révolution, quand
on arrivait au Rhin en partant de l'Est : Ici *commence* le pays
de la liberté. Ἡ μὲν γὰρ ἀρχὴ πέρας τι, disait Aristote : tout
commencement a quelque chose de la limite [65]. L'entreprise critique
d'une délimitation (*Grenzbestimmung*) de la raison pure l'ouvre
dès lors à son horizon. Elle se donne pour tâche de l'établir
dans ses droits, ce qui est la poser en ce qu'elle a de propre,
plus qu'elle ne lui impose de ne pas s'étendre jusqu'où elle
n'a que faire. C'est en ce sens qu' « en toutes les limites, il
y a aussi quelque chose de positif (...), tandis que les bornes

---

63. T. P., p. 485 (A 703, B 731).
64. T. P., p. 319 (A 395).
65. *Mét.* IV, 1022 a 12.

ne contiennent que des négations [66] ». Mais cette positivité de
la limite, à partir de quoi la connaissance comme finie éclôt en
elle-même et dans son articulation (*Gliederbau*) propre, est que
l'étant lui apparaît dans la figure de l'objet. Ainsi, dira Schelling, dans son *Essai sur le rapport des arts plastiques à la nature*
(1807) : « La plastique, au sens le plus exact du mot, dédaigne
de donner à son objet un espace emprunté au dehors : son
espace, il le porte en lui [67] ».

Le mot *objet,* bien que Kant ne se prive pas de l'employer
uniformément pour désigner n'importe quoi, il l'entend cependant pour la première fois d'une oreille nouvelle. Est objet ce
dont la présence nous saisit à l'encontre dans la modalité adverse
de l'apparition qui nous appelle à lui correspondre, sans qu'au
grand jamais nul ne puisse, en remontant en deçà d'elle, se
dégager du vis-à-vis qu'elle propose incontournablement. Plus
originelle que toute *antériorité* est que déjà l'étant nous fait
face de partout à partir de lui-même et ainsi *apparaît,* qu'il
s'agisse des choses les plus proches ou de ce qui s'en éloigne
à perte de vue dans l'ampleur ouverte d'un paysage où de
nouveaux visages ne cessent de percer. C'est en cela que la chose
est *ob-jet.* Mais c'est par là aussi que la connaissance de l'homme
peut être dite *finie.* Elle ne l'est pas négativement, en tant
que déficiente de l'entendement divin, dont le privilège serait
de posséder immensément les mêmes facultés qui sont chez nous,
disait Descartes, « fort petites et bornées [68] ». Elle l'est positivement et en tant que les mêmes choses lui sont, dès le
départ, autrement présentes qu'à l'entendement divin « par la
représentation duquel les objets eux-mêmes sont produits [69] ».
Finie est donc la connaissance en tant qu'essentiellement *réceptive* de ce dont pour Dieu elle est *productive.* Réceptivité d'autre
part ne signifie plus que nous serions involontairement frappés
de certaines impressions sensibles qui n'auraient d'existence qu'en
nous, mais que les objets qui s'annoncent dans ces impressions
se dressent (*stehen*) eux-mêmes devant nous (*dawider, gegen*),
s'annonçant comme objets dès l'impression que nous en avons.
Si pour Kant la réceptivité de la connaissance humaine est
essentiellement la sensibilité, celle-ci est déjà dans son fond
représentative de l'objet, et donc rapport à lui, l'objet, qu'elle
a toujours *devant* elle et que jamais elle ne résorbe *en* elle en
tant que simple impression. Objet est par exemple ce tableau
qui sous mes yeux s'étend en surface jusqu'à ses limites, avec

66. *Prolégomènes,* § 57.
67. Schelling, VII, 308.
68. *Méditation IV,* A.T., VII, 55, ligne 20.
69. 2° déduction, § 17, T.P., p. 116 (B 139).

telle coloration et dans tel éclairage, ayant d'autre part telle
dureté et telle consistance. Loin que les sensations naissent des
organes des sens conformément, disait Hume, à leur « anatomie »,
les organes des sens sont déjà au service de la sensibilité comme
réceptivité. Plus originelle que les appareils sensoriels et les
impressions psychiques qu'on leur rapporte communément est
la vocation réceptive de la sensibilité à l'égard de ce qui, dans
l'Ouvert, lui fait face, le soleil par exemple, tel que la sensation
le voit non pas « en elle », mais, disait Platon, « dans son
séjour à lui [70] ». C'est par là essentiellement que Kant, ébran-
lant du même coup l' « idéalisme empirique » de Hume, pour qui
les perceptions des choses pourraient bien n'être qu'un « simple
jeu du sens interne », et le « réalisme transcendantal » selon
lequel l'homme serait un diminutif du « représentant idéal
de la connaissance absolue [71] » « se porte immédiatement au
dialogue avec Aristote et Platon [72] ». Car avec lui s'ouvre à
nouveau, du moins à l'usage de l'homme, la contrée où les Grecs
éprouvèrent la présence des choses qui leur apparurent jadis
dans l'émerveillement d'une rencontre dont toute philosophie
demeure lointainement l'écho.

Connaissance divine et connaissance humaine ne diffèrent
donc nullement en ce que la seconde connaîtrait plus superfi-
ciellement ce que seule la première peut connaître à fond, mais
en ce qu'incontournablement l'une rencontre comme objet ce
qui pour l'autre ne peut exister qu'en tant qu'elle le produit
originellement, c'est-à-dire sans que rien encore soit déjà *devant*
elle. Telle est l'interprétation kantienne de la *chose en soi*.
C'est pourquoi Kant écrit : « La différence entre les concepts
d'une chose en soi et de la chose dans le phénomène n'est
pas objective mais seulement subjective. La chose en soi n'est
pas un autre objet, mais une autre relation (*respectus*) de la
représentation au même objet [73] ». Cela revient à dire en toute
rigueur : la chose en soi n'est pas un autre objet, car le phénomène, et lui seul, est objet. Le phénomène n'est donc nullement
un voile derrière quoi autre chose se dissimulerait pour faire
des siennes en cachette. Il est l'une des mesures *diamétrales*
de la présence même des choses, dont une autre mesure et non
moins diamétrale est leur présence comme choses en soi, c'est-à-
dire relativement à une autre intuition que la nôtre, intuition
dont nous ne pouvons rien dire, sauf qu'elle est créatrice de
ce qui nous est à nous seuls, disait Valéry, « spectacle adverse [74] ».

70. *Rép.*, VII, 516 b.
71. Husserl, *Ideen I*, p. 315.
72. *K. M.*, § 2.
73. *Opus posthumum*, éd. Adickes (Berlin, 1920), p. 653.
74. *Variété* 'I, p. 191.

Mais, si nous ne savons rien des choses en soi, Dieu n'est pas moins inscient du phénomène. Celui-ci lui est aussi inconnaissable qu'à nous la chose en soi. Dès lors, *chacun sa vérité.* Aucune des deux n'a besoin de l'autre. La pire présomption est cependant pour l'homme de prétendre au passage de la ligne à partir de laquelle seulement commence dans le phénomène un monde de l'objet. « D'après la *Critique,* tout ce qui se manifeste en vis-à-vis est à son tour du vis-à-vis [75] ».

A cette présence en vis-à-vis qui est le sens de l'objectivité telle que l'entend Kant répond, de notre part, la « réceptivité originaire » que nous est la sensibilité. Mais recevoir, rappelons-le, n'est pas pour Kant subir involontairement, c'est dès le départ éprouver comme adverse ce qui s'annonce devant nous. Le rapport à l'objet qu'abrite en elle la connaissance en tant que réceptive est donc celui-là même dont Heidegger nous dit, dans sa méditation *De l'essence de la vérité :* « Il se déploie en un retrait devant l'étant afin que lui, l'étant, en ce qu'il est et comme il est, se manifeste, et que ce soit de lui que prenne mesure la représentation qui se règle sur lui [76] ». Un tel retrait devant l'apparition qui la laisse s'offrir en lui cédant la place, c'est peut-être ce que nous dit secrètement le grec εἰκών, si ce nom se rattache au verbe εἴκειν [77] qu'Homère emploie volontiers pour évoquer une marque d'honneur :

Vers lui, quand il entra, tous les yeux se tournèrent.
Pour qu'il puisse monter au siège paternel, les Anciens firent place
[(εἶξαν) [78]

Ainsi paraît Télémaque, revêtu de la grâce qu'il tient d'Athéna, au milieu de l'assemblée qui, à son passage, s'écarte. A εἰκών répond d'un côté le latin *imago* et, d'un autre côté, l'allemand *Bild.* Mais *imago* parle à partir du verbe *imitari,* auquel il doit, dit saint Thomas, jusqu'à son nom. L'image n'est ainsi que l'imitation d'un modèle en quoi, remarquera Bossuet, elle « dégénère toujours de la vivacité de l'original ». *Bild,* au contraire, ne répond à image qu'entendu au sens dérivé d'*Abbild* ou de *Nachbild.* Le sens propre de *Bild* est *tableau* beaucoup plus qu'*image,* le tableau demandant du recul pour apparaître en son ensemble sans qu'il soit nécessairement à l'image de rien. C'est ainsi, selon Kant, que l'*Einbildungskraft,* bien qu'il lui fasse correspondre le latin *imaginatio,* organise d'une part en un *tableau unique* le divers fourni par l'intuition, tandis qu'à

---

75. *Réponse à Eberhard,* VI, 27.
76. *W. W.,* § 4.
77. Heidegger, *Sprache und Heimat, über Joh. P. Hebel,* 1964, p. 114.
78. *Odyssée,* II, v. 13 sq.

l'autre bout de la connaissance elle transpose figurativement les concepts en schèmes. Dans les deux cas, l'essence de ce qui est *Bild* est de donner à voir ce qu'il manifeste, à quoi place est laissée pour qu'il se manifeste, et non de faire écran devant lui en recouvrant l'original d'une simple image de celui-ci. Pascal disait, dans son inexpérience du métier de peintre : « Quelle vanité que la peinture qui attire l'admiration par la ressemblance des choses dont on n'admire point les originaux [79] ». L'œuvre du peintre, pensait au contraire, plus d'un siècle avant, Albert Dürer, ne *ressemble* pas, mais *révèle*. « Car c'est en vérité que l'art y est, dans la nature ; celui qui, par son trait, sait l'en faire sortir, il le tient [80] ». De même que l'art de peindre ne consiste pas à dépeindre ce qui serait déjà là, mais ouvre en lui un monde de la présence, de même le schématisme du concept donne à celui-ci une présence qui, sans le schème, retombe à l'insignifiance d'une « tautologie manifeste [81] », surtout là où le concept prétend logiquement déterminer, au-delà du simple possible, l'existence et même la nécessité de son objet. Car, si la possibilité n'était que ce qu'elle est logiquement, à savoir la non-contradiction du concept, l'existence à son tour se réduirait à un simple « complément », la négation de ce complément n'étant nullement contradictoire, tandis qu'elle le devient dans la nécessité. Mais, avec la transposition intuitive des concepts qu'est, par l'*Einbildungskraft,* le schématisme, tout devient radicalement autre. Car le rapport à l'intuition et à ses « conditions » permet de déployer a priori les mêmes concepts dans la contrée de l'*expérience,* et comme la « vérité transcendantale » de celle-ci, telle qu'elle « devance en la rendant possible toute vérité empirique »[82].

Rien n'est donc plus radical au concept que le schématisme du concept comme manifestation de celui-ci en une figure intuitivement sensible qui, d'avance, l'inscrit dans le phénomène, à la mesure duquel seulement l'être même des choses s'annonce adversativement dans sa présence. Une telle *épiphanie de la présence,* voilà ce qui, à l'aube d'un monde, avait porté les Grecs et eux seuls au comble de l'émerveillement. C'est comme εἶδος, comme présence adverse et donnant à voir que, pour Platon, l'être lui-même s'ouvrit en clairière dans l'étant. Pour Platon cependant l'εἶδος est essentiellement ἀσχημάτιστον [83]. Nous pourrions traduire : *non figuratif* — alors que pour Kant il lui appartient avant tout d'être σχῆμα, c'est-à-dire figure.

---

79. *Pensées,* éd. Brunschvicg, § 134.
80. *Hzw,* p. 58.
81. T. P., p. 221 (A 244, B 302).
82. T. P., p. 155 (A 146, B 185).
83. *Phèdre,* 247 c.

Une telle opposition ne relève cependant que d'une optique de premier plan. Par *schème,* Platon n'entendait en effet que l'apparition la plus extérieure, celle dont le dessin ne cesse de flotter. Le schème est donc pour lui « obscurcissement » de l'εἶδος. Pour Kant, au contraire, le schème n'est plus simple *adumbratio conceptus,* ombre portée sur le concept ou écho déficient de celui-ci. Il en est *das reine Bild,* la présentation originale. Pour parler comme Hegel, nous pourrions dire : *das reine Selbst* [84], la pure ipséité. Car *Bild* et *Selbst,* loin de s'opposer disjonctivement, se répondent ici au plus proche. Qui n'entend pas que, selon Kant, *Bild* a le sens d'*exhibitio originaria* et non pas *derivativa* [85], donc que ce qui, dans le cas du concept, surgit et s'offre comme Bild, c'est le *visage* même et non pas seulement une *image* de celui-ci, ne fait que rester à la traîne sur le chemin « non encore frayé » de l'analyse critique qui, retour à la source, reprend, au beau milieu des temps modernes, la question même qui s'abritait énigmatiquement dans l'interprétation plus matinale de l'être de l'étant comme εἶδος. Si les concepts ne reposaient que sur les lois de la pure logique, si avec eux nous n'étions pas dès le départ déjà en vue de ce qui nous regarde, nous ne serions pas ceux dont tout le partage, dira Rilke, est en vérité celui-ci :

> *gegenüber sein*
> *und nichts als das und immer gegenüber.* [86].

Ce n'était là, pour le poète, qu'un partage funeste auquel il opposera, dans les *Quatrains valaisans,* le délice des *Chemins qui ne mènent nulle part :*

> chemins qui souvent n'ont
> devant eux rien d'autre en face
> que le pur espace
> et la saison.

De tels chemins sont, selon lui, ceux de l'*Ouvert,* familiers seulement au « libre animal » qui seul est *dans* le monde, alors que nous ne sommes jamais que *devant* lui. Pour Kant, au contraire, ce que Rilke nommera l'*Ouvert* a un tout autre sens. C'est avec lui que s'ouvre enfin, comme il s'ouvrit aux penseurs grecs, le domaine à l'intérieur duquel seulement il nous appartient de « trouver pour la connaissance quelque chose qui lui corresponde [87] » ou, dira encore plus sobrement Hölderlin dans

---

84. *Wissenschaft der Logik* (Stuttgart, 1936), II, 59.
85. VIII, 54.
86. *Duineser Elegien,* VIII.
87. T. P., p. 117 (A 104).

les *Remarques* qu'il publia, l'année même de la mort de Kant, en annexe à ses traductions d'*Œdipe* et d'*Antigone*, à travers lesquelles il cherchait, sur le chemin, de Sophocle, le sens même de toute tragédie, *etwas treffen zu können*, de « pouvoir rencontrer quelque chose ». Car tel est, ajoutait-il, ce dont nous sommes essentiellement désertés, tant « la vacance du partage, le δύσμορον, est notre faible[88] ».

Si nous en revenons maintenant à l'analogie entre *construction* et *schématisme*, ou plutôt à l'élargissement de la première qu'est le second, nous nous bornerons à rappeler que Kant raisonne ainsi : si la merveille des concepts géométriques est qu'ils sont constructibles, c'est parce qu'ils sont directement figuratifs. Mais ils ne le sont que pour être originairement réceptifs par leur appartenance à l'intuition spatiale et à l'imagination que l'intuition abrite en elle. Autrement, ils demeurent dans la tautologie du logiquement possible, et alors, adieu la géométrie. De même, si les autres concepts, ceux qui déterminent les objets, non seulement par la synthèse mathématique qu'abrite en elle l'intuition spatiale, mais dans leur existence, doivent nous être non moins présents, ce ne peut être que pour la même raison, à savoir pour être, eux aussi, en état de « réceptivité originaire » par leur rapport à une intuition aussi pure que l'intuition spatiale — ou alors, adieu la physique. Mais quelle intuition ? Il n'en reste plus qu'une, à savoir l'intuition du temps. Qui ne pense dans son principe la substance qu'à la manière d'Aristote et avec lui de toute une tradition, à savoir comme un quelque chose qui peut logiquement être le sujet de la proposition, mais sans jamais pouvoir être prédicat dans aucune, le voilà bien avancé ! Mais qui a jamais pensé la substance seulement ainsi ? Aristote lui-même, la déterminant non seulement comme

88. Husserl, dans la sixième des *Recherches logiques,* aborde à nouveau la question de l'intuitivité du catégorial à la faveur d'un « élargissement du concept d'intuition » (t. III, p. 142). Mais dans son analyse rien ne subsiste plus de l'interprétation de Kant (à qui manque, dit-il (p. 203), « le concept authentiquement phénoménologique de l'*a priori* »), c'est-à-dire de l'interprétation de toute intuition à partir de la sensibilité comme « réceptivité originaire ». D'où l'idée proprement husserlienne d'une intuition comme « originairement donnante » (*Ideen I*, p. 36), alors que pour Kant l'intuition est moins *donnante* qu'elle ne se *laisse donner* ce qui lui apparaît, et qui ainsi s'annonce comme ob-jet pour une connaissance essentiellement finie, c'est-à-dire pour laquelle au grand jamais Dieu ne peut être l'homme lui-même comme « infiniment lointain » (*Krisis*, p. 67). Si Husserl et Kant paraissent parfois dire la même chose, c'est cependant en sens inverse l'un de l'autre qu'ils parlent. L'intuition originairement donnante de Husserl est bien plus proche de l'*intuitus* cartésien, transposé en « *idée régulative* infinie » (*Méditations cartésiennes,* tr. fr., Vrin, 1947, p. 46) que de l'*Anschauung* kantienne, éprouvée comme finitude radicale.

ὑποκείμενον, mais aussi comme ὑπομένον, ne s'y représentait-il pas, sans l'avoir formulé plus expressément, la permanence, de quelque chose dans la débâcle de tout le reste ? Or, qu'est-ce que la permanence, sinon une détermination du temps ? Kant dès lors n'invente rien. Il ne fait qu'aller pour la première fois *zur Sache selbst,* droit à la question. Mais où ? Il le précise lui-même dans une phrase sans défaut que Heidegger cite au § 6 de *Sein und Zeit : là où ce qui est en question se voile en un profond retrait.* C'est pourquoi il nous dit aussi que le schématisme des concepts de l'entendement « est un art qui s'abrite dans les profondeurs de l'âme humaine et dont il sera toujours difficile d'arracher le vrai mécanisme à la nature pour l'exposer à découvert devant les yeux [89] ».

L'unique question reste de savoir si l'imagination qui est ici en cause ne sera pour lui qu'une « fonction de l'entendement », ou si, elle est bel et bien une « fonction de l'âme » dont l'entendement lui-même, comme « pièce » de la connaissance finie, suppose la radicalité. Une telle finitude éclate déjà dans la *construction* qui fait de la figuration spatiale l'essence même du concept de grandeur. Un aphorisme d'origine pythagoricienne disait : 'Αεὶ ὁ θεὸς γεωμετρεῖ, le dieu ne cesse de géométriser. La philosophie kantienne, dès 1770, renverse la formule. Au grand jamais Dieu, s'il est Dieu, n'est géomètre. Mais la géométrie, aux yeux de Kant, n'est encore qu'un savoir de premier plan, la physique étant plus profonde. C'est pourquoi, en 1770, il en exceptait encore les concepts de sa première conquête critique pour leur attribuer seulement le caractère de *cognitio symbolica,* celui qu'avant 1770 il avait d'abord étendu jusqu'aux concepts de la géométrie elle-même. Mais, ce que l'étude du schématisme lui apprend, c'est que la physique n'est pas plus science divine que la géométrie. Si Dieu n'est jamais géomètre, il n'est pas non plus physicien, car la schématisation des concepts lui est aussi étrangère que leur figuration géométrique. Ni géomètre, ni physicien, le Dieu de Kant, nous l'apprendrons en 1790, n'a même pas de goût. La beauté de la nature et celle que reflète jusqu'à nous l'œuvre d'art lui sont aussi insipides qu'à l'œcuménisme moderne. Il n'y a qu'un point où se rencontrent pour y coïncider la finitude humaine et l'infinitude divine, c'est la représentation de la loi morale. D'où la phrase qui donne son départ à la *Fondation,* projetée en 1785, en vue de la *Métaphysique des mœurs :* « De tout ce qu'il est possible de concevoir dans le monde, et même somme toute hors du monde, il n'est rien qui puisse sans restriction être tenu pour

---

89. T. P., p. 153 (A 141, B 180).

bon, si ce n'est seulement une VOLONTÉ BONNE ». Une telle
condition, précise Kant dans la *Critique de la Raison pratique,*
« ne se restreint pas à l'homme seulement, mais s'étend à tous
les esprits finis en qui résident raison et volonté ; plus encore
elle englobe même l'Etre infini comme intelligence suprême [90] ».
S'il en est ainsi, pour que ce qui, à l'homme et à lui seulement,
est devoir, soit cependant rigoureusement identique à ce que
tout autre esprit supérieur à lui, fût-il Dieu lui-même, ne puisse
que concevoir et approuver comme bon, il faut bien que l'entendement humain, par le système de ses concepts, soit en quelque
sorte ἰσόθεος. N'est-ce pas la raison secrète pour laquelle, dans
la deuxième édition de la *Critique,* Kant affaiblit, au profit de
l'entendement, le rapport qu'il avait affirmé dans la première
entre l'entendement et l'imagination ? Cette fois, l'imagination
est au service de l'entendement. Mais non pas dans la première
édition, où nos concepts sont essentiellement des schèmes. Dès
lors, leur rapport aux pensées de Dieu n'est plus qu'un rapport
d'homonymie, comme il le fut pour Maître Eckart, qui n'osait
même dire de Dieu qu'il *est : Deo non competit esse.* Si la
schématisation est radicale au concept, c'est en effet dès le départ
que Dieu et l'homme se disjoignent pour que les hommes
deviennent dès le départ ces « rois de la finitude » qu'avait,
dans un poème de jeunesse, salués Hölderlin

> Rois de la finitude, debout !

Peut-être est-ce là que réside le plus secret du rapport de
Hölderlin à Kant, dont il nous dit qu'il ne cesse de revenir
à lui quand il se sent dans la détresse, s'éloignant par là des
« amis » qui lui furent un temps si proches, et que peut-être,
énigmatiquement, il nomme encore, après son voyage à Bordeaux,
dans l'hymne dont le titre est *Andenken - Mémoire :*

> Mais où sont les amis, Bellarmin
> Et ceux du voyage ? Plus d'un,
> La pudeur le retient d'aller jusqu'à la source.

Le *Kantbuch* de Heidegger pense la philosophie de Kant
selon le rapport de Hölderlin à Kant, qui est rapport « jusqu'à
la source ». C'est peut-être pourquoi il nous parle si insolitement
dans sa brièveté. Car, du fond de nous-mêmes, il nous rappelle
au plus secret de la *Darstellung,* qui pour Hölderlin culminera
dans la tragédie, et en quoi seulement nous sommes ceux que
nous sommes, c'est-à-dire non pas ceux à qui la philosophie est
« théologie spéculative », mais plus humblement ces *fils de*

---

90. *Critique de Raison pratique,* tr. cit., p. 45.

la Terre que Kant nommait un jour dans une lettre à Hamann, en le conjurant de lui écrire « si possible dans la langue des hommes ». Car, ajoutait-il, « pauvre fils de la terre que je suis, je n'ai rigoureusement rien de l'organisation qu'il faut pour entendre cette langue des dieux qui est celle de la raison intuitive [91] ».

Ce que nous apporte la *Critique de la Raison pure,* et surtout sa première édition, c'est essentiellement une interprétation nouvelle de l'homme comme « esprit fini » dans son rapport à des choses elles-mêmes finies, mais dont la finitude, y compris celle de l'entendement humain, n'est pas, dit Heidegger, « déterminée au fil d'une déduction ontique qui les ferait apparaître comme créées par Dieu, mais est interprétée dans une optique montrant que et en quelle mesure les choses sont les objets possibles d'une connaissance finie, c'est-à-dire d'une connaissance telle qu'il lui faut, ces choses qui sont déjà là, se les laisser avant tout *donner* [92] ». Une telle finitude est en effet l'essence même de l'homme pour la *Critique* en tant qu'elle entreprend « l'étude de ce que nous sommes au-dedans ». C'est pourquoi, sur la lancée de Kant, Heidegger pourra dire : « Plus originelle que l'homme est la finitude du *Dasein* en lui [93] ». C'est par là que la chose lui est, comme elle le fut aux Grecs, apparition. « Mais la finitude, dans le *Dasein,* peut-elle seulement être développée sans la présupposition déjà d'une infinitude ? » A la question qu'il formule en ces termes au paragraphe final de son livre sur Kant, Heidegger ne donne aucune réponse. Toute la philosophie moderne est cependant, de Descartes à Hegel, l'interprétation de l'infini comme radical à l'expérience du fini. « J'ai premièrement en moi l'idée de l'infini que du fini, c'est-à-dire de Dieu que de moi-même [94]. » Et, quand Dieu cesse d'être l'infini, l'homme le devient à sa place. C'est peut-être pourquoi les choses lui sont de moins en moins *apparition.* Ce qui lui fut *apparition* n'est plus maintenant qu'objet de *domination.* L'homme dominateur du monde devient de plus en plus l'idée fixe du nouveau monde, celui où pour « nous autres les sujets [95] », dira Husserl, Dieu lui-même n'est plus qu'un « concept-limite », celui de « l'homme en tant qu'infiniment lointain ». Kant sans nul doute pense ainsi en quelque façon : « L'esprit de l'homme est le Dieu de Spinoza, du moins quant à l'élément formel de la connaissance [96] ». Mais Kant n'en inaugure pas moins, au

---

91. IX, 122.
92. *W. Gr.,* p. 27.
93. *K. M.,* § 41.
94. Descartes, *Méditation III,* A. T., IX, 36.
95. *Krisis,* p. 147.
96. *Opus posthumum,* p. 756.

cœur de la philosophie moderne, le contre-chant de l'hymne
que la subjectivité triomphante se chante à elle-même. La chose
lui reste essentiellement ou plutôt elle lui redevient apparition,
Erscheinung, Darstellung, en un mot φαινόμενον, la tâche de la
philosophie étant d'en entreprendre le salut. *Sauver l'apparition,*
tel est, venu du fond des âges, l'ébranlement qu'apporte pour
la première fois à la philosophie moderne la « reprise » kantienne, un tel ébranlement étant cependant tel que, non seulement
pour les successeurs de Kant, mais pour Kant lui-même, il
demeura, dit Heidegger, « sans suite [97] ». Peut-être ne pouvait-il
en aller autrement, aussi longtemps du moins que la « question directive » de la métaphysique, à savoir la question de
l'être, n'était pas elle-même questionnée en direction de la « question fondamentale » qu'elle abrite en elle et qui est la question
du temps.

Alors : *Etre et Temps ?* Peut-être est-ce en effet de là, et
de là seulement, que s'annonce non pas un dépassement de la
philosophie comme métaphysique, mais une rétrocession où Kant
ne s'engage pas encore, bien que ce soit déjà en ce sens que
secrètement il fasse signe. C'est bien pourquoi la distinction du
phénomène et du noumène, liée qu'elle est à la pensée de la
finitude de l'homme, est tout autre chose que cette « absurdité »
dont se gaussera dédaigneusement Hegel. Dans sa marche en
avant, dit Heidegger, Hegel a moins surpassé Kant qu'il n'a
sauté par-dessus lui pour ouvrir à la philosophie moderne un
nouveau front. Mais la philosophie kantienne — ainsi pourrons-
nous conclure avec lui — « n'en demeure pas moins comme
une forteresse non conquise à l'arrière du nouveau front [98] ».

---

97. *W. Gr.,* p. 10, note.
98. *F. D.,* p. 45.

HEGEL ET LA PROPOSITION SPECULATIVE

Entrons dans la question avec le dernier livre publié par Hegel lui-même, ces *Lignes fondamentales de la philosophie du droit* qui paraissent en 1821 sous la forme d'un simple manuel composé, dit-il, dans le cadre de sa profession et à l'usage de ses étudiants.

Cette *Philosophie du droit* n'est pas plus une introduction aux études juridiques qu'elle ne manifeste la prétention de saisir, indépendamment du droit positif, un principe du droit qui lui serait inconnu, mais cherche à déterminer ce qui, dans le droit positif, bien que *notoire* (*bekannt*), n'est cependant pas encore *conçu* (*begriffen*)[1]. La langue du droit parle volontiers de la « personne » dont elle fait le sujet immédiat du droit. Mais dans la Préface à l'ensemble du système, que Hegel publie en 1807 en tête de la *Phénoménologie de l'Esprit* qui n'en est pourtant que la première partie, il avait déjà remarqué que la conscience, en tant qu'immédiate, n'en présente pas moins deux moments : celui du *savoir* et celui de la *Gegenständlichkeit* ou de l'*adversité* qui est « négation du savoir[2] ». Au niveau du droit, cette *adversité* du savoir immédiat est la *moralité* pour qui, selon l'adage que rappelle Cicéron dans le *Traité des devoirs, summum jus summa injuria*. Ainsi commence l'épreuve de la scission par laquelle le droit est né en faveur de ce qui lui est adverse, à moins qu'une place relative ne soit, à celui-là, maintenue à l'ombre de celui-ci. C'est ce qui arrive avec le système kantien quand, prenant

---

1. Heidegger, *K. M.*, § 42.
2. Hegel, *Ph.*, p. 32.

la moralité comme point de vue essentiel, Kant décide que la vertu est supérieure au droit. Entre le droit et la vertu l'opposition est au contraire, selon Hegel, irréductible, mais de telle sorte que « pas plus l'un que l'autre n'est en possession de la vérité [3] ». La vérité n'est ni d'un côté ni de l'autre mais dans leur entre-deux. Mais un tel entre-deux (*Mitte zwischen ihnen*) [4] n'a rien d'une simple transaction entre les deux. Il est le mouvement qui va certes de l'un à l'autre, non cependant pour négocier un accord où chacun trouverait son compte, mais pour progresser de l'opposition à un niveau supérieur à celle-ci. Un tel mouvement est l'essence de l'esprit. Hegel nous dit dans la même Préface : *Der Geist wird aber Gegenstand, denn er ist diese Bewegung, sich ein anderes, d. h. Gegenstand seines Selbsts zu werden, und dieses Anderssein aufzuheben* [5]. On traduit généralement : « Or, l'Esprit devient objet, car il est ce mouvement : devenir à l'égard de soi-même un autre, c'est-à-dire devenir objet de son Soi et supprimer cet être-autre. » Une telle traduction, bien que grammaticalement correcte, est cependant un pur non-sens. Par *Gegenstand,* Hegel n'entend pas ici comme Kant tout simplement l'objet, mais, comme Luther, *der entgegensetzte Stand,* l'état qui s'oppose à un autre état, au sens où le *Gegenstand* du judaïsme est selon lui le christianisme [6]. Hegel nous dit dès lors : « Mais il appartient à l'esprit de devenir l'opposé de lui-même, car il est le mouvement même de devenir, dans sa relation à soi, quelque chose d'autre, à savoir l'opposé de ce qu'il est en propre, pour se transporter au-dessus d'une telle altérité. »

Ainsi seulement devient claire la tripartition proprement intérieure de la *Philosophie du droit.* L'esprit débute avec la *personne* dont tout le « savoir » est le droit abstrait, c'est-à-dire la manière la plus rudimentaire d'avoir raison ou tort par rapport à autrui. Ce à l'égard de quoi toute personne a rudimentairement raison ou tort est la propriété qui constitue ainsi l'immédiateté du droit. La personne est par là délogée du trône que Kant lui avait réservé. La personnalité n'est pas le sommet de l'esprit mais son plus bas degré. Hegel n'est pas « personnaliste ». D'autre part, la propriété est l'objet même de la personnalité. Dans ce que Rousseau détestait comme imposture première, Hegel salue au contraire un premier éclair de raison. Dans la lumière initiale d'un tel éclair il définit à nouveau trois moments : la position du droit comme propriété et contrat, la négation du

3. *Ph.,* p. 542.
4. *Ph.,* p. 532.
5. *Ph.,* p. 32.
6. Heidegger, *N.,* II, 461.

droit comme dol et comme crime, et la négation de cette négation comme vengeance et comme peine. Voici cependant que du droit se disjoint tout aussitôt la moralité, qui en est le pôle antagoniste. Car elle réprouve dans le droit l'autorisation de contraindre qui, aux yeux de Kant, était inhérente à son essence. Même juridique, la contrainte est barbare et la « belle âme » ne peut y consentir que contre son gré. C'est pourquoi Kant résorbait en fin de compte les « devoirs de droit » dans la vertu qui, au contraire, se penche avec bienveillance sur autrui pour l'aider et le secourir. Ainsi saint Crépin, patron des cordonniers, allait, dit-on, jusqu'à voler du cuir pour faire les chaussures qu'il donnait aux pauvres, agissant à sa façon selon la logique de la moralité [7]. Hegel cependant n'est plus d'accord avec cette manière de reconnaître à chacun son dû. Si la moralité est bien l'autre visage du droit, son côté nécessairement adverse, ni le droit ni la moralité « ne sont en possession du vrai », car celui-ci suppose que l'opposition des termes tels qu'ils naissent contradictoirement l'un de l'autre soit à son tour surmontée. Plus essentielle que toute opposition de termes est la « puissance d'unification », celle qui finalement culmine au niveau de l'Etat. « Le bienfait rationnellement essentiel est cependant, dans sa figure la plus riche et la plus importante, l'action rationnelle et universelle de l'Etat — action par rapport à quoi celle de l'individu comme individu a si peu de poids que c'est tout juste si elle mérite qu'on se donne la peine d'en parler [8] ». Là où le droit abstrait protège chacun d'être lésé dans sa propriété (*neminem laedere*), tandis que la moralité prétend contradictoirement qu'il devrait y avoir « du pain pour tous » (*suum cuique tribuere*), l'Etat a pour tâche de fixer un état de choses qui, sans bien sûr satisfaire personne, établit au nom de la loi une réalité de l'idéal et une idéalité du réel comme *Mitte zwischen ihnen*. A ce niveau (*honeste vivere*), raison et réalité se réconcilient, revenant l'une et l'autre de leur unilatéralité respective.

Telles sont les trois parties de la *Philosophie du droit* qui, sans rien inventer de nouveau, porte à la clarté du *concept* ce qui, partout où il y a droit, est cependant *notoire,* comme l'indiquent, à condition de les lire dans l'ordre convenable [9] les trois adages romains que nous venons de rappeler. Mais ce qui est vrai du droit est d'une vérité beaucoup plus générale que le droit lui-même et qui est celle de la *proposition* qui porte sur

---

7. Hegel, *R.,* p. 393.
8. *Ph.,* p. 304.
9. C'est l'ordre dans lequel les énonce Leibniz dans sa Préface au *Codex Juris Gentium Diplomaticus,* publié en 1693 et que Hegel pouvait avoir lu. Cf. *Phil.,* III, 107, 384 et 386 à 389.

le droit sans cependant se limiter à lui. Cette structure *ternaire* de la proposition, Kant l'avait déjà signalée dans la *Logique transcendantale*. Il écrit en effet au début du § 19 de la seconde *Déduction* : « Je n'ai jamais pu me satisfaire de la définition que les logiciens donnent du jugement en général en disant que c'est la représentation d'un rapport entre deux concepts. » Il n'y a en effet jugement ou proposition que par encore « tout autre chose », à savoir un troisième élément qu'à propos du *principe suprême de tous les jugements synthétiques,* Kant caractérise comme « le *medium* » des deux premiers. Ce *medium,* il se le définissait comme rapport du rapport des concepts à l' « unité originairement synthétique de l'aperception », rapport transversal à celui qu'établit la proposition entre le sujet et le prédicat. Ce qu'il y a ici de singulier, c'est que Kant *oppose* sa découverte à l'interprétation aristotélicienne de la proposition qui est selon lui précisément celle que « les logiciens donnent du jugement en général », lorsque par exemple Hobbes définissait la *propositio* comme *oratio constans ex duobus nominibus copulatis* [10]. En réalité, l'interprétation aristotélicienne est non moins ternaire que celle de Kant. Quand en effet Aristote énonce que *tous les hommes sont mortels,* c'est seulemnet en apparence qu'il se borne à unir deux concepts. Car, s'il les unit, c'est dans la dimension de ce que Platon nommait ἀλήθεια τῶν ὄντων, le *non-retrait de l'étant,* qui n'est aucun des deux concepts, mais bien le *medium* dont parle Kant. C'est par là que les propositions d'Aristote sont *apophantiques* et non pas seulement *prédicatives.* A vrai dire le *medium* des propositions apophantiques n'est pas tout uniment l'ἀλήθεια, mais l'être lui-même comme ἀληθὲς ἢ ψεῦδος, à partir de quoi de telles propositions sont, disait Platon, « aussi bien vraies que fausses ». Mais pourquoi Kant n'a-t-il pas fait en son temps cette remarque qui paraît pourtant si simple ? C'est parce que cette remarque apparemment si simple est en réalité la conquête la plus propre de *Sein und Zeit* (1927) [11]. Kant ne voit Aristote que dans l'optique de Descartes, qui représente pour lui en philosophie *le* tournant décisif. L' « unité originairement synthétique de l'aperception » est la figure kantienne de l'*ego cogito* de Descartes tel que, disait celui-ci, nous ne pouvons rien penser « qui ne nous conduise encore bien plus certainement à la connaissance de notre propre pensée ». Aristote ne pense pas à partir de l'*ego cogito* : il ne se représente *donc* la proposition que comme un rapport entre deux concepts. Aristote, bien sûr, ne cesse de dire :

---

10. *Logique,* éd. Molesworth (1839), ch. III, § 2.
11. Cf. *S. Z.,* § 44.

nous ne pouvons rien connaître qui ne nous ait déjà conduit encore plus sûrement à nous ouvrir au non-retrait de l'étant, à sa présentation à découvert. Mais Kant ne peut pas l'entendre, tant c'est d'un saut qu'il a déjà franchi l'*ipsissimum* de la pensée grecque. Ce qui était pour Aristote présentation à découvert n'est plus en effet pour Descartes que la lumière *perceptive* de *l'ego cogito*. Sans doute parle-t-il encore de la *veritas rei*, et même, dans la *Méditation Cinquième,* de sa *veritas aperta.* Mais cette « vérité à ciel ouvert » — ainsi traduit si heureusement M. Gouhier — n'advient cependant, plus encore que quand l'imagination se met de la partie, que, selon le mot de Descartes à Burman, *tanquam clausis fenestris* [12], à condition que les fenêtres soient closes. C'est ainsi que nous avons « deux idées du soleil » : celle qui se forme en nous quand nous le regardons par la fenêtre et une tout autre qui suppose au contraire que, toutes fenêtres closes, nous le *cogitions* « à partir de l'astronomie ». Ainsi le veut non tant l'astronomie que l'égoïsation du rapport de la pensée à la chose qui est le foyer vivant de la métaphysique cartésienne.

Non moins que Kant, Hegel est ici cartésien car, comme il le dit dans l'*Histoire de la philosophie,* Descartes lui est son *héros* le plus proche. C'est pourquoi l'interprétation hégélienne de la proposition sera bien une critique de Kant, mais non une méditation du rapport de Kant à Descartes. Reconnaissant à Kant d'avoir enfin aperçu dans la lumière de Descartes la structure essentiellement ternaire de la proposition, Hegel se bornera à réinterpréter cette structure en l'approfondissant, en quoi il va plus loin que Kant sur le même chemin que lui. Pour Kant, la proposition, bien que référée au *medium* qui la fonde comme synthèse, demeure encore *formellement* binaire, c'est-à-dire demeure telle du point de vue des concepts qu'elle unit, le « tiers » (*Drittes*) qu'elle comporte n'étant pas un concept de plus, mais la conscience de soi comme « principe de l'affinité [13] » du sujet et du prédicat dans le jugement. Pour Hegel, au contraire, elle est déjà *formellement* ternaire, car pour lui la plénitude de la proposition n'est plus le simple jugement mais bel et bien le syllogisme. Dans cette optique, concept et jugement ne sont pas, Hamelin le dira, des *parties,* mais plutôt des *prodromes* « de l'acte ternaire seul complet [14] ». Cette structure formellement ternaire de la proposition, Kant, à qui rien n'échappe, l'avait « instinctivement » pressentie, par exemple dans l'analyse qu'il fait de la *relation*

---

12. *Entretien avec Burman,* éd. cit., p. 66.
13. *Critique de la Raison pure,* T. P., p. 522 (A 766, B 794).
14. *Essai sur les éléments principaux de la représentation* (1925), p. 398.

où, sur la trace des Stoïciens plus que d'Aristote, il discernait, comme structure formelle des jugements hypothétiques, le jeu de trois concepts. Quand, remarquait-il, on dit : « Si tous les *corps* sont *composés, ils sont de ce fait divisibles* [15] », c'est là, malgré les apparences, une seule proposition, bien que les termes de celle-ci soient au nombre de trois. Mais, loin d'étendre partout sa propre découverte, Kant n'en faisait qu'une particularité de certains jugements, laissant dès lors « inerte [16] » la triplicité qu'il venait d'entrevoir. C'est précisément là que Hegel, dès le départ, généralise. Non seulement la proposition hypothétique mais toute proposition est à trois termes et non à deux, le troisième constituant le *medium* des deux premiers, si bien que la conscience de soi, comme foyer de la médiation, apparaît non plus comme un tiers mais, si l'on peut dire, en quatrième position, d'où seulement elle fonde en l'animant la triplicité elle-même. Devant les jugements qu'il nommait synthétiques, Kant avait bien raison de dire : *Es liegt also hier ein gewisses Geheimnis verborgen,* ici donc s'abrite un certain secret. Mais d'un tel secret il n'est, aurait dit Leibniz, « inventeur qu'à demi [17] », ayant méconnu la structure intrinsèquement ternaire de la proposition comme telle.

Cette interprétation pour ainsi dire quaternaire de la triplicité, là où Kant s'en tenait à une interprétation ternaire de la proposition comme rapport entre deux concepts, constitue, « si l'on tient absolument à faire le décompte [18] » — ainsi parle Hegel avec son humour souabe —, la grande nouveauté par rapport à Kant, pour qui le syllogisme, avec la médiation qui le caractérise, n'était pas encore la vérité de la proposition. Mais, avec Hegel, le pas est franchi. Il fait donc apparaître, au lieu du trois, un quatre où le trois vient s'inscrire. Car ce n'est pas seulement un rapport entre deux concepts, mais le jeu à trois termes de toute proposition qui provient de ce qui, sans être aucun d'entre eux, ne cesse de vivre à travers eux, de telle sorte que le syllogisme où les termes sont trois constitue la forme accomplie de la proposition elle-même, autrement dit la « forme universelle de la raison [19] ». Le syllogisme, Hegel le définit dans la *Propédeutique* comme « le jugement assorti de son fondement ». Unité vivante des extrêmes dans leur rapport au moyen, il n'a donc plus rien de la mécanique à laquelle le réduisent ceux qui se bornent à énoncer prédicativement :

15. *Logik ;* VIII, 412.
16. *Ph.,* p. 41.
17. *Nouveaux Essais,* IV, ch. VII, § 11.
18. *W. L.,* II, 343.
19. *W. L.,* II, 344.

> Tous les hommes sont mortels,
> Or Socrate est homme,
> Donc Socrate est mortel.

Le syllogisme selon Hegel n'est nullement un système de trois propositions prédicatives. Il est indivisément dans la proposition l'universel (mortel) rejoignant l'individuel (Socrate) à travers la particularité qu'est à celui-ci d'être un homme[20]. C'est pourquoi Leibniz avait bien raison de dire, à propos de la syllogistique, « qu'il y a encore de l'or dans ces scories[21] ». Hegel ici est magistralement un prospecteur. Même dans le syllogisme prédicatif, la « vie » de la « triplicité » est moins éliminée qu'elle n'est recouverte. Pour la redécouvrir, il suffit d'interpréter en lui plus à fond et jusqu'à cette « vie » le mouvement du moyen terme dans son unification des extrêmes. Alors, tout s'anime d'un sens nouveau. Nous comprenons soudain que c'est la vie de Socrate comme homme qui lui destine sa propre mort et qu'il meurt beaucoup plus d'être essentiellement un homme que d'avoir bu occasionnellement du poison. Le syllogisme, dit Valéry, « mène Socrate à la mort plus sûrement que la ciguë[22] ».

Son interprétation nouvelle de la proposition, Hegel l'éclaire tout aussitôt par un exemple à la faveur duquel, dans ce qui n'est en apparence qu'une proposition prédicative (binaire) il découvre le jeu plus secret de la médiation que Kant avait laissé dans l'ombre. Quand par exemple je dis : *Dieu est l'être*[23], ou tout aussi bien : *Dieu est mort*[24], je ne rattache pas à un sujet fixe, à savoir Dieu, les prédicats que seraient l'être ou le non-être, autrement dit la mort. Mais, dans son voyage jusqu'au prédicat qui lui est non pas simple surcharge logique mais bien plutôt pôle antagoniste, le sujet perd sa base substantielle et entre pour ainsi dire dans « la nuit de la disparition[25] ». Toutefois, le minuit de cette nuit est, dans le prédicat, le contrecoup (*Gegenstoss*) qui renvoie la proposition du prédicat au sujet, mais de telle sorte que le sujet auquel elle revient, partant du prédicat, n'est plus celui dont elle était partie pour aller jusqu'à lui. En d'autres termes, le troisième concept (Dieu), bien qu'homonyme au premier (Dieu), n'est pas plus celui-ci, même s'il a l'air de l'être encore, que, dans la *Philosophie du droit*, la *Sittlichkeit* n'est le droit abstrait. Autrement, la proposition se réduirait à

---

20. *Ibid.*, II, 126.
21. *Nouveaux Essais,* IV, ch. VIII, § 9.
22. *Variété,* II, 97.
23. *Ph.,* p. 51.
24. *Gott selbst ist todt. Glauben und Wissen* (dernier paragraphe).
25. *Jenaer Realphilosophie,* p. 185, note 3.

bonnet blanc et blanc bonnet au lieu de dire une gradation irréversible. C'est cependant par ce défi à l' « identicisme [26] », comme disait Leibniz, que, selon Hegel, le sujet *est* le prédicat, le mot *est* n'étant plus le *geistloses Ist,* simple copule du juge-ment [27], mais, comme entre-deux du sujet et du prédicat, le *est* proprement « spirituel » d'un mouvement dont le nom le plus propre est : *le mouvement dialectique de la proposition* [28]. Un tel mouvement n'est d'abord que *passage (Uebergang).* Mais il est surtout *Aufhebung.* Le mot allemand est ici difficile à traduire. Hegel, dans sa *Logique,* le rapproche du latin *tollere,* dont l'ambiguïté avait donné lieu au jeu de mot de Cicéron : *tollendum esse Octavium* — la locution signifiant aussi bien qu'il faut se débarrasser d'Octave et qu'il faut le porter au pouvoir. Ainsi le latin *tollere,* bien digne de ce « dictionnaire des équivoques » que projetait Auguste Comte et que réalisera son disciple Littré, a un double sens, négatif et positif à la fois. Mais là, remarque Hegel, l'allemand l'emporte encore sur le latin, car le sens positif du verbe *tollere* « va seulement jusqu'à dire l'élévation [29] ». Au contraire, le sens positif du verbe *auf-heben,* qui dit négativement la suppression de quelque chose, est non seulement *élever* mais aussi *conserver.* L'élévation n'est là qu'au service d'une préservation qu'elle met elle-même en lieu sûr. Ainsi, dans la philosophie du droit, le passage à la positivité supérieure des *mœurs,* si elle fait table rase de l'oppo-sition primaire entre *droit abstrait* et *moralité,* les conserve cependant l'un et l'autre, mais à un niveau supérieur. Elle conserve en effet aussi bien le pouvoir de contraindre inhérent au droit abstrait que l'idéalisme de la moralité dans la figure de l'Etat qui est beaucoup plus que l'un et l'autre. Car la loi civile est contrainte, mais elle est aussi liberté. Non au sens où elle reposerait sur un *contrat social,* comme le croyaient Hobbes et Rousseau, si voisins l'un de l'autre malgré les appa-rences, mais au sens où, dépassant tout contrat, elle transfigure la « personne » comme sujet du droit abstrait et tout aussi bien la « personne » comme sujet de la moralité en *Bürger,* en « embourgeoisant » l'une et l'autre à partir de la famille, de la profession et enfin de l'Etat, qui ne sont nullement des rapports contractuels, mais des situations plus complètes que celles qui, au niveau du droit seulement abstrait, résultent des contrats. Il ne faut pas, nous dit Hegel, confondre mariage et contrat de mariage. Le mariage n'est pas contrat mais « enga-

26. *Nouveaux Essais,* IV, 2, § 1.
27. *Ph.,* p. 542.
28. *Ph.,* p. 53.
29. *W. L.,* I, 120-121.

gement devant les Pénates [30] ». De même un fonctionnaire n'est
pas un contractuel mais il est au service de l'Etat et de sa
souveraineté, et, comme tel, d'un tout autre monde que celui
des affaires privées, qu'elles soient familiales ou même profession-
nelles. Il ne connaît ni le profit ni le salaire, mais il est honoré
d'un traitement qui le tient aussi bien en dehors de la pauvreté
que de la richesse. Une telle pensée n'a rien d'une « sanctifi-
cation de l'Etat », face à tout le reste, encore moins, malgré un
« on dit » particulièrement tenace, de l'Etat prussien. Pour
Hegel, à vrai dire, ce n'est pas seulement l'Etat mais tout ce
que nomme sa philosophie qu'elle sanctifie. La propriété n'est
pas moins sainte que l'Etat. Il en va de même pour la moralité.
L'essentiel est de comprendre leurs rapports *dialectiquement*.

Toute proposition est ainsi introduction d'un premier terme,
disjonction de celui-ci en un second qui n'est pas le premier,
donc s'oppose à lui et le nie, et unification des opposés à un
niveau plus élevé. Elle est donc à la fois position, négation,
négation de la négation et donc à nouveau position. Parlant
ainsi, Hegel une fois encore dit moins du nouveau qu'il ne
reprend à sa façon, peut-être à son insu, l'analyse même d'Aristote
pour qui le λόγος était dans son essence « à la fois division et
synthèse [31] », la division n'étant elle-même possible qu'à partir
d'un premier indivis qui est déjà le tout, mais dans sa richesse
encore non développée. Ce premier indivis, Aristote le nommait
τόδε τι, *ceci que voici*. On peut dire en ce sens que, pour Hegel,
le droit abstrait est le τόδε τι du droit lui-même. Mais, à la différence d'Aristote pour qui le τόδε τι était déjà le tout, il n'en est
pour Hegel que le *commencement*. De ce commencement au tout
dont il n'est que le commencement, un chemin demeure à frayer,
qui est celui que Hegel nomme *expérience*. A ses yeux, la philosophie d'Aristote était encore sans expérience. Le contraire de
l'expérience, Hegel le nomme *impatience*. L'impatience, dit-il,
« réclame l'impossible, à savoir l'obtention du but sans avoir à
passer par les moyens d'y parvenir [32] ». Si le droit abstrait est le
τόδε τι du droit, il en est aussi *das Unerfahrene,* le non-encore
éprouvé. Un autre mot pour expérience serait dès lors celui
d'*épreuve*. Le titre du troisième des textes de *Holzwege* pourrait
donc être ainsi traduit : *Le concept hégélien de l'épreuve.* Kant
emploie déjà en ce sens le mot *Erfahrung,* expérience. Le « jugement de perception » est le non-encore-éprouvé du jugement.
Le « jugement d'expérience » constitue son épreuve. Kant écrit
dans la première *Déduction :* « De même qu'il n'y a qu'un

30. *R.,* § 164.
31. *Mét.* E 4, 1027 b 18 sqq.
32. *Ph.,* p. 27.

seul espace-et-temps, (...) il n'est qu'une expérience unique, (...)
dans laquelle ont leur lieu toutes les formes des phénomènes
et tout rapport [à eux] de l'être ou du non-être[33] ». L'expérience est donc essentiellement l'épreuve d'un tel rapport. L'espace-et-temps est bien, pour les phénomènes, un début d'épreuve.
Mais il ne les livre encore qu'à l'état de « fouillis » et non
dans leur rapport à l'être et au non-être. Le fond de l'expérience
comme épreuve est pour le jugement celle de *l'être ou non-être.*
L'expérience consiste à conquérir ce qui manque encore à la
« jugeotte de tout un chacun » à savoir, dit Hegel : *die Kraft* (...)
das Sein zu ertragen, la force de soutenir l'épreuve de l'être[34].

Avec Kant et plus encore avec Hegel, le mot expérience
prend ainsi une ampleur et une portée qu'il n'avait pas encore
avant eux, réduit qu'il était à ne signifier que la connaissance
empirique d'un prétendu « donné ». Désormais, l'expérience
est rapport à l'être. N'est homme d' « expérience » que celui
dont la pensée répond, dit Heidegger, à « l'unique et constante
direction qui lui vient de la part de l'être[35] ». Ainsi a-t-il le
privilège « d'entrer dans le jour spirituel du présent[36] ». Ce
jour est spirituel parce que, pour Hegel, l'essence la plus intime
de l'être est *der Geist,* l'esprit. « Qu'entend-il donc par là ? »
demandait, paraît-il, Auguste Comte. Hegel nous le dit énigmatiquement : L'esprit est « la pure unité du je et de l'être[37] ».
Soutenir l'épreuve de l'être est donc faire l'expérience de l'esprit
comme je ou plutôt comme je = je. Une telle expérience
répond, nous dit Hegel, et ceci à travers Fichte, Kant et Leibniz,
au « concept de la métaphysique cartésienne, qu'être et penser
sont dans leur fond le même[38] ».

Ici, nous sommes déconcertés. Ce prétendu « concept de la
métaphysique cartésienne qu'être et penser sont dans leur fond
le même » n'est il pas bien plutôt le sens de la parole de Parménide :

Le Même en vérité est à la fois penser et être ?

Certes. Mais selon Hegel la parole de Parménide n'est, du point
de vue de la dialectique, qu'un début qui, comme début, demeure
encore « nébuleux et indistinct ». Un tel début est cependant
si décisif que « son élucidation sera précisément le développement de la philosophie elle-même[39] ». Le moment capital

33. T. P., pp. 123-124 (A 110).
34. *Ph.,* p. 462.
35. Heidegger, *K. M.,* § 42.
36. *Ph.,* p. 140.
37. *Ph.,* p. 313.
38. *Ph.,* p. 410.
39. *G. P.,* I, 313.

d'une telle élucidation est à son tour le cartésianisme avec son
retournement du rapport de la pensée et de l'être. « Le retournement cartésien qui saisit l'être sous la détermination de la
pensée propose en revanche une vérité susceptible de s'engendrer
elle-même et libère ainsi la pensée des impasses de l'ontologie [40] ».
Telle est depuis Hegel l'interprétation courante de la parole
de Parménide. A vrai dire, Parménide conçoit moins la pensée
sous la détermination de l'être qu'il ne conçoit le rapport de
la pensée et de l'être sous la détermination du Même, qui n'est ni
l'une ni l'autre mais bien plutôt, au sens de Hegel, *die Mitte zwischen ihnen*. Dès lors, le retournement cartésien est lui-même plutôt le retournement d'une thèse prêtée à Parménide que le retournement de ce que Parménide nous donne à entendre. Pas
même de ce qu'après lui nous disent Platon et Aristote, qui
demeurent dans la même dimension que lui.

Quand Parménide énonce la mêmeté de la pensée et de l'être
en disant : le Même en vérité est à la fois, pour l'homme,
son ouverture à la présence *et* cette présence elle-même, sa
parole ne dit nullement que les deux, être et pensée, sont une
même chose où l'élément le plus déterminant serait cependant
l'être, mais bien qu'être et pensée, sans se confondre indistinctement, se répondent unitivement, comme se répondent les deux
rives d'un fleuve dans le pont qui les joint l'une à l'autre. Une telle
unité n'est aucune des deux rives, qui deviendrait ainsi détermi-
nante de l'autre, mais bien plutôt leur entre-deux, qui n'est ni
l'une ni l'autre. Platon, dans *la République* [41] s'interroge encore
sur l'entre-deux qui règne entre le *voir* et la *chose vue*. Il est,
selon lui, la lumière. Mais celle-ci à son tour a un maître qui
est le soleil, lui-même chose vue. Ainsi en va-t-il dans le monde
sensible. Dans le monde des idées, cette lumière est le non-
retrait d'ἀλήθεια qui, comme la lumière, a elle aussi son maître
dans ce qui lui est source, à savoir dans l'idée du « bien ».
N'est-il pas permis de penser que le « Même » de Parménide
est l'antécédent du « joug » (508 a) de lumière qui, pour Platon,
rassemble l'une à l'autre le voir et la chose vue ? Mais la
différence n'est-elle pas à son tour que, selon Parménide, un
tel « joug » n'est pas encore ce qu'il sera pour Platon, à savoir
chose vue, bien que « difficile à voir » ? Dès lors, le non-retrait
d'ἀλήθεια, qui paraît bien être dans le poème la divinité même
dont il est la parole, ne serait-il pas la mêmeté du Même que
nomme énigmatiquement le fragment 5 de Parménide ? Ce
serait ainsi grâce à la puissance de l'Ouvert que le *voir* s'ouvre
à ce qui est ouvertement *en vue* pour l'accueillir à son niveau,

---

40. Michel Gourinat, *De la Philosophie* (Hachette, 1969), I, 351.
41. *Rép.*, VI, 507 c *sqq*.

qui est celui de l'être. L'être ne serait ainsi pas plus déterminant
de la pensée que celle-ci de l'être, mais l'un et l'autre, pensée
et être, déterminés à la mesure d'ἀλήθεια qui les rassemble à
elle-même, tenant l'être « dans les liens d'une limite qu'elle ne
relâche nulle part » pour que de son côté le *noème* puisse à
celui-ci être « de plein gré [42] ». Parler ainsi est-ce vraiment
demeurer encore dans « le nébuleux et l'indistinct » ? Ou au
contraire, n'en déplaise à Hegel, penser à un niveau tel que,
loin qu'il soit encore hors d'état de nous satisfaire, c'est nous
qui, dit Heidegger, malgré toute notre prétendue avance sur
les Grecs, sommes encore bien loin de lui satisfaire en nous
élevant jusqu'à lui [43] ?

Il est sinon courant du moins assez facile de remarquer que
toute la philosophie de postérité cartésienne remonte dans son
ensemble de Descartes à Aristote, autrement dit de l'apologie
cartésienne de la mathématique à la redécouverte de la logique,
celle-là n'étant déjà pour Leibniz qu'un « petit échantillon » des
possibilités de celle-ci. Kant s'efforce encore de tenir entre mathématique et logique la balance égale, mais il est significatif que le
grand livre de Hegel, celui auquel la *Phénoménologie* ne se rattache que propédeutiquement, soit la *Wissenschaft der Logik* et que
Husserl publie à son tour, quinze ans après son *Programme
pour une phénoménologie pure et une philosophie du point de
vue phénoménologique* (1913), un livre dont le titre est *Logique
formelle et transcendantale* (1929). Mais ce retour à Aristote
est sans aucun regard pour son interprétation essentiellement
apophantique de la proposition. Il garde en effet comme centre
l'acquis cartésien qui est l'interprétation de la « vérité » non
pas comme ἀλήθεια mais comme *certitude*. C'est à son service
qu'est frayé le passage hégélien du prédicatif au spéculatif. Car
l'esprit comme raison est la « certitude ... d'être toute réalité »
ainsi que toute « présence » mais en tant « qu'élevée au niveau
de la vérité [44] », c'est-à-dire au niveau du « mouvement dialectique de la proposition ». Une telle certitude, Hegel la suit à
la trace jusque dans ses formes les plus humbles, c'est-à-dire
juqu'à la sensibilité. Même la sensibilité est déjà, en un sens,
certitude. Mais elle n'est que ce qu'il y a dans la certitude de
plus abstrait et de plus pauvre comme aussi bien de plus passager.
Parler ainsi est se placer dès le départ aux antipodes de la
pensée grecque pour qui l'αἴσθησις est dans son fond *ek-stase*,

---

42. C'est ainsi que Hegel entend, dans le poème de Parménide, les
trois derniers mots du vers 34 du fragment 8, les traduisant par : *um
weswillen der Gedanke ist. G. P.*, I, 312.

43. *Hegel et les Grecs*, in : *Questions II* (Gallimard, 1968), p. 68.

44. *Ph.*, pp. 176 et 313.

c'est-à-dire non pas appropriation mais accueil de l'apparition. Pour Hegel, au contraire, la certitude sensible fait déjà *sienne* la présence de la chose. « Sa vérité est dans l'objet comme étant *mon* objet, autrement dit dans celui-ci comme *mien*[45]. » Toute la philosophie de Hegel est le passage de l'appropriation primitive, qui ne nous met pas à l'abri des surprises, au comble de l'appropriation, celle où le je comme je = je est « conscient de lui-même comme de son monde et du monde en tant qu'il est, lui l'esprit, conscience de soi[46] ». Telle est la certitude comme « élevée à la vérité ». La philosophie grecque est entièrement étrangère à une telle interprétation. Non au sens où elle viserait à se désapproprier seulement d'une appropriation primitive, car elle est dans son fond désappropriation initiale. Une telle désappropriation n'est pas cependant privation, mais elle est d'autant plus donnante qu'elle écarte davantage toute *mainmise sur*. Sans avoir rien à saisir (*greifen*), autrement dit à *percevoir,* la pensée s'ouvre « de plein gré » à ce qui dans l'Ouvert, lui fait face, qui de son côté s'ouvre à elle au sens où la prière de Hölderlin dit uniquement son espoir

> Qu'avec la nôtre, en un, la floraison du ciel commence,
> Et qu'au regard ouvert, ouvert il soit, le Radieux[47].

C'est donc encore une fois en cartésien que, contre Descartes, Hegel honore, plus haut que les mathématiques, le λόγος comme proposition, dans son interprétation spéculative de la proposition. Le titre de *Phénoménologie* qu'il donne à son premier grand livre ne doit pas ici nous faire illusion. Sans doute, *apparaître* est aux yeux de Hegel le trait fondamental de l'*être* car, disait-il dans les *Leçons sur l'Esthétique :* que serait donc la vérité elle-même « si elle ne brillait ni n'apparaissait ? » (*wenn sie nicht schiene und erschiene*)[48]. Mais apparaître est pour lui s'offrir à une prise dont l'essence est le rapport à lui-même de l'*ego* comme *ego cogito*. Telle est son interprétation de la « clairière de l'être ». Cependant, la référence à Descartes, quelque essentielle qu'elle soit, ne suffit pas à déterminer la philosophie de Hegel, qui est, comme celle de Descartes lui-même, essentiellement *métaphysique.* Comme pour Descartes la méthode, la proposition spéculative n'est que l'un des côtés de cette métaphysique. L'autre en est, comme pour Descartes son Dieu non trompeur, la connexion de la proposition spéculative elle-même avec ce que Hegel nomme l'*absolu.* Tel est, selon lui,

---

45. *Ph.,* p. 83.
46. *Ph.,* p. 313.
47. Elégie à Landauer, *Der Gang aufs Land.*
48. *Werke* (Berlin, 1842), X, 12.

le nom le plus propre de Dieu qui, depuis qu'il est, dit Heidegger,
« entré dans la philosophie » a mainte fois changé de nom. Car
le chemin est long — M. Gilson l'avait justement souligné [49] —
du *hors mouvement* d'Aristote à l'*inchangeable* de saint Augustin,
de l'*inchangeable* à l'*ipsum esse* de saint Thomas, de l'*ipsum
esse* à l'*infini* de Duns Scot, de l'*infini* à l'*actif suprême* de
Leibniz, en passant épisodiquement par le *non trompeur* de
Descartes, et de l'*actif suprême* à l'*absolu* au sens de Hegel.
Nommer Dieu l'absolu n'est nullement lui attribuer préféren-
tiellement l'un de ses caractères, c'est proprement hégélianiser.
Ou plutôt Dieu n'est l'Absolu qu'à partir de ce qu'on est convenu
d'appeler l' « idéalisme allemand », tel qu'il commence avec
Kant qui, le premier, absolutise le divin, la question qu'un tel
idéalisme pose étant de savoir si c'est Hegel, ou bien Schelling
qui le porte à son ultime possibilité [50]. Absolu signifie, pour
Hegel, être *délivré* de n'être qu'un côté relatif à un autre. En
ce sens, *absolu* s'annonce bien dans *infini*. Mais là où Descartes
nommait l'absolu (*Règle VI*), il ne le caractérisait pas encore
comme infini, et là où apparaît l'infini comme fond de la substance (*Méditation III*), celui-là n'est pas dit explicitement absolu.
Avec Hegel, au contraire, c'est, à partir de Kant, chose faite.
Mais de quoi Dieu, comme absolu, est-il délivré ? Précisément
de l'*unilatéralité* dont la philosophie d'un bout à l'autre de
son histoire l'avait affublé en le défigurant. D'où, dit Heidegger,
cette « théologie de l'absolu [51] » qui est pour Hegel l'indispensable *revers* de ce dont la proposition spéculative est l'*avers*.
Cependant à l'inverse de la proposition spéculative, l'absolu ne
désigne pas l'être *de* l'étant, mais, *dans* l'étant, ce en quoi celui-ci
est enfin délivré de n'être qu'un côté relatif à un autre. Si
donc les deux pensées, celle de la dialectique et celle de l'absolu,
sont radicalement *connexes,* elles ne sont pas pour autant *symé-
triques.* Une telle dissymétrie, apparente déjà dans le fragment 10
d'Héraclite [52], est ce que Heidegger nommera, donnant un sens
nouveau à une locution kantienne : la structure *onto-théologique*
de la métaphysique.
    La métaphysique est ainsi connexion dissymétrique entre un
mode d'être de l'étant qui en est *génériquement* le sommet
radieux et une essence de l'étant qui le détermine *communautairement,* mais selon une communauté radicalement *transgé-*

---

49. *Jean Duns Scot* (Vrin, 1952), pp. 209, 227, 388.
    50. Cf. Walter Schulz, *Die Vollendung des deutschen Idealismus in der
Spätphilosophie Schellings,* (Kohlhammer, Stuttgart, 1955).
    51. *Hzw,* p. 187.
    52. ... où ce n'est pas symétriquement à ἐκ πάντων ἕν qu'Héraclite
ajoute : καὶ ἐξ ἑνὸς πάντα - Cf. *Heraklit,* pp. 36 et 144.

nérique, de telle sorte que ces deux déterminations lui soient également fondamentales. Sans qu'aucune des deux ne se déduise de l'autre, elles se répondent cèpendant à égalité mais, dit Heidegger, « dans un contexte à vrai dire obscur [53] ». Il ne s'agit nullement, comme le prétend Jaeger à propos d'Aristote, de « deux chemins de pensée radicalement différents » qui seraient seulement « enchevêtrés l'un dans l'autre [54] » mais, précise encore Heidegger, d'un *ständiges Widerspiel* [55], du jeu qu'est à lui-même un dédoublement contrasté, en un sens voisin de celui où Cézanne dira : « Quand la couleur est à sa richesse, la forme est à sa plénitude. » Dès lors, pas plus que la peinture, la métaphysique n'est à double fond. Elle contient en elle ce qui lui est centre comme la sphère que nomme Parménide. Il en est ainsi depuis le dédoublement aristotélicien de l'οὐσία qui, comme « première », rayonne jusqu'au divin, mais de telle sorte qu'un tel rayonnement soit lui-même à penser dans son fond essentiel. Autrement dit, dans ce qui avec lui est déjà là si, à quelque niveau que ce soit, il déploie sa brillance. Car le τόδε τι qu'est l'οὐσία comme première ne brille pas seulement au niveau du divin, il s'étoile à d'autres niveaux, avec par exemple *cet homme-ci* ou encore *ce cheval que voici.* Qu'est donc pour lui briller ? La brillance de l'étant, son rayonnement, Aristote les pense non plus en regardant tout droit à l'étant, mais à la faveur d'un revirement du regard d'abord fixé sur l'étant. Il les pense ainsi en première instance à partir de ce qu'il nomme *catégorie.* Il les pense ensuite plus essentiellement comme ἐνέργεια. Tel est, en réponse à la question : « Quelle ? l'οὐσία », l'étant dans sa quiddité, la réponse à une telle question n'étant plus le divin mais l'ἐνέργεια, elle-même dans son fond εἶδος (cf. *Métaphysique,* Z). Dans son *Nietzsche,* Heidegger caractérise parfois les deux questions qu'à propos de l'étant se pose du même coup la métaphysique comme celle du *comment* et celle du *quoi.* Mais ces deux questions n'en font qu'une, car le *quoi* n'est jamais pensé qu'avec comme point de mire le *comment,* qui de son côté n'est déterminé qu'avec comme point de mire le *quoi.* Kant, par exemple, ce n'est pas en terrain neutre, mais dans le contexte de la question de l'existence de Dieu prise comme à démontrer, qu'il développe pour la première fois en 1763 sa « thèse sur l'être », mais inversement Dieu lui-même, c'est seulement dans l'optique de l'ontologie qu'il fait question pour la métaphysique. La « thèse de Kant sur l'être » est donc indivisément onto-théologique [56].

53. *K. M.,* § 39.
54. *Aristoteles* (Berlin, 1923), p. 227. Cf. *K. M.,* § 1, p. 17.
55. *Sch. Abh.,* p. 79.
56. *N.,* II, 470.

Telle est non moins la métaphysique de Hegel. Le *comment*
le plus extrême de l'étant est son absoluité, car il est patent,
comme le pose l'introduction à la *Phénoménologie,* « que l'absolu
seul est vrai ou que le vrai seul est absolu ». Une telle parole
répond à l'élan qui, dès le départ, porte l'entreprise hégélienne.
Mais l'absolu lui-même, s'il « trône » universellement et ainsi,
disait Aristote, « embrasse la nature entière [57] », reste à découvrir
en quoi il est partout chez lui jusqu'à régir dans son ensemble le
tout de l'étant dont il est le sommet. C'est là qu'une surprise
nous attend. Car l'absolu qui « seul est vrai » n'est pas comme
un mont solitaire qui se satisferait d'être cime. Rien ne lui est
plus propre que de s'abaisser au-dessous de lui-même, car c'est
en cela seulement qu'il culmine. « Ce qui absolument est, et dont
la présence est celle d'une conscience de soi véritable, paraît
ravalé au-dessous de sa simplicité éternelle, mais c'est en vérité
par là qu'il gagne sa propre hauteur [58]. » Qui n'est pas entré
dans ce secret dialectique de l'essence même divine peut bien
former sur Dieu des phrases telles que *Dieu est l'Eternel* ou
Dieu est amour. Mais Dieu ainsi posé tout droit comme sujet
n'est qu'un son privé de sens, une simple dénomination. Dieu
n'est Dieu que par le mouvement de s'abaisser dialectiquement
au-dessous de lui, non pas seulement pour s'anéantir jusqu'à l'être,
comme l'expose la *Logique,* mais jusqu'à prendre, disait Malebranche, « la condition basse, pour ainsi dire, et humiliante du
Créateur [59] ». Ainsi le plus haut *comment* de l'étant, à savoir
l'absoluité qui l'établit génériquement en lui-même, n'est à son
tour possible que dans sa connexité avec ce qui, disait Aristote,
n'est « plus du tout un genre [60] ». Dans une telle optique proprement *ontologique,* bien que son point de mire demeure l'absolu,
Hegel va jusqu'à dire qu' « il est conforme au concept de l'esprit
que l'histoire ait dans le temps son point de chute [61] ». Cette
chute dans le temps par laquelle l'esprit apparaît comme histoire,
comme il apparaît comme nature dans le « repos paralysé [62] »
de l'espace, reste donc à son tour l'objet de ce que Hegel nomme
« théologie et service divin ». Mais le fil conducteur d'une telle
théologie est la proposition spéculative d'après laquelle s'en-
chaînent dialectiquement les phénomènes de la nature et les
« époques du monde ». C'est ainsi que Hegel met encore une
fois, selon le mot de Chateaubriand, « l'Eternel au fond de

---

57. *Mét.* Λ, 1074 b 3.
58. *Ph.,* p. 529.
59. *Méditations chrétiennes,* XIX, 5.
60. *Seconds Analytiques,* 7, 92 b 14.
61. *V. G.,* p. 153.
62. Cité par Heidegger, *S. Z.,* p. 430.

l'histoire des temps » en pensant l'Eternel et son rapport au temps d'une manière plus ample et plus essentielle que personne avant lui. La question reste de savoir si cette interprétation onto-théologique de l'histoire ne rend pas d'autant plus inéludable l'ouverture d'une possibilité encore plus intérieure de la compréhension de l'être, celle qui, dans « l'attaque dirigée par l'être-le-là sur le fait métaphysique originel qu'il porte en lui [63] », ouvrira l'être même « à partir du temps » pour l'inter-préter « dans l'horizon du temps ».

On parle parfois à propos de Hegel d'une « théologie de l'histoire ». C'est un peu vite dit et un peu court. Car cette théologie n'est telle à son tour que dans son unité contrastée avec une ontologie dont le trait fondamental est, dans la propo-sition, l'interprétation dialectique de ce que Kant nommait la « particule de liaison » *est* [64]. La prétendue « théologie de l'histoire » est donc onto-théologie, autrement dit métaphysique. Non moins métaphysique est de ce point de vue la philosophie de Marx comme retournement (*Umstülpung*) — c'est son mot et il sait ce qu'il dit — de la métaphysique hégélienne. Selon le retournement marxiste, l'homme, comme auto-producteur de lui-même par sa relation productive avec la nature, est « l'être suprême de l'homme » et ainsi la vérité de Dieu qui, à la lettre, devient homme, tandis que d'autre part le travail *de* l'auto-production de l'homme qui est sa production *par* son propre travail se déploie dialectiquement. Marx pourrait dire au plus proche de Hegel, bien que « retournant » ce que dit Hegel : « Dans la figure du prolétaire, l'homme, comme être suprême de l'homme, paraît ravalé au-dessous de sa propre essence, mais en vérité c'est par là seulement qu'il est en mesure de gagner dialectiquement sa propre hauteur. » L'apothéose dans le socia-lisme de l'homme comme producteur de lui-même est ainsi le « point oméga » d'un interminable parcours qui, à partir de la chasse [65] ou de la division du travail dans l'acte sexuel [66], constitue le développement de l'histoire elle-même selon le rythme dialec-tique qui lui est immanent. Parler ainsi, c'est philosopher et ce n'est pas en l'air que le jeune Marx écrivait en 1837 à son père que « sans philosophie il est impossible de percer jusqu'au cœur de la question ».

Il est aujourd'hui de mode d'opposer la positivité scientifique du marxisme aux nuées dans lesquelles se serait encore une fois perdue la philosophie hégélienne. Rien n'est plus « positif » en

---

63. *K. M.*, § 42.
64. T. P., p. 119 (B 141-2).
65. *K.*, I, 350, n. 23 a.
66. *D. I.*, p. 28.

effet que la « grossière et *matérielle* production terrestre [67] » au regard de l'interprétation spéculative du prédicatif dans l'optique de l'absolu. Mais alors d'un bout à l'autre du marxisme la dialectique demeure l'un de ces « mystères » que Marx entendait « dévoiler » par sa méthode prétendument critique. La nouvelle mode ne se fera donc pas faute de découvrir que la dialectique au sens de Marx est « tout autre » que la dialectique hégélienne, au point qu'entre les deux il n'y aurait qu'homonymie. Rien n'est plus exact si l'on vide de tout contenu le mot de dialectique, que l'on ploie en effet aujourd'hui, dirait Montaigne « à tous biais et à toutes mesures », et jusqu'à lui faire désigner une « pratique théorique [68] » destinée à « changer le monde » par la révolution, ce qu'évidemment n'est pas la philosophie de Hegel. Mais en quoi une telle « pratique théorique » est-elle dialectique, sinon en ce qu'elle va dans le sens du « mouvement » qu'elle aide jusqu'à lui-même en tant que fond dernier de celui-ci et en ce qu'elle délivre « le sens positif de la négation rapportée à elle-même [69] » ? Autrement, que signifierait le concept marxiste de *la* contradiction du capitalisme ? On la transforme aujourd'hui en disant au pluriel : *les* contradictions du capitalisme, et en présentant en effet celui-ci comme un tissu de contradictions, donc comme logiquement absurde au sens où est absurde le concept d'un cercle qui serait carré. Rien n'est plus loin de la pensée de Marx, qui sait de Hegel que la contradiction n'est nullement la source d'un néant logique mais le foyer même de la vie [70]. La locution de *contradiction du capitalisme* signifie en vérité que ce qu'un tel système a de positif secrète et mûrit en lui du dedans de lui-même une négation qui, poussée à fond, rendra seule possible et finalement nécessaire le passage dialectique à une autre figure comme négation de *cette* négation. La contradiction du capitalisme, Marx l'entend au sens où ce qui lui est prédicat, à savoir « l'appauvrissement de la grande masse des producteurs », est dialectiquement antinomique à ce qui lui est sujet, à savoir « l'accroissement illimité de la production [71] », le prolétariat étant « le côté négatif de l'antinomie [72] ». Cette impossibilité pour le capitalisme de digérer son propre prolétariat ou, disait Hegel, de « stipendier la plèbe qu'il est dans sa nature d'engendrer [73] », non sans doute parce qu'il n'est « pas assez riche » comme le croyait Hegel, mais parce qu'il ne le peut

---

67. *H. F.*, p. 159.
68. Louis Althusser, *Pour Marx* (Maspero, 1965), p. 168.
69. *Nationalökonomie und Philosophie*, éd. Landshut 1953, p. 281.
70. *K.*, I, 626, note 4.
71. *K.*, III, 278.
72. *H. F.*, p. 37.
73. *R.*, § 245.

sans cesser d'être lui-même, cette nécessité donc où il est de
s'engendrer en lui son propre adversaire et d'en assurer la
croissance, telle est l'essence radicalement dialectique du capitalisme. Mais d'où Marx tient-il une telle « logique » du mouvement, sinon de Hegel ?

Si le capitalisme est ainsi *sa* contradiction, il n'en résulte pourtant pas que cette contradiction qui lui est vie soit partout
transparente à elle-même, se présentant partout uniformément.
Penser ainsi serait devenir on ne peut plus infidèle à la pensée de
Hegel, qui ne cesse de railler les peintres qui n'auraient « sur
leur palette que deux couleurs [74] ». A ce titre, la peinture deviendrait facile. Mais ce n'est là, dit Hegel, qu'une illusion de
l' « entendement nomenclateur » à quoi se hausse tout au plus
la « jugeotte de tout un chacun ». La dialectique comme la
peinture est polychromie. C'est en ce sens que dans la *Philosophie
de l'histoire* Hegel peint en couleurs si différentes la révolution
française qui commence en 1789 et la révolution anglaise de
1647, bien que les deux reposent sur le même principe. Il est
permis de penser que la *Philosophie de l'histoire* de Hegel était
à Marx livre de chevet et que c'est dans ce livre, qui fut d'abord
un cours, qu'il a appris l'art des nuances et de la distribution des
couleurs, autrement dit celui d'analyser en profondeur des situations à la fois identiques et différentes. C'est bien pourquoi il
commence son étude sur *Le 18 Brumaire* en écrivant : « Hegel
remarque quelque part que tous les grands événements (...) de
l'histoire se répètent en quelque sorte à deux reprises ». Ici
« quelque part » ne signifie nullement : « Je ne me rappelle plus
bien où Hegel parle ainsi » mais : « Lisez donc la *Philosophie
de l'histoire* et en particulier les pages 275 à 280 sur la transformation de la république romaine en empire où Hegel analyse si
magistralement la signification historique de César. » C'est, de
même, au plus proche de Hegel et non contre lui que Marx écrit
dans les dernières pages du *Capital* qu' « une même base économique, la même pour les conditions principales, peut, en raison
d'innombrables circonstances empiriques distinctes — circonstances naturelles, raciales, influences historiques s'exerçant du
dehors —, présenter au niveau du phénomène des variations et
des gradations à l'infini qui ne peuvent être expliquées que par
l'analyse de ces circonstances empiriquement données [75] ». Faire
de cette incidente de Marx l'indice d'une discession de Marx à
l'égard de Hegel c'est, dirait Spinoza, « rêver les yeux ouverts ».
Sans doute, pour Hegel, l'élément commun n'est pas l'identité de
la base économique, mais un autre « principe ». Il n'en résulte

---

74. *Ph.*, p. 43.
75. *K.*, III, 842.

pas moins que l'identité du principe n'est pas identité des conséquences. Il ne reste donc plus qu'à tricher pour faire prévaloir
la thèse de l'indépendance de Marx à l'égard de Hegel, ce que
M. Althusser fait sans vergogne, allant jusqu'à railler dans Hegel
un prétendu simplisme qui l'aurait même conduit à s'émerveiller
que, dans le syllogisme américain, le moyen terme, à savoir
l'isthme de Panama, fût « très mince [76] ». Mais où Hegel a-t-il
jamais rien dit de tel ? Il dit au contraire que ce n'est nullement,
malgré les apparences, l'isthme de Panama mais la frontière entre
l'anglais et l'espagnol, donc celle des Etats-Unis et du Mexique,
qui constitue le véritable moyen terme du syllogisme américain.
C'est aux simplifications des zélotes de Marx que se réduit le
prétendu simplisme de Hegel. Mais il n'en faut pas plus à
Bécassine, devenue étudiante en philosophie, pour conclure à
l'indépendance de Marx par rapport à Hegel. Le livre de
M. Althusser qu'il intitule *Pour Marx,* comme si Marx avait
besoin d'assistance, est un manuel d'édification à l'usage de l'in-
telligentsia néo-marxiste et de ses distributions des prix. L'avantage d'un tel « point de vue » est qu'il encourage le lecteur
bénévole à abolir sans plus la « tradition des générations mortes »
qui, comme on sait, « pèse comme un cauchemar sur le cerveau
des vivants [77] ». Dès lors, tout un chacun est bienheureusement
dispensé d'étudier. Il suffit de défigurer ou de se contenter des
défigurations prétendument scientifiques que proposent les spécialistes. Montaigne en savait quelque chose quand il disait, non
sans impertinence : « Oh ! que c'est un doux et mol chevet et
sain que l'ignorance et l'incuriosité à reposer une tête bien faite. »
En notre époque de scientisme agressif, la parole de Montaigne
est devenue la réalité la plus plate. L'ignorance sévit. L'incuriosité
pavoise. Car tout est su d'avance à partir de Marx et de Freud
qui nous « démystifient », comme on dit, nous débarrassant
opportunément de notre propre passé.

La dialectique au contraire a tout un passé et c'est seulement
à partir de là qu'elle s'éclaire. Un tel passé ce n'est nullement
Hegel, encore moins Marx, qui s'en fait une question, mais
Heidegger quand il s'interroge sur l'énigme qu'est au XIXᵉ siècle
le virage dialectique de la philosophie. Hegel se borne à entrer
dans la dialectique où il sera suivi par Marx tandis qu'après lui
Nietzsche considérera comme « gothique [78] » l'interprétation dialectique de ce qu'il nomme l' « essence la plus intime de l'être ».
Que le terme de dialectique qui, pour Platon, désignait la philosophie elle-même, ait acquis et gardé, d'Aristote à Kant, un sens

---

76. *Pour Marx,* p. 214, cf. Hegel *V. G.,* p. 210.
77. *Le 18 Brumaire...,* I, § 2.
78. Nietzsche XIII, § 225.

essentiellement dépréciatif, comme on le voit dans la *Critique de la Raison pure,* où l'Introduction à la *Logique transcendantale* donne encore à la dialectique le sens d'une « logique de l'apparence », importe peu à la déformation au goût du jour. C'est ainsi que M. Althusser nous dit sans sourciller que c'est conformément à une « longue tradition [79] » que le mot de dialectique se trouve associé à l'étude du devenir des phénomènes. La « longue tradition » n'est en réalité que de onze ans plus vieille que Marx. Elle date, sinon de la *Phénoménologie* de 1807, du moins des *Écrits* d'Iéna qui ne furent pas publiés par Hegel. Dans ce qu'on appelle les écrits de jeunesse, la dialectique se nomme encore *spéculation.* Pourquoi donc Hegel donne-t-il au mot de dialectique un sens aussi *nouveau* et aussi *imprévu* ? Il ne s'en explique nulle part. C'est cependant à partir de lui et de lui seulement que la dialectique est l'interprétation de l'être même comme devenir. Mais enfin Hegel est le grand Hegel et Marx ne veut pas rester en arrière. C'est bien pourquoi il dialectise à son tour comme aujourd'hui on problématise. « J'ai un problème », dit-on chaque fois que les choses ne vont pas comme elles devraient aller. Marx a cependant lu Hegel, comme celui-ci avait fini par lire, au moins en 1812, la *Critique de la Raison pure,* ce qui n'est pas le cas des modernes « penseurs », qui se contentent d'en avoir entendu parler au temps lointain de leurs études, sauf s'ils deviennent, comme on dit, des « spécialistes ». Alors, ils lisent et même beaucoup, mais sans se laisser entraîner au-delà du permis, c'est-à-dire de ce qu'autorise la bienséance scientiste qui doit nous être, dit M. Monod, éthique. C'est pourquoi un lecteur comme Heidegger est pour eux, comme l'accord de triton, *diabolus in musica.* Quand cependant Engels nous dit que les premiers penseurs grecs étaient « des dialecticiens à l'état sauvage », il ne sait ce qu'il dit. Autant prétendre que Fra Angelico est un Manet à l'état sauvage. Si pourtant Hegel ne s'explique pas sur le sort que, contre Kant, il fait au mot de dialectique, précédé qu'il est en cela par Fichte, et par Novalis encore plus que par Fichte, reste que la dialectique signifie pour lui la triple ouverture du *est* de la proposition comme spéculative, en tant que c'est par là et par là seulement que ce qui est se trouve du même coup mesuré diamétralement, le diamètre étant la plus extrême distance possible de deux points sur la circonférence du cercle, et par là un lien entre eux plus essentiel que celui qu'assure toute corde. La *dia*-lectique serait ainsi le rapport des extrêmes à partir de ce qui est, dit Hegel, *Mitte zwischen ihnen,* donc relativement au centre même du cercle. Elle est ainsi non pas

---

79. *Pour Marx,* p. 223, note 52.

simple dédoublement mais triplicité : unité des extrêmes dans
ce qui leur est centre. De là à concevoir la dialectique dont
Platon fut le zélateur et Aristote le contempteur comme l'essence
même du syllogisme, inconnu à Platon mais au contraire prôné
par Aristote, et le syllogisme comme l'essence même du λόγος,
la distance à franchir était devenue petite, et c'est ainsi que,
joignant l'un à l'autre au-dessus d'eux-mêmes les deux sommets
de la philosophie grecque, Hegel devient dialecticien.

Marx, bien sûr, ne va pas si loin et la dialectique ne lui est
qu'héritage hégélien. L'essentiel pour lui est d'en faire usage
au service du socialisme, dont la philosophie n'était pas le fort,
pas plus qu'à son début le christianisme ne s'entendait à philosopher. Qu'il y ait dans l'un et dans l'autre quelque chose
d'autre et de plus essentiel peut-être que la philosophie, à savoir
leur rapport plus direct au mythe initiateur, ne les a pas gardés de
se soumettre à son école, quitte à se renier eux-mêmes. A l'école
de la philosophie, le christianisme a donné lieu en son temps à
la scolastique et le socialisme en un autre temps au marxisme.
Peut-être l'aventure fut-elle à l'un aussi bien qu'à l'autre onéreuse,
car ce n'est pas impunément qu'on philosophe. *Nul ne se pro-
mène impunément sous les palmes,* dit un mot de Lessing que
Gide aime citer. Dans l'Avant-propos à *Qu'est-ce que la métaphysique ?,* Heidegger de son côté nous dit du christianisme ainsi
devenu philosophant : « Est-ce à son profit ou à ses dépens ?
— Laissons aux théologiens (...) le soin d'en décider en méditant
ce que par écrit nous enseigne la première *Epître aux Corinthiens :
Dieu n'a-t-il pas frappé d'ineptie la sagesse du monde ?* » La
même question se pose dans les mêmes termes à propos du socialisme quand lui aussi prétend s'incorporer la dialectique comme
le *nec plus ultra* de la philosophie au temps de Marx. Sur cette
voie, un avenir l'attend, qui est le visage qu'il va prendre dans
la philosophie de Nietzsche. Car la dialectique n'est pas le dernier
mot de la philosophie moderne dans son interprétation de l'être
comme devenir. Plus secrète encore et plus décisive que la
dialectique est en lui l'escalade de la *volonté de puissance* dans
son rapport à l'*éternel retour de l'identique.* Comme le christianisme, le socialisme y a sa place philosophique. Nietzsche,
soucieux de ne rien laisser perdre du passé de l'homme et, comme
il dit, de « tout jeter dans le creuset » l'accueille comme l'un
des « instruments » de la volonté de puissance. Il écrit en 1887 :
« La haine du système du nivellement démocratique n'est qu'une
façade : au fond, Zarathoustra est trop content *que les choses
aient pris une telle ampleur.* Il peut à présent s'acquitter de sa
tâche [80]. » Car, se disait-il à lui-même un peu plus tôt, « si les

---

80. XII, 417.

idéaux d'eudémonisme social entraînent une *régression* de l'homme, peut-être ont-ils pour fin d'obtenir une *variété très utile de travailleurs,* inventant l'*esclave idéal de l'avenir,* la caste inférieure et *indispensable* [81] ». Ainsi le système capitaliste du salariat n'est, aux yeux de Nietzsche, ni assez mobilisateur, laissant ouverte par le chômage la possibilité d'une oisiveté relative, ni assez disciplinaire. Le seul socialisme transformera les ouvriers en « militants [82] » du travail et leur apprendra à « réclamer des dirigeants à poigne [83] », tandis que « les événements serviront d'excitant ». Nietzsche pense ici au « Parisien » de la Révolution et de la Commune, en qui il discerne l' « Européen porté à son extrême [84] ».

Dans l'optique du rapport de Hegel à Nietzsche, où donc en est le socialisme ? Et où en était-il avec Hegel ? Quand celui-ci compose sa *Philosophie du droit,* le mot de socialisme n'existe pas encore, pas plus que celui de capitalisme, bien qu'existât déjà le terme de « capitaliste » au sens où l'employait le marquis de Mirabeau : « Réprouver les capitalistes comme inutiles à la société, c'est s'emporter follement contre les instruments mêmes du travail. » Le capitalisme encore anonyme, Hegel le pénètre cependant dans son essence quand il évoque « l'abstraction qu'est produire pour produire [85] ». On peut s'étonner d'une telle clairvoyance, qui devance ce qu'il n'avait pas encore sous les yeux. Car enfin la *révolution industrielle,* comme on dit, ne commence en Angleterre que vers 1760, en France vers 1790, et, au temps de Hegel, a-t-elle seulement commencé en Allemagne ? Marx lui-même, n'est-ce pas d'Angleterre que lui vient, vingt ans après la *Philosophie du droit,* la lumière ? Il est cependant à présumer que Hegel, s'il eût vécu — quand Marx publie *Misère de la Philosophie* il aurait eu soixante-quinze ans —, eût pris connaissance avec intérêt de quelques écrits du « jeune Marx », regrettant seulement que celui-ci ait pu donner si résolument dans les fadaises de Feuerbach, qui n'est certes pas sans érudition, mais dont l'importance en philosophie égale tout au plus celle du faible Schopenhauer, lequel, grâce au ciel, ne fut qu'un temps l'idole de Nietzsche. D'où la malencontreuse interprétation de la philosophie comme « idéologie », *tarte à la crème* du marxisme et qui n'est au total que du Feuerbach amélioré, autrement dit de la chicorée littéraire. C'est bien pourquoi elle fait prime. Mais Hegel aurait probablement été

81. XII, 2° partie, § 716.
82. *Der Wille zur Macht,* § 763.
83. *Ibid.,* § 132.
84. *Ibid.,* § 130.
85. *R.,* § 198.

arrêté par l'analyse qui, sous les états (*Stände*) qu'il avait, dans la *Philosophie du droit,* dénombrés et coordonnés, discerne des *classes*[86] en conflit. Aurait-il approuvé le rapport affirmé par Marx comme *premier* point de sa doctrine entre l'existence et l'évolution des classes et le niveau technique du développement des forces productives ? Il n'est nullement interdit de présumer que, comme Heidegger, Hegel aurait sur ce point précisément admiré la perspicacité de Marx. Il n'est en revanche nullement certain qu'il eût admis le *second* point, à savoir que « la lutte des classes conduit nécessairement à la dictature du prolétariat[87] », *nécessairement* ayant ici le sens de *dialectiquement.* Car si, selon Hegel, la dialectique suppose le conflit de deux termes extrêmes, il n'en résulte nullement que, partout où il y a conflit, ce conflit ait par lui-même la portée d'un conflit proprement dialectique, c'est-à-dire décisif en dernière instance pour l'histoire du monde. Autrement dit, même le passage au socialisme comme appropriation collective des moyens de production n'aurait peut-être été pour lui, comme la Révolution française que son enthousiasme de jeunesse avait pourtant saluée sans réserves, qu'un *épisode* dans l'histoire et non pas le *tournant* essentiel de celle-ci. Certains commencent à le pressentir aujourd'hui qui vont, après Tocqueville, jusqu'à se demander de la Russie si elle est beaucoup plus en un sens qu'une seconde Amérique, même si elle se prétend le véritable Nouveau Monde. Est-il donc interdit de penser qu'entre le monde grec et le monde romain, le passage du premier au second qui est celui du grec au latin étant malaisément dialectisable en termes rigoureusement marxistes, il y a *plus* de différence qu'entre Moscou et Washington ? Attendre de l'abolition du capitalisme une transformation radicale est peut-être se contenter d'une définition un peu sommaire du socialisme. Reste à accuser la Russie de *déviationnisme.* Les étourneaux ne s'en privent guère, en attendant que la Chine à son tour dévie. C'est ainsi que, fascinés par le marxisme qui, selon Sartre, est le *Savoir* (n'oubliez pas la majuscule), les mêmes ne cessent d'y revenir, dans l'assurance qu'au nom des mêmes principes acquis une fois pour toutes on fera mieux la prochaine fois.

Tout ce qui précède est bien sûr utopique, Hegel n'ayant pas — et pour cause — lu Marx, pas même Feuerbach. Mais une telle extrapolation est quand même plus sérieuse que l'interprétation du marxisme comme la « démystification » de la dialectique hégélienne ou comme l'invention d'une dialectique toute

---

86. Le concept de classe n'est pas étranger à Hegel. Cf. *R.,* § 245 : « La classe la plus riche ».
87. Lettre à Joseph Weydemeyer du 5 mars 1852.

nouvelle, autrement dit non hégélienne, au sens où Bachelard avait parlé d'une « épistémologie non cartésienne ». De même que l'épistémologie non cartésienne est de fond en comble cartésienne dans la mesure où elle ne démarre jamais de l'axiome que « la nature agit en tout mathématiquement », de même la dialectique non hégélienne est de fond en comble hégélienne pour peu qu'elle demeure dialectique. Comme le Sacré-Cœur de Montmartre, dans le Paris d'aujourd'hui, constitue le dernier monument de style romano-byzantin, le marxisme se présente parmi nous comme le dernier monument de style hégélien. C'est pourquoi sans doute les deux attirent les foules et sont des lieux de pèlerinage actif. Reste la question des questions : celle de la dialectique elle-même. Nous avons essayé de montrer plus haut que l'*idée* dialectique, il est à présumer que c'est du fond des âges qu'elle arrive à maturité avec la philosophie de Hegel, qui n'est pas, comme le prétend Engels, la simple *reprise* d'une pensée vieille comme le monde, mais la *répétition* d'un début qui est le début même de la philosophie, le mot répétition ne signifiant pas simplement redite, mais réouverture d'une question jusqu'à ses possibilités encore en retrait [88]. Nous avons vu que cet approfondissement de la question en elle-même revenait peut-être pour Hegel à penser jusqu'à leur unité encore latente la philosophie de Platon et celle d'Aristote dans l'interprétation dialectique du syllogisme lui-même, ce que nul avant lui n'avait entrepris. Pour Marx, les choses sont plus simples. Il se borne à prendre ce que Hegel nommait le « mouvement dialectique de la proposition » comme l'essence ou plutôt le « cela va de soi » du déterminisme scientifique. Le « mérite » de Hegel est à ses yeux d'avoir délivré le concept même de loi de l'armature seulement mathématique que lui avaient assignée Galilée et Descartes. Que tout dans l'histoire obéisse à des lois *et* que ces lois soient dialectiques, voilà qui est de bonne prise.

Cette manière de penser est celle du *positivisme*. Le positivisme est l'optique naïve de la science quand elle se borne à l'exploitation méthodique d'un domaine de pensée déjà ouvert, sans jamais revenir à l'ouverture même qui le porte, mais en le prenant comme allant de soi, ce qui est le laisser à la traîne derrière soi [89]. De même qu'Auguste Comte salue au passage Descartes en le félicitant d'avoir enfin réalisé en mathématiques « l'intime incorporation du calcul à la géométrie [90] », Marx, saluant Hegel au passage, le félicite d'avoir, dans sa *Logique,*

---

88. Heidegger, *K. M.*, § 35.
89. Heidegger, *Hzw.*, p. 90.
90. *Système de politique positive,* Paris, 1929, éd. de la Société Positiviste, I, 485.

enfin réalisé l'intime incorporation de la contradiction à la vérité. Mais à la question : pourquoi Descartes, pourquoi Hegel ont-ils été les hommes d'une telle percée ?, Auguste Comte répond, en ce qui du moins concerne Descartes, par la *loi des trois états* qui, à ses yeux, repose non moins sur les « faits » que les lois de la chute des corps. Le positivisme va ainsi à la science par la science. Le chemin de Comte est non moins celui de Marx. A la question que lui pose Hegel avec sa découverte de la dialectique, il répond que l'interprétation dialectique des lois de l'histoire est tout simplement une bonne adéquation, une adéquation enfin scientifique de la pensée avec les faits. Si c'est seulement au début du XIXᵉ siècle qu'elle est clairement formulée, c'est parce qu'il est clair que le XIXᵉ siècle est, pour cette formulation, un état d'urgence. Marx expliquerait volontiers l'interprétation dialectique du mouvement dans la philosophie hégélienne comme Sade, dans son *Idée sur le roman,* avait expliqué l'apparition au XVIIIᵉ siècle des *romans noirs* en en faisant « le fruit indispensable des secousses révolutionnaires dont l'Europe entière se ressentait ». André Breton a écrit sur ce point une page brillante. Ce n'est donc pas l'interprétation dialectique de la Révolution qui résulterait de la philosophie de Hegel : c'est bien plutôt en écho au caractère devenu universellement révolutionnaire de la réalité qu'à son insu la philosophie devient, avec Hegel, dialectique, et, si Hegel se représente dialectiquement le rapport du prédicat au sujet dans la proposition, c'est tout simplement parce qu'autour de lui et au niveau des faits la Révolution est un peu partout à l'ordre du jour.

Mais la réduction marxiste de la dialectique a une évidence de fait, « tout problème philosophique, dans sa profondeur apparente, se résolvant sans plus en un fait empirique [91] », diffère cependant du positivisme de Comte en ce que celui-ci ne se veut d'autre instituteur que le savoir tel qu'il se présente déjà dans les sciences dites positives. Selon Marx, au contraire, c'est l'évidence même du savoir positif qui l'a déjà transporté au-delà de lui-même, et ce n'est qu'idéologiquement que les savants, qui sont eux aussi des hommes à qui le social est essence, se retiennent de voir et de dire la plénitude de la lumière qui partout cependant surabonde. Même les mathématiques selon Engels sont en leur profondeur, qui est le calcul infinitésimal, de la dialectique [92]. Dès lors, Hegel, s'il voit la dialectique sans la voir pourtant dans son entière vérité, qui est avant tout « critique et révolutionnaire », représente pour Marx ce que fut pour les théologiens du Moyen Age la philosophie grecque, du moins telle qu'elle se

91. *D. I.,* p. 41.
92. *Anti-Dühring,* trad. E. Laskine (Paris, 1911), p. 171.

présente avec Aristote, dont ils suivent à la lettre les analyses.
Eux aussi la prennent pour allant de soi. Il suffit dès lors d'interpréter ce que, selon saint Paul, « cherchent les Grecs » comme
une aspiration non encore exaucée à la vérité que révélera la
seule foi chrétienne. Il y a en effet dans la philosophie d'Aristote
quelque chose de solide et de sain qu'il est par conséquent on ne
peut plus légitime de « recruter », dira M. Gilson, au service
de la religion, pour le plus grand bien de l'une comme de l'autre.
Sans doute Aristote n'a-t-il pas pu aller jusqu'au bout de sa
propre pensée. *Credo quod non pervenit ad hoc,* disait saint
Bonaventure. Mais enfin il était déjà sur le bon chemin, sur lequel
saint Thomas sera pour Aristote ce que deviendra, cinq siècles
plus tard, pour l'infortuné Louis XVI, le pénétrant Turgot, à
savoir, selon M. Lavisse, « l'interprète lucide de sa sincère et
confuse bonne volonté ». Ainsi en va-t-il pour Hegel, à qui le
seul marxisme délie la langue. *Sine Thoma mutus esset Aristoteles.* A ce mot de Pic de la Mirandole, il suffit d'ajouter : « Et
sans Marx, Hegel. » C'est en ce sens que, dans son *Nietzsche,*
Heidegger peut écrire : « Que les théologiens du Moyen Age
étudient à leur guise, qui consiste à en retourner le sens, Platon et
Aristote, nous met en présence du même phénomène que lorsque
Marx recrute, au service de son idéologie politique, la métaphysique de Hegel [93]. » Car ni les scolastiques ni Marx ne s'avisent,
dans ce qu'ils retournent, d'un tout autre fond ou d'un tout
autre sens que celui qu'ils lui prêtent pour d'autant mieux le
retourner — sous le nom de « paganisme » dans un cas et
d' « idéalisme » dans l'autre. La différence est que si les Grecs
ne disaient nullement : « Nous autres, païens », Hegel dit bel et

---

93. Cette phrase, prononcée en 1940 (*N.,* II, 132), n'est évidemment
pas le dernier mot de Heidegger sur le marxisme. Dans la *Lettre sur
l'Humanisme,* écrite en 1946 et publiée en 1947, il le caractérise laconiquement comme « une expérience élémentaire de ce qui, à la mesure d'un
monde, s'accomplit historiquement ». Le premier point de l'interprétation
marxiste est en effet, d'après la lettre de Marx à Weydemeyer déjà citée,
que les luttes auxquelles se rattache l'existence des classes sont historiquement liées au développement de la production » et ainsi à la transformation technique du monde. Mais, pour Marx, cette transformation technique, elle aussi, *va de soi.* Pour Heidegger, au contraire, l'essence de
la technique est *encore à penser.* Si donc pour la première fois le
marxisme pressent dans le développement technique un vecteur essentiel
de l'histoire, c'est sans se poser la question de la technique elle-même.
C'est en quoi l'expérience marxiste de l'histoire demeure encore, malgré
un coup d'œil qui va tout droit à l'essentiel, « élémentaire ». Il est
d'autre part clair que les deux propositions de Heidegger, celle de 1940
et celle de 1946, ne sont nullement contradictoires. Que le marxisme puisse
être caractérisé comme « expérience élémentaire » de ce qui demeure
à penser n'empêche nullement que le rapport de Marx à Hegel, en ce qui
concerne la dialectique, soit un rapport épigonal.

bien : « Nous autres, idéalistes », comme Husserl dira : « Nous autres, les sujets. » Mais l' « idéalisme » et sa caricature marxiste restent pourtant plus loin encore l'un de l'autre que le monde grec de l'ἀλήθεια et l'interprétation scolastique de celui-ci, avec cette différence que la scolastique médiévale répond à un tout autre destin de l'être que la philosophie grecque, alors que le marxisme et la philosophie de Hegel sont du même monde, mais à deux niveaux différents, et dont l'un seulement est le niveau de la philosophie.

Dans la « gigantomachie au sujet de l'être [94] » qu'est la philosophie dans son histoire, Hegel est, parmi les grands philosophes, celui qui pense l'être à la mesure de la proposition spéculative selon laquelle il est non seulement identité mais contradiction, non seulement contradiction mais réconciliation. C'est pourquoi il écrit dans l'*Histoire de la philosophie* : « Il n'est aucune proposition d'Héraclite que je n'aie accueillie dans ma *Logique* [95]. » Le mot proposition traduit ici l'allemand *Satz,* qui, de même que proposition, répond au grec λόγος. Ici pourtant une nuance est aussitôt à marquer. Si toute proposition est λόγος, l'inverse n'est pas toujours vrai ; le λόγος n'est pas nécessairement proposition. Il ne l'est que quand il devient le rapport d'un sujet à un prédicat. Mais, là, plusieurs cas sont encore possibles. Ce rapport peut avoir une valeur interrogative (Qui est venu ?). Il peut transmettre un ordre (Allez-vous-en !). Et tout aussi bien exprimer un souhait (Fasse le ciel que vous réussissiez !). Mais il peut aussi et tout simplement signifier qu'un prédicat est attributivement rattaché à un sujet, comme quand on dit : la neige est blanche. La proposition ne parle plus dès lors à l'impératif, au subjonctif ou à l'optatif mais sa « pente », disaient les Grecs, ou son « mode », diront les Romains, est à l'indicatif. Cette « pente », les premiers l'avaient caractérisée comme ἀποφαντικὴ ἔγκλισις, en écho au λόγος ἀποφαντικός d'Aristote qui, pour Aristote, était ce qu'il y avait dans le λόγος de plus décisif [96]. Il y a donc selon lui proposition quand le λόγος est axé sur la distinction en lui du sujet et du prédicat et principalement quand la « pente » d'un tel λόγος est à l'indicatif, la chose étant dite par là, et par là seulement, « comme si on en venait [97] ». En est-il ainsi pour la parole d'Héraclite ? Lorsque Héraclite dit : *Un-Tout,* ou lorsqu'il dit : *Immortels mortels mortels immortels vivant la mort mourant la vie les uns des autres,* où est le sujet

94. Platon, *Sophiste,* 246 a.
95. *G. P.,* I, 344.
96. « Tout λόγος est sémantique (...) mais non toujours apophantique ». *De Int.,* IV, 16 b 33-17 a 2.
97. Leibniz, *Nouveaux Essais,* II, ch. i, § 5 (*Phil.,* V, 257).

et où le prédicat ? De telles paroles n'ont pas le caractère de la proposition. Seraient-elles donc moins apophantiques, c'est-à-dire donneraient-elles moins à voir et à penser que la proposition ? Ne sont-elles pas au contraire beaucoup plus donnantes ? Aucune parole d'Héraclite n'est à vrai dire proposition. Ou plutôt, comme la parole du poète, aucune ne l'est qu'en apparence et pour la grammaire. Aristote aurait-il donc pris son modèle dans la grammaire ? N'est-ce pas plutôt la grammaire qui, plus tardivement, se règle sur l'analyse d'Aristote ? Et sur la grammaire, sinon Aristote, du moins toute la philosophie après lui ? L'idée d'une *grammaire spéculative* qu'en référence à Duns Scot Heidegger étudie quand l'heure est pour lui venue de prouver sa capacité professorale, doit retenir notre attention. Peut-être la philosophie de Hegel est-elle à ses yeux, dans les temps. modernes, le chef-d'œuvre le plus accompli de la *grammaire spéculative*. Et peut-être n'est-elle encore que cela.

Parler ainsi n'est nullement rabaisser Hegel. C'est l'honorer à sa mesure. Mais c'est aussi comprendre que son propos, quand il dit avoir recueilli et ainsi sauvé dans sa *Logique* toutes les « propositions » d'Héraclite, devrait lui aussi nous mettre en éveil. Car le site de la parole d'Héraclite n'est nullement la proposition, qui est au contraire, pour Hegel, canonique. Hegel *philosopherait*-il donc à un niveau qui n'est plus celui de la *pensée* d'Héraclite, mais celui d'Aristote, l'interprétation spéculative de la proposition n'étant qu'une « variation grandiose [98] » sur le thème du λόγος aristotélicien ? Répondre affirmativement serait peut-être perdre de vue, aussi bien qu'Héraclite, Aristote. Car, selon Aristote, le λόγος, même devenu proposition, demeure dans son essence *apophantique*. La pensée, se demande Heidegger, « arrivera-t-elle enfin à pressentir quelque chose de ce que cela signifie qu'Aristote puisse encore circonscrire le λέγειν comme ἀποφαίνεσθαι [99] » — autrement dit, comme « laisser apparaître » ? La proposition hégélienne laisse moins apparaître qu'elle ne prétend s'assurer dialectiquement de ce qui lui est objet, en attendant que Nietzsche s'en assure d'une manière encore plus décisive. Elle s'assure de l'être et de son mouvement. Mais peut-être « l'énigme de l'être et du mouvement » telle que Heidegger l'évoque à la fin de *Sein und Zeit* [100] est-elle inaccessible à la proposition même spéculative. Peut-être le souci croissant de s'en assurer toujours plus outre n'est-il que le revers d'une inassurance secrète. Car l'apophantique d'Aristote, si la « certitude » lui est inconnue, n'en souffre

98. Heidegger, *W. D. ?*, p. 148.
99. *V. u. A.*, p. 213.
100. *S. Z.*, § 75, p. 392.

nullement comme d'un manque. Pas plus que la parole d'Héraclite de n'être pas proposition. Aurions-nous donc à apprendre à
voir ce que nous avons pourtant sous les yeux ? Aurions-nous à
apprendre à dire ce que nous ne cessons pourtant d'énoncer ?
Mais alors, en quelle langue ? S'agit-il d'une langue nouvelle,
comme le voulait Leibniz, et finalement de la langue qu'autour
de nous parlent logistiquement les ordinateurs ? Ou de celle qu'à
notre insu nous parlons tous depuis toujours ?

   Mais le chemin jusqu'à la langue que nous parlons à notre
insu, celui que n'ont pas déserté les poètes, peut-il être aussi un
chemin de pensée ? Le propre de la pensée, dans cette contrée
du monde que Hegel nomme l'Occident, est d'être devenue la
philosophie. « Les philosophes sont les penseurs. On les appelle
ainsi parce que c'est électivement dans la philosophie que déploie
son jeu la pensée [101]. » Ainsi parle Heidegger, en écho à Rimbaud
dont il n'ignore pas qu'il avait dit : « Philosophes, vous êtes de
votre Occident. » Non qu'il y ait à faire naïvement le saut de cet
Occident qui est nôtre à une prétendue philosophie orientale.
L'Occident, Hegel le savait, c'est en lui qu'il contient son propre
Orient, d'où précisément lui vient, séisme originel, la philosophie
qui le coupe initialement de l'Orient. Car la philosophie dès
sa naissance nomme la différence de l'étant et de l'être qui est
l'*ipsissimum* de la pensée grecque mais qui, tout aussitôt, n'est
plus accessible même à celle-ci que dans l'ombre portée de
l'étant sur l'être. Le passage d'Héraclite à Platon est ainsi
mutation germinale. Dès lors commence, dit Valéry, le temps
de l' « écart sans retour [102] » qui est, d'un bout à l'autre, notre
histoire, dans laquelle au lieu de « se prodiguer pour la vérité
de l'être [103] », comme le poème de Parménide ou comme la
parole d'Héraclite, le mouvement de la pensée devient mouvement de l'étant à l'étant à travers un regard qui cependant
demeure axé sur l'être. Telle est la structure onto-théologique
de la métaphysique selon laquelle, de Platon au retournement
nietzschéen du platonisme, chaque époque de son histoire renvoie
à sa propre origine, qui lui est cependant de plus en plus voilée.
« La métaphysique part de l'étant pour en venir à nouveau
jusqu'à celui-ci. Mais non de l'être jusqu'à se faire une question
de sa manifesteté [104]. » Un tel langage est bien sûr inintelligible
si l'on entend par *être* l'*ipsum esse* de saint Thomas. Mais être,
dans *Etre et Temps,* n'est pas ce que nomme ainsi saint Thomas.
Il renferme en lui, disait Heidegger au soir du 7 juin 1957,

101. *V. u. A.*, p. 131.
102. *Vues* (La Table ronde, 1948). 103.
103. Heidegger, *W. M. ?* (Nachwort), p. 44.
104. *E. M.*, p. 65.

date à laquelle l'université de Fribourg célébrait son cinquième centenaire, « toutes les interprétations métaphysiques de l'être depuis Platon jusqu'à Hegel et jusqu'à Nietzsche, c'est-à-dire du commencement à la fin de la métaphysique ».

Unterwegs zur Sprache, « sur le chemin de la parole », ce titre de Heidegger qui est aussi une exhortation (comme *Zur Seinsfrage,* droit à la question de l'être ! Ou *Zur Sache des Denkens,* droit à l'affaire de la pensée !), constitue le sens même de cette rétrocession de la philosophie que, dès 1929 et à propos de Kant, Heidegger présentait comme « l'attaque dirigée par l'être-le-là (*Da-sein*) sur le fait métaphysique originel qu'il porte en lui », autrement dit comme *destruction de la métaphysique.* C'est seulement une telle « destruction » qui nous met « sur le chemin de la parole ». Car, de la langue et de sa parole, la métaphysique se fait une représentation elle-même métaphysique selon laquelle la langue ne serait autre chose qu'une articulation syntaxique de termes significatifs, les analyses scientifiques du prétendu « fait linguistique » n'étant de leur côté que l'enregistrement du *metaphysisches Urfaktum* que porte en lui le *Da-sein.* Mais la langue n'est pas ce qu'en dit la linguistique, à savoir utilisation de signes verbaux. Elle est la maison où le pays de l'être, entendu à son tour comme « ce à l'égard de quoi se déploie de plein gré la pensée ». La philosophie, chaque fois qu'elle fait époque, c'est-à-dire rarement, n'est nullement invention de systèmes. Mais elle a « tracé dans la langue des sillons inapparents, de moindre apparence encore que ceux que, pas à pas, le paysan trace à travers son champ [105] ». La conquête hégélienne de la triple ouverture du *est* de la proposition spéculative [106] est l'un de ces sillons, non le premier ni le dernier, bien que Hegel ne sache rien de la contrée dans laquelle il avait labouré la terre. Heidegger écrit à propos de la philosophie de Kant, c'est-à-dire de l'*expérience* dans laquelle l'être même lui était « à soutenir » : « La thèse de Kant sur l'être comme simplement position demeure un sommet d'où la vue s'étend vers l'arrière jusqu'à la détermination de l'être comme ὑποκεῖσθαι, et qui, vers l'avant, permet au regard de s'ouvrir à l'interprétation à la fois spéculative et dialectique de l'être comme concept absolu [107]. » Nous pourrions dire le même de l'*expérience* hégélienne de l'être qui ne renvoie jusqu'au fond du passé qu'en lui préparant imprévisiblement encore un avenir. Au cours du demi-siècle qui suit la mort de Hegel, un tel avenir sera la philosophie de Nietzsche qui reconnaît en effet dans la dialec-

---

105. *Brief...,* p. 119.
106. *I. D.,* p. 72.
107. *Kants These...,* dernière phrase.

tique hégélienne une « initiative grandiose [108] », car, aux yeux
de Nietzsche, Hegel comprend déjà « l'innocence du devenir ».
Hegel est ainsi pour Nietzsche, sinon pour les imprudents
commentateurs de celui-ci, son *déjà* le plus proche, comme Kant
l'était pour Hegel. Mais où ? Là où ils se savent tous les deux
sans cependant savoir encore le *là* qui leur est propre, bien que
ce soit pour lui cependant que la pensée en eux se déploie « de
plein gré ».

La philosophie de Hegel... « n'est nullement sans vérité. Mais
elle n'est pas non plus en partie juste et en partie fausse. Elle
est aussi vraie qu'est vraie la métaphysique qui, avec Hegel,
porte pour la première fois à la parole, dans la figure du système,
son essence même en tant qu'absolument pensée ». Ce propos
de Heidegger, dans la *Lettre sur l'humanisme* [109], concerne
essentiellement l'interprétation hégélienne de l'histoire. Car si
l'histoire n'est pas selon Hegel le fond même de l'esprit, il n'en
reste pas moins qu'il « est conforme au concept de l'esprit que
l'histoire trouve dans le temps son point de chute ». Ainsi parle
Hegel, tout à un regard qui se détourne de l'étant pour se
porter sur ce que lui est être. L'esprit est donc histoire, même
s'il n'est pas que cela. Mais l'histoire à son tour est esprit,
c'est-à-dire que le fil conducteur de l'histoire est la proposition
spéculative. C'est ainsi que l'histoire, comme Dieu lui-même,
est système. Voilà, dit Heidegger, qui est « aussi vrai que la
métaphysique quand, avec Hegel, elle porte pour la première
fois à la parole, dans la figure du système, son essence même
en tant qu'absolument pensée ». Rien ne serait plus plat que
de reprocher à Hegel d'être *trop* systématique ou d'être *arbitrairement* tel. Autant reprocher à Descartes le *cogito* ou à
Platon que l'être lui soit εἶδος, c'est-à-dire de tenir, comme
Voltaire Pascal, les grands philosophes pour de « grands exagé-
rateurs ». Cette reculade de la pensée jusqu'à la « jugeotte de
tout un chacun » est, selon Hegel, le remplacement du café par
la chicorée. « C'est ainsi ! » aurait-il dit, paraît-il, devant les
Alpes. Il ne dit rien d'autre quand la tâche lui est de « soutenir
l'épreuve de l'être ». Mais il est permis de conjecturer que, dans
une telle épreuve, le pressentiment va plus loin encore que la
formulation. Si l'histoire a dans le temps son point de chute, il
nous faut dire aussi que Dieu lui-même, ce n'est qu'en déclinant
intemporellement au-dessous de sa propre essence qu'il devient
lui-même en esprit et en vérité. Rien n'atteint le sommet de son
être s'il ne s'offre à l'épreuve de son propre déclin. A propos
de Trakl et de l'énigmatique Elis qu'il nomme en poème,

108. *Der Wille zur Macht*, § 416.
109. *Brief...*, p. 82.

Heidegger écrit : « Elis est aussi distinct du poète que de Nietzsche en tant que penseur la figure de Zarathoustra. Mais les deux figures conviennent cependant en ce que leur être même et leur pèlerinage commencent avec le déclin [110]. » Hegel n'est pas l'homme d'un tel dédoublement de la pensée et de son mythe. Il n'en est pas moins le premier philosophe à qui l'épreuve de l'être ait été en premier l'épreuve dépaysante du déclin. Sans doute l'interprétation dialectique du déclin ne le retient-elle que comme moment d'un « processus » qui s'élève d'autant mieux au-dessus de ce dont il décline, au sens où Leibniz disait : « C'est reculer pour mieux sauter. » Mais enfin le déclin est là pour la première fois en un sens qui n'est *nullement dépréciatif*. Il appartient à l'essence même de l'être. Faut-il donc oser penser le déclin au-delà de Hegel et de la dialectique, au-delà même de Nietzsche et de son expérience plus clairvoyante du tragique et aller jusqu'à dire avec Heidegger qu'il est *Sache des Seins* [111], l'*affaire* même de l'être ? Et que c'est là que réside en propre « l'énigme de l'être et du mouvement » ? Autrement dit, que c'est *déclinativement* que ne cessent de surgir, « libre suite », les époques de l'être ?

Que de telles questions demeurent confiées à l'endurance de la pensée. Elles ne trahissent nullement la disgrâce d'une échappatoire qui, par angoisse devant la pensée, prétendrait se trouver du côté des poètes un refuge précaire [112], mais, traduisent le rapport de la pensée au plus secret peut-être de son « histoire secrète ». Mais alors l'être même serait cette histoire et, loin que l'histoire ait besoin du temps comme point de chute, le temps lui-même serait le « sens de l'être » ? Faudrait-il donc enfin lire *Sein und Zeit* ? Et comprendre par là que Heidegger n'est pas plus hégélien qu'il ne réfute Hegel, pas plus qu'il ne réfute, quand il est devant eux, Platon ou Aristote, Descartes ou Leibniz, Kant ou Nietzsche, mais les laisse au contraire apparaître là où ils sont sans en savoir le site, s'émerveillant de leur apparition et nous exhortant à une méditation qui ne soit pas ressentiment à l'égard du passé, mais ouverture de ce qui fut à la plus extrême possibilité qui, dès le départ, se réserve en lui ? *Lire* donc *Sein und Zeit* ? Ce n'est pas à mon sens par hasard que la traduction publiée en français s'arrête à mi-chemin. Un tel phénomène ne relève d'aucune explication économique ni psychologique. Il est dans son sans-gêne apparent le plus éclatant hommage à Heidegger d'un temps qui le refuse en feignant de lui attribuer la place qui lui revient.

---

110. *U. z. S.*, p. 54.
111. *Hzw.*, p. 335.
112. *Brief...*, p. 112.

LE « DIALOGUE AVEC LE MARXISME » ET LA « QUESTION DE LA TECHNIQUE »

A Kostas Axelos

Dans la *Lettre sur l'humanisme,* Heidegger évoque comme l'une des tâches de la « pensée à venir » ce qu'il nomme : *ein produktives Gespräch mit dem Marxismus.* Disons : un dialogue avec le marxisme qui ne soit pas stérile. Mais pourquoi le marxisme et non Marx ? Marxisme n'est-il pas lui-même un de ces noms en *isme* avec lesquels, dit Valéry, il est impossible de penser — sérieusement — car « on ne s'enivre ni ne se désaltère avec des étiquettes de bouteilles » ? En réalité, le terme de marxisme n'a ici rien de péjoratif et la terminaison *-isme* n'est pas une simple étiquette. Elle signale plutôt que la philosophie de Marx devrait être prise « en ce qu'elle a d'essentiel » et non d'après les versions qu'en donnent ceux qui s'en font littérairement les exploitants. Nommons-les des « néo-marxistes », comme on dit les « néo-thomistes », l'art du néo-thomisme étant d'octroyer généreusement à saint Thomas ce qui n'a jamais été sien, jusqu'à faire apparaître Heidegger lui-même comme un thomiste qui s'ignore. Il en est de même du néo-marxisme. C'est cependant avec lui que nous commencerons, sans craindre de commencer peut-être un peu trop bas.

Prenons un exemple. Une notion mise à la mode par le néo-marxisme est celle du traître qui n'a pas pour autant l'intention d'être traître mais qui, par sa conduite, n'en est pas moins traître « objectivement ». A qui soutiendra par exemple que Danton en son temps n'était pas un traître mais l'un des géants de l'époque révolutionnaire, on répondra en s'inspirant de Saint-Just que, malgré la pureté d'ailleurs suspecte de ses intentions, sa propension à l'indulgence faisait de lui en 1794 un « traître objectif ». D'où la célébration néo-marxiste des procès de Prairial, préfiguration historique des procès de Moscou, à ceci près que les procès de Prairial ne comportaient pas encore le rite un peu monotone des aveux de ceux qu'ils étaient faits pour condamner. Mais enfin, disait Fouquier-Tinville : « Les têtes tombaient comme des ardoises », y compris celles du dangereux Lavoisier et du non moins redoutable André Chénier. Mais à qui s'avisera de soutenir dans un autre contexte que le régime capitaliste peut avoir la propriété d'accroître « objectivement » le pouvoir d'achat de ses prolétaires, on répondra tout aussi bien que telle n'est nullement l'intention des capitalistes, vu que, de leur propre aveu, l'unique moteur de leur système est la recherche du profit. La justification, vraie ou fausse, peu importe ici, du capitalisme, repose pourtant exactement sur le même mécanisme logique que l'interprétation de la traîtrise comme objective. Si l'on peut être un traître sans nullement l'avoir voulu, il est non moins possible que le fonctionnement du capital — qui, aurait dit, paraît-il, Jules Verne, est « mon cher, un monstre instinctif qui n'a qu'un seul désir : s'accroître » — ait « objectivement » une tout autre portée que celle que lui assignent ses mobiles subjectifs, et ceci d'une manière telle que le passage au socialisme puisse même, le cas échéant, comporter quelques déboires. Mais les marxistes au goût du jour, autrement dit les néo-marxistes, raisonnent ici à sens unique, devenant en cela semblables à J. S. Mill, à propos de qui Marx disait pourtant, à tort ou à raison, que « si la contradiction est la source vive de la dialectique hégélienne, elle ne nous invite pas pour autant à nous enfermer (avec Mill) dans de grossières contradictions [1] ».

En réalité, le jeu à la mode du subjectif et de l'objectif n'est qu'une piètre argutie, digne de la pire sophistique. Il faut donc aller plus loin. A quoi subvient, dans le *Capital,* la fameuse thèse, purement objective celle-la, de la « contradiction capitaliste » telle qu'elle se fait jour dans le phénomène bien connu des « crises », le socialisme en étant par essence préservé. Il ne connaît en effet que des « difficultés », dues tout simplement, comme on sait, à l'hostilité du monde capitaliste, qui non seulement l'encercle du dehors, mais le menace si opiniâtrement de l'intérieur qu'en Russie soviétique même plus de cinquante ans de dictature du prolétariat n'ont pas encore suffi à conjurer une telle menace.

Les fameuses « crises » qui étaient pour Marx l'indice le plus

---

1. *K.,* I, 626, note.

certain d'une révolution imminente sont pourtant aujourd'hui en
baisse. C'est pourquoi le dernier reproche fait au capitalisme n'est
plus tant de précipiter le monde dans des crises que d'appâter le
peuple par les illusoires délices d'une « civilisation de consomma-
tion ». C'est ainsi que plus d'un néo-marxiste va louchant vers
les pays dits « sous-développés » qui lui proposent une meilleure
espérance : « Petit blanc, tu seras mangé. » L'Eglise, qui n'a
jamais perdu le nord, s'est mise elle aussi dans le « vent de
l'histoire ». La Russie n'est qu'une autre Amérique. Dès lors :
Vive la Chine ! Et pourquoi pas ? — se disent les Chinois à qui
l'histoire du monde n'a jamais été, pensent-ils aussi, qu'une interminable injure. N'avons-nous pas pourtant inventé la poudre ?
disent-ils. Et ne sommes-nous pas sept cent millions ?

Il serait pourtant vain de ne pas se rendre à l'évidence. Jamais,
depuis que le monde est monde, il n'a été aussi détraqué. Plus
que jamais, comme le déclare, chez Sophocle, Tirésias : νοσεῖ
πόλις[2]. Mais il se pourrait aussi que le « fondement secret »
d'un tel état de choses ne soit nullement, comme l'enseigne
Marx, le capitalisme, mais quelque chose d'encore plus secret,
dont le capitalisme lui-même pourrait bien n'être qu'un « à côté »
(πάρεργον). C'est vers un tel secret que Heidegger tente de
s'orienter en posant en 1953 la *question de la technique*. Résu-
mons d'abord à notre façon ce qu'il dit. Si les Chinois qui ont
inventé la poudre n'en ont pas fait le principe d'une artillerie
dont les deux « dernières » guerres mondiales ont démontré
plus près de nous la puissance exacte, ce n'est pas tant faute de
capitaux et de capitalistes que parce que les Chinois n'étaient
pas les hommes de la technique, dans son rapport à la τέχνη
des Grecs. Non que, comparativement aux Grecs, ils soient restés
des primitifs et des sauvages. Mais leur non-primitivisme man-
quait essentiellement d'un ferment beaucoup plus explosif que
la poudre elle-même, celui qui, bien que demeuré, comme tout
ce qui est essentiel, le plus longtemps possible dans l'abri de
son propre retrait, éclate comme un soudain coup de tonnerre
dans la parole de Descartes, annonçant prémonitoirement en
1637 que le temps est venu, pour nous Occidentaux, de « nous
rendre comme maîtres et possesseurs de la nature ».

Mais n'est-ce pas là le rêve ancestral de l'humanité elle-
même ? Tant s'en faut. Un tel rêve était tout à fait étranger
aux Grecs qui, bien qu'Occidentaux, demeuraient encore, du
moins en apparence, très proches des Chinois sur ce point. Nul
besoin, disait Aristote, de « commander à la terre et à la mer »
pour faire œuvre d'homme. Et l'on sait qu'Archimède ne prêtait
qu'une oreille distraite aux commandes de son roi qui le pressait

---

2. *Antigone*, vers 1015 : « Le pays se porte mal ».

de tirer de ses mathématiques de meilleures machines de guerre
que celles des Romains. On sait aussi que les Grecs ont bel et
bien découvert, comme les Chinois la poudre, le principe de la
turbine à vapeur, mais pour s'en faire une amusette. Mais pourquoi ? A cause, suggère avec bien d'autres M. P.-M. Schuhl, de
l' « abondance des esclaves[3] ». On croit rêver. Les esclaves
étaient-ils donc une spécialité grecque ? Et le monde aurait-il
eu besoin d'eux pour recevoir des leçons d'esclavage ? Si non,
ce n'est peut-être pas du côté des esclaves qu'il importe de
regarder pour comprendre et le monde grec et l' « écart sans
retour » qui nous rattache à lui. Mais ce n'est peut-être pas
non plus du côté du capitalisme, surtout si l'on ne voit en
lui que la version moderne de l'esclavage antique.

Quand on lit le texte que Marx et Engels publient en 1847
sous le titre de *Manifeste du parti communiste,* il est impossible
de n'être pas captivé par une page des mieux venues qui résume
l'histoire des temps modernes et où le sujet de toutes les phrases
est : la bourgeoisie. Entendons : le capitalisme. C'est, paraît-il,
« la bourgeoisie » qui a soumis la campagne à la ville, fait naître
d'énormes cités, centralisé les moyens de production, procédé à
la subjugation des forces de la nature et au défrichement de
continents entiers, appliqué la chimie à l'industrie, créé la navigation à vapeur et même le télégraphe électrique, etc. En réalité,
la bourgeoisie n'a pu faire tout cela qu'en climat technique.
Pourquoi dès lors Marx dit-il « la bourgeoisie », et non pas « la
technique » ? C'est parce que la technique, Marx ne l'entendait
qu'en un sens simplement instrumental. C'est donc la bourgeoisie
et non la technique qui est le sujet des propositions marxistes, en
attendant que, grâce à un revirement dialectique de la situation,
ce sujet devienne le prolétariat qui prolongera et amplifiera, mais
au profit de tous, l'œuvre technique qui fut celle de la bourgeoisie. La technique pour Marx n'est pas un sujet mais quelque
chose de neutre[4] qui a essentiellement besoin d'un sujet ou d'un
autre, lequel à son tour ne manque jamais d'arriver à son heure
suivant les « lois immanentes », c'est-à-dire dialectiques de l'histoire.

Tout le questionnement de Heidegger se rassemble en ce point.
La technique est-elle vraiment cet élément neutre qu'elle est pour
tout un chacun, y compris pour Marx ? Ou penser ainsi est-il
être « totalement aveugle devant l'essence de la technique » ?
En d'autres termes, la technique n'est-elle pas dans son essence,

3. *Machinisme et philosophie,* ch. I.
4. Bien que Marx lui-même, dépassant pour ainsi dire le « marxisme »
dans le sens qui sera celui de Heidegger, fasse *aussi* de la bourgeoisie le
willenloser und widerstandsloser Träger du « progrès de l'industrie ».

du moins pour nous, Occidentaux, le sujet lui-même dont bourgeoisie et prolétariat ne seraient que des prédicats ? S'il en était ainsi, la substitution du prolétariat à la bourgeoisie serait bien une révolution relative, mais non cette révolution que Marx se représentait comme ultime, le capitalisme n'étant pas à ses yeux « forme absolue pour le développement des forces productives [5] ». Dès lors, la Russie soviétique ne serait en effet relativement parlant qu'une autre Amérique, ce qui ne veut nullement dire qu'il faille aller chercher chez les Chinois une lecture de Marx plus rigoureuse que l'interprétation soviétique — les *retour à Lénine* ou *retour à Staline* étant aussi dérisoires que les *zurück zu Kant* ou *zurück zu Leibniz* de la philosophie allemande du XIXe siècle. La question qui se pose n'est pas celle de la *vraie* interprétation du marxisme, par quoi nul ne sort de la polémique, pour ne pas dire pis, mais d'un *produktives Gespräch mit dem Marxismus* pour lequel, précisait aussi Heidegger, ni la philosophie de Husserl ni l'existentialisme de Sartre ne proposent des bases suffisantes. Il ajoutait en 1955 à Cerisy : pour lequel il serait également essentiel que les marxistes eux aussi reviennent tant soit peu d'un certain dogmatisme. Car comment entrer en dialogue avec qui se sait « la vérité, la voie et la vie », à moins de se savoir aussi « la vérité, la voie et la vie », comme on le voit à la télévision ou sur le podium de la Mutualité ?

Mais l'interprétation instrumentale de la technique qui paraît ici être mise en question n'est-elle pas cependant évidente ? Certes. Elle ne l'est même, dit Heidegger, que trop. C'est en effet au nom d'une telle évidence que l'on affirme « avec un certain droit à coup sûr » que la technique moderne n'est pas « quelque chose de tout à fait autre et ainsi d'absolument nouveau » si on la compare à l'ancienne technique du métier. « Même le machinisme moderne avec ses turbines et ses générateurs reste un moyen produit par l'homme en vue d'une fin posée par l'homme. Même l'avion à réaction, même les moteurs à haute fréquence sont des moyens en vue de fins. Sans doute une station de radar est-elle moins simple qu'une girouette qui indique le sens du vent... Sans doute la production d'un moteur à haute fréquence exige-t-elle la convergence d'apports variés que contrôle un bureau d'études. Sans doute une scierie à eau dans un coin perdu d'une vallée de la Forêt Noire est-elle un moyen primitif en comparaison des installations hydrauliques qui utilisent le courant du Rhin. C'est cependant bien connu : même la technique moderne n'est qu'un moyen en vue de fins. »

Mais, nous le savons aussi par Hegel : « Le bien connu, à le prendre globalement comme tel, pour la raison précisément qu'il

---

5. *K.*, III, 293.

est bien connu, n'est pas connu. C'est le mode d'illusion le plus courant, aussi bien pour se tromper soi-même que pour tromper les autres, que de présupposer dans la connaissance quelque chose de bien connu, et par là, tant et plus, de se laisser séduire [6]. » Toute la pensée de Heidegger est, en philosophie, la mise en question du bien connu, et c'est pourquoi il pose une question là où au contraire d'autres seront plutôt tentés de s'en remettre à l'évidence. Mais poser une question n'est pas pour autant se mettre en attente d'une réponse. Car les réponses, c'est générale- ment plutôt du bien connu qu'elles nous arrivent. Non pas sans doute de ce qui nous est bien connu, puisque nous posons la question, mais de ce qui est bien connu des spécialistes de la question. *Je vais vous expliquer,* disent les spécialistes : grâce à nous, vous serez éclairés en tous points. C'est ainsi que Freud nous explique l'amour ou pourquoi Léonard de Vinci a bien pu peindre comme il a peint. Non pas pourquoi sans doute il est un grand artiste, mais ce que l'artiste qu'il était n'a fait que « sublimer ». C'est toute une histoire de vautour, paraît-il. Quant au vautour, il n'est pas précisément un vautour, mais autre chose que la décence se retient de dire, bien qu'il soit quand même un vautour. Marx, lui aussi, explique beaucoup. C'est à la lumière de Marx que Sartre s'explique à lui-même qui il est, à savoir un homme occupé, plus encore qu'au temps de l'occu- pation, et dès lors un résistant, plus aujourd'hui qu'hier et bien moins que demain. Heidegger au contraire n'est nullement l'homme des explications. A l'explication, en allemand *Erklärung,* il préfère ce que Kant avait nommé d'un nom tout autrement parlant : *Erörterung.* Dans *Erörterung,* on entend le mot *Ort* qui dit le lieu ou le site. Faudrait-il donc traduire *Erörterung* par situation ? Il n'y aurait en effet rien de mieux si, du mot situa- tion, il n'avait été usé et abusé, du moins en domaine français, par trop d'essayistes, comme on dit : *situation de Proust, situa- tion de Valéry, situation de Bernanos,* etc. Au point que le mot situation désigne aujourd'hui plutôt un genre littéraire du type impressionniste que la recherche d'un questionnement plus essen- tiel que toute explication.

Mais comment ramener la question de la technique au site à partir duquel seulement la technique fait question au lieu de se réduire à l'évidence de son caractère instrumental ? Serait-il hors de saison de remarquer que le vocable *technique,* qui ne devient français — Descartes ne le connaît pas encore — qu'au XVIIIe siècle, parle grec ? Il est un de ces mots qui se cherchent directement dans le grec une provenance en sautant à pieds joints par-dessus le latin. On sait que viennent directement du

---

6. *Ph., Préface,* trad. J. Hyppolite, I, 28.

grec la dénomination de nombreuses maladies parmi celles dont
le genre humain est affligé. Est-ce en hommage à Hippocrate ?
La technique n'est cependant pas le nom d'une maladie. Au grec
τέχνη répondait en latin le mot *ars*, en français *art*, tel qu'il ne
tarde à voisiner avec *métier* : les *arts et métiers*, dit-on — à
moins qu'il ne se hausse au-dessus des simples métiers, comme
quand on dit les *beaux-arts*. Mais quel besoin, répudiant l'art,
d'aller demander au grec, non au latin, un mot nouveau qui de
son côté paraît n'être indispensable qu'à partir du XVIIIe siècle ?
Se serait-il donc vers ce temps passé quelque chose qui aurait
motivé cet enrichissement assez insolite de la langue ? Et pourquoi non ? N'est-ce pas en effet du XVIIe au XVIIIe siècle que la
production tend à échapper aux anciens métiers pour devenir
l'affaire de manufactures, puis de fabriques et finalement d'indus-
tries, dont le centre n'est plus l'outil mais la machine. D'où
peut-être l'entrée dans la langue d'un nom nouveau qui dira
électivement une chose nouvelle. A partir de là, le même nom
pourra être employé rétrospectivement pour caractériser les
anciens métiers avec leurs outils et désigner en eux la manière de
faire qui les spécifie. C'est ainsi que Diderot parle déjà, sinon
de *la* technique, du moins *du* technique de la peinture, différent
de celui d'autres arts, différent aussi pour un même art d'une
époque à une autre, et même d'un artiste à un autre.

Retenons seulement que le mot de technique n'arrive du grec
dans notre langue que vers les débuts de l'époque du machinisme,
la « révolution industrielle » que constitue sa percée ayant lieu
d'abord en Angleterre vers les années 1760, puis en France à
partir de 1790. N'y aurait-il pas dès lors un lien entre les deux ?
Il serait cependant imprudent de réduire à l'emploi des machines
l'essence de la technique moderne. Non que le machinisme ne
soit qu'une technique parmi d'autres également possibles. Mais
il est bien plutôt l'un des rejetons les plus voyants du monde de
la technique moderne qu'il n'en constitue proprement l'essence.
En quoi consiste en effet le machinisme ? Il se définit, dit-on,
généralement, comme l'application à la pratique des sciences de
la nature telles qu'elles ont à leur tour pour fond les mathématiques. L'Ecole polytechnique, créée par la Convention, bien
qu'elle n'ait reçu ce nom qu'au Premier Empire, n'est-elle pas
le centre d'études qui correspond à ce rapport de la science la
plus pure à son application ? Cette définition de la technique
des machines par l'application de la science à la pratique est bien
entendu tout à fait juste. Aussi juste que la définition instrumentale de la technique. Celle-là est de la même évidence que
celle-ci. Elle nous installe comme celle-ci dans le *bien connu*.
C'est pourquoi, comme celle-ci, il pourrait être essentiel de la
mettre en question si l'on veut aller droit à la question. A

regarder les choses d'un peu plus près, la technique des machines ou, comme on dit, le machinisme est moins l'application des sciences exactes à la pratique que l'emploi qu'en fait une praxis devenue autre qu'elle n'était auparavant. C'est ainsi, disait Goethe, qu'il n'est aucun des arts ou des métiers qui, de nos jours, « n'ait appelé à son secours la mathématique [7] ». Non pour prendre des choses une mesure plus exacte que ne le permettait l'ancien coup d'œil des artisans, mais pour en prendre une tout autre mesure, celle qu'en donnent les sciences exactes, auxquelles elles apparaissent dans leur essence comme autant de systèmes de relations entre des paramètres qui varient fonctionnellement les uns par rapport aux autres. Dès lors, remplir une cruche n'est plus le vieux geste de puiser à la fontaine, mais remplacer la substance gazeuse dont un récipient vide est en réalité plein par un liquide que des parois solides maintiennent à l'état statique. Pour les sciences exactes, aucune cruche jamais ne peut être vide, sauf sous une machine pneumatique en fonctionnement. Et cependant dit-on la cruche est vide. C'est là parler en ignorant. Molière savait encore rire de qui se gausse des ignorants :

> De ta chute, ignorant, ne vois-tu point les causes,
> Et qu'elle vient d'avoir du point fixe écarté
> Ce que nous appelons centre de gravité ?

Dans cette nouvelle optique, la pratique qui avait pour fond, selon les Grecs, l'émerveillement que la chose leur fût : αὐτὸ τὸ πρᾶγμα — entre, dit la porte ouverte ; avance, dit le chemin ; assieds-toi, dit la chaise ; monte, dit l'escalier ; tends-moi, dit à Ulysse son arc — devient, comme l'explique Auguste Comte, celle des *ingénieurs,* autrement dit des spécialistes des engins. Elle consiste, précise-t-il, à « introduire (...) dans le système causal quelques éléments modificateurs » pour en « faire tourner à notre satisfaction les résultats définitifs [8] ». Dès lors, au lieu de « s'allumer un flambeau dans la nuit [9] », l'homme moderne agit sur un commutateur, introduisant ainsi à peu de frais, dans le « système causal », l' « élément modificateur » requis pour que le résultat tourne à sa satisfaction. Une telle praxis aurait été, dit Heidegger, aussi stupéfiante pour les Grecs qu'elle demeure encore étrangère aux hommes du Moyen Age. Elle nous est pourtant devenue aussi naturelle que l'air que nous respirons. Mais elle ne nous rattache plus aux choses que grâce à un « projet mathématique de la nature » qui consiste à ne pouvoir

---

7. *Maximen und Reflexionen* (Ed. Kröner), p. 215.
8. *Cours de philosophie positive,* première leçon.
9. Héraclite, fr. 26.

la rencontrer que, dit Descartes, « l'ayant réduite aux lois des mathématiques ». C'est pourquoi il y a peut-être quelque illusion dans l'analyse que Marx fait des machines, à la surface desquelles il croit retrouver les outils « comme de vieilles connaissances ». La nouvelle praxis qui leur correspond n'est pas, comme il le dit, *nur eine (...) veränderte mechanische Ausgabe* [10] de l'ancienne, mais, en tant précisément que mécanique, elle en est une version totalement modifiée. Tourner un bouton électrique n'est pas une réédition, qui *ne* serait modifiée *que* mécaniquement, de ce que fut « s'allumer un flambeau dans la nuit » ; c'est quelque chose de tout différent.

Pour le menuisier d'autrefois, son rapport au bois naissait directement de son rapport à l'œuvre. Ainsi était-il, disait Aristote, « à son affaire devant le bois [11] ». L'ouvrier d'aujourd'hui est bien plutôt devant une « matière première » sur laquelle il provoque à l'action d'autres matières, utilisant, dit Marx, « les propriétés mécaniques, physiques, chimiques des choses pour les faire agir en tant que forces sur d'autres choses conformément à son but [12] ». Ces deux situations sont séparées par un monde. Rien n'eût été plus impensable à un Grec du IVᵉ siècle que la notion moderne de produit. Il n'y aurait plus rien trouvé de son propre rapport au monde où la τέχνη répondait à la φύσις, elle-même en son fond ποίησις. Cela donnait le Parthénon sur l'Acropole et non la tour Eiffel sur le Champ de Mars. La différence entre les deux n'est pas que l'outil, « instrument nain », dit Marx, entre les mains des Grecs, serait devenu, dans celles des Modernes, « gigantesque », mais bien que les machines modernes, loin d'être des outils, constituent l'aspect extérieurement visible d'une mutation plus secrète de ceux-ci, dont l'apparition des « sciences exactes » et leur conquête du rapport aux choses dans le domaine de la pensée est déjà le présage. Lorsque Descartes explique dans les *Regulae* [13] que les dentellières et les brodeuses ne font que mathématiser à leur insu, vu que la nature elle-même, au fil de laquelle elles travaillent, « agit en tout mathématiquement [14] », il a déjà fixé en le devançant le point où nous en sommes, y compris le débarquement sur la lune. On peut dire dès le *Discours de la méthode,* comme le guetteur d'Eschyle, quand il voit s'allumer dans la nuit la flamme annonciatrice de la prise de Troie : τελεῖται, c'en est fait ! Le machinisme moderne n'est nullement une simple application pratique

---

10. *K.,* I, 390 : « Seulement une version modifiée mécaniquement ».
11. *Génération des animaux,* I, 22.
12. *K.,* I, 187.
13. A. T., X, 404.
14. A. T., III, 37.

des sciences de la nature ; il est l'avènement d'une nouvelle
praxis dans l'optique de laquelle la nature elle-même n'est plus
qu'objet de science au sens moderne du mot, que cette praxis
consiste à tourner un commutateur ou à mettre en marche un
moteur en actionnant un démarreur. Ni l'un ni l'autre ne sont
des choses, pas même des outils, même s'ils en ont l'air, mais
s'éclairent d'un jour plus inapparent qui est l'esprit de notre
monde et que Heidegger nomme : l'essence de la technique.

Un point paraît dès lors acquis : l'essence du machinisme ne
consiste pas tant dans une modification de l'outil en machine
que dans la nature même de la machine qui n'est machine,
dirons-nous en transposant une parole de Kant, « qu'à la mesure
de la mathématique qui est à y trouver ». C'est intrinsèquement,
à partir de la nouveauté spécifique du savoir qu'elle emploie, et
non comme application extérieure du savoir en général à la pratique en général, que la machine est machine. La question que
nous est la technique moderne, celle pour laquelle seulement le
mot *technique* est sorti du grec pour entrer dans notre langue,
se déplace ainsi de la praxis en direction du savoir grâce auquel
la praxis elle-même a bien pu prendre la figure du machinisme.
Un tel savoir ne précède pas indéterminément, dès le XVIIe siècle,
sa prétendue « application », telle qu'elle n'aura lieu que dans
la seconde moitié du XVIIIe siècle. Mais, comme la foi dans
l'interprétation paulinienne de la Révélation, il est en lui-même
ἀρραβών, avance d'hoirie sur une transformation qui ne deviendra
pratique que plus tard. C'est pourquoi les premières « machines »,
loin de sortir directement de ce savoir, répondent encore pour
l'essentiel à ce que Voltaire caractérisait comme « instinct
méchanique ». Les montgolfières ne sont pas encore des machines
au sens de la technique moderne. Pas plus que le bateau à roues
que Denis Papin, grâce à la pression de la vapeur, fait dès 1707
avancer sur la Fulde. De tels engins ne deviendront machines
à proprement parler que corrélativement au savoir pour lequel

$ax - b = 0$ est vrai seulement pour $x = \dfrac{b}{a}$, c'est-à-dire de

telle sorte que, pour peu que x s'écarte de $\dfrac{b}{a}$, $ax - b = 0$

devient faux. Ce qui jusqu'ici avait son principe dans une
sympathie inventive à l'égard des forces naturelles et relevait
par là de l' « instinct méchanique » si bien nommé par
Voltaire, le cède maintenant à un tout autre rapport avec la
même nature. Mais, par là, la technique des Modernes se
rapproche d'autant plus du sens proprement grec du mot τέχνη.
Sans doute ce mot désigne-t-il pour les Grecs le métier, comme

il dit aussi les beaux arts. Mais, conformément à un usage antérieur à Platon et qui, au temps même de Platon, reste encore
en vigueur, il désigne surtout le savoir en lui-même. Lorsque
le Socrate de *Philèbe* caractérise, par rapport à la musique,
l'architecture comme τεχνικωτέρα [15], plus technique, il ne veut
pas dire que celle-ci est plus technique que celle-là en tant qu'elle
en appellerait plus encore à l'outil, mais qu'elle est plus savante.
La musique au contraire est plus « stochastique », c'est-à-dire
qu'elle procède davantage au petit bonheur.

Mais l'interprétation de la τέχνη, donc de la technique, comme
savoir, ne tranche-t-elle pas un peu trop aisément une question
qui, pour la philosophie aujourd'hui, passe souvent pour la
question des questions, celle du rapport de la théorie et de la
pratique ? Ne revient-elle pas en effet à faire de la technique une
affaire purement théorique au détriment de la praxis ? Ou la
question du rapport des deux et de la préséance en ce rapport de
l'une ou de l'autre ne serait-elle qu'une question seconde,
recelant en elle une autre question plus essentielle ? Une telle
question, Nietzsche l'avait pressentie en disant inséparables
théorie et praxis. Mais n'est-ce pas précisément ce que dit Marx ?
Nullement. Il ne faut pas, dit Marx, et il le dit dans le cadre de
son « matérialisme », isoler la théorie *de* la praxis qui est la
plante-mère, le *sujet* dont la première n'est que l'écho ou la
réverbération (*Reflex*). Il ne faut pas, dit Nietzsche, séparer
théorie *et* praxis [16], car elles cohèrent l'une et l'autre dans un
rapport plus essentiel qui seul est décisif de leur correspondance
unitive. Mais où cohèrent-elles ainsi ? Dans la *volonté de puissance* qui n'est nullement praxis, mais « essence la plus intime
de l'être ». En d'autres termes, le véritable sujet n'est pas plus
la théorie que la praxis, mais autre chose qui n'est ni l'une ni
l'autre. Au sens où, selon Parménide, le véritable sujet, dans le
fragment de vers dit fragment III du poème, n'est ni νοεῖν
(penser) ni εἶναι (être) mais τὸ γὰρ αὐτό (le même en vérité).

Pas plus que l'affirmation de la lutte des classes, l'explication
de la théorie à partir de la praxis n'est une thèse originalement
marxiste. On la trouve tout aussi bien chez Proudhon et on la
trouvera non moins chez Bergson, à qui elle ne vient nullement
de Marx. Ce qui est spécifiquement marxiste, c'est bien plutôt
la tentative de dériver, à partir de modes de production historiquement différents, les représentations « idéologiques » qui en
« découlent » en chaque cas. « Il est à vrai dire beaucoup plus
facile de découvrir par l'analyse le noyau terrestre des nuées

---

15. 56 b.
16. *Der Wille zur Macht*, § 458.

religieuses que de développer en sens inverse, à partir des conditions effectives de la vie telles qu'elles se présentent à chaque fois au niveau des faits, leurs formes célestement idéalisées [17]. » Sur ce point qui est par exemple celui de l'évolution historique des différentes religions, il n'y a rien, écrivait Engels à Marx en 1846, à tirer des « élucubrations de Feuerbach ». La seconde thèse ne suppose la première qu'en vue de fixer le point sur lequel Marx se séparera de Feuerbach. Si donc les représentations idéologiques « découlent » des rapports de classe, liés eux-mêmes « à des phases déterminées du développement de la production », la pensée même scientifique n'est à son tour qu'un prélude à la praxis qui la projette en avant d'elle pour s'éclairer à sa lumière. Quand par exemple, dès la première moitié du XVIIe siècle, la mathématique devient avec Galilée « comme la logique de la physique » — ainsi parlera Leibniz — ou plus précisément *une* mathématique dont la particularité est de s'expliquer géométriquement à elle-même l'espace comme un milieu à la fois homogène et infini, n'est-ce pas sous la pression du « capitalisme mercantile » qui se cherche des débouchés toujours plus outre, de telle sorte que rien ne se situe si loin qu'il n'y ait à chercher encore plus loin de quoi agrandir le marché ? C'est pourquoi Marx pourra écrire : « Mais où serait la science de la nature sans l'industrie et le commerce [18] ? » A vrai dire, nul n'en sait rien. Et où serait-elle sans tant d'autres choses ? Il reste quand même permis de douter que le rapport de la *Géométrie* de Descartes aux *Eléments* d'Euclide soit mesuré exactement par celui des voyages au long cours qui font l'affaire du capitalisme mercantile au cabotage méditerranéen, dont s'étaient contentés les Grecs, sauf dans le cadre d'une théorie qui pose dogmatiquement qu'il ne peut en être autrement. Mais, s'il en est autrement, autrement dit si la théorie ne sort pas de la praxis, c'est *donc* que la praxis sort de la théorie ? Car il faut bien, comme dans le problème de l'œuf et de la poule, que l'une des deux sorte de l'autre.

Partout où s'annonce en effet une dualité de termes corrélatifs, la tentation logique est de privilégier l'un d'eux pour en faire la base de l'autre. Ainsi Auguste Comte, notant à propos des sciences « combien leur relation aux arts a été essentielle à leurs premiers pas », ajoute aussitôt que ce n'en est pas moins « leur entière séparation d'avec eux » qui a le plus « contribué à la rapidité de leurs progrès [19] ». Mais ces progrès retournent bien

17. *K.,* I, 389.
18. *D. I.,* in : *Die Frühschriften,* éd. Kröner, p. 352.
19. *Cours..,* 40e Leçon.

sûr à l'action. Si donc la praxis était d'abord à la base de la
théorie, c'est maintenant celle-ci qui est devenue la « base »
de celle-là. Qu'y a-t-il en effet de plus visible dans la technique
moderne, sinon de la science appliquée ? Marx renverse la proposition. Ce n'est pas seulement dans un passé très reculé, sinon
préhistorique, que la praxis porte et promeut la théorie. Car « où
serait la science de la nature sans l'industrie et le commerce ? ».
Un débat s'ouvre alors, aussi académique que celui qui, au
siècle même de Marx, s'ouvrit entre les ethnologues quand, à
propos de la dualité dans la vie religieuse du mythe et du rite,
ils imaginèrent de se demander lequel des deux était vraiment
explicatif de l'autre. Voici comment W. F. Otto résume la situation : « Il apparut d'abord comme évident que c'était le culte
qui présupposait le mythe, tenant de lui son sens. Mais, au siècle
dernier, on découvrit qu'il fallait renverser le rapport. Le culte
avec ses rites apparut beaucoup plus ancien que le mythe (qui
en fait se manifeste partout dans une forme relativement récente,
celle de la poésie) et d'autre part plus facile à expliquer, en
l'espèce à partir de la magie, le mythe étant au contraire tout à
fait inexplicable à la pensée rationaliste de l'époque. Mais, vers
le virage du XIXe siècle au XXe, une recherche plus poussée dans
le domaine des rites, notamment chez les primitifs, devait
conduire à la constatation qu'il n'y a et n'y eut jamais aucune
activité cultuelle sans un mythe lui appartenant. Partout, le rite
est corrélatif d'un mythe auquel il est inséparablement lié [20]. »
Les adeptes de l'explication des mythes à partir des rites
auraient pu dire en s'inspirant de Marx (2e des *Thèses sur
Feuerbach*) : « Toute controverse sur la réalité ou non du
mythe — quand on l'isole de la praxis rituelle — est une question purement scolastique. » Car (8e thèse) « tous les mystères
dans lesquels s'égare une mythologie en mal de mysticisme trou-
vent leur solution rationnelle dans la praxis rituelle et dans
l'intelligence de cette praxis ». A quoi l'autre parti répond :
pas du tout, car un rite n'est jamais autre chose qu'un mythe
en action. Ainsi la dispute, une fois allumée, se déploie à perte
de vue. Comme le disait Kant : « Les deux partis frappent des
coups en l'air et se battent contre leur ombre (...). Ils ont bien
bataillé ; les ombres qu'ils pourfendent se rassemblent en un clin
d'œil comme les héros du Walhalla pour à nouveau se délecter
à des combats aussi peu sanguinaires. » Mais pourquoi ? Parce
que les deux partis s'en tiennent l'un et l'autre à penser trop
court. Rappelant les deux points de vue adverses, W. F. Otto

---

20. *Das Wort der Antike* (Klett Verlag), p. 364.
21. *Critique de la Raison pure*, T. P., 517.

dit posément : *Beides ist gleich falsch* [22] : ils sont aussi faux l'un que l'autre. Dans la corrélation indivisible du mythe et du rite, aucun des deux ne donne l'explication de l'autre pour la raison, précise-t-il ailleurs, « qu'ils sont dans leur fond une seule et même chose [23] ». Mais quel fond ? Ce qui à l'arrière-plan des deux reste quand même le fond de la question et qu'Otto nomme : « la manifestation du divin et de sa présence elle-même ». Non seulement le mythe mais aussi le rite répondent à cette manifestation, bien que de deux manières différentes. Le mythe lui répond par la parole, le rite lui répond par le geste. « Les cultes des anciens peuples rendent présent un événement sacré qui précède le temps et portent au dire la parole qui l'atteste, non pour forcer, sous l'effet d'une contrainte magique, cet événement à se produire à nouveau, mais parce que ce qu'il y a en lui de divin exige de pouvoir lui-même se manifester comme présent [24]. »

Heidegger ne pense pas autrement quand la question n'est plus seulement celle du mythe et du rite, mais, sous sa forme la plus générale, celle de la théorie et de la pratique. On peut bien sûr tenter d'expliquer la pratique à partir de la théorie dont elle serait une simple « application », ou la théorie à partir de la pratique, et comme un simple prélude à celle-ci dont elle serait issue. *Beides ist gleich falsch.* C'est faux dans un cas comme dans l'autre pour la raison qu'elles sont, bien que disparatement, *im Grunde das Selbe* — dans leur fond le Même. Mais quel fond ? Ce qui à l'arrière-plan des deux reste pourtant le fond de la question, à savoir le rapport à l'être tel qu'il s'ouvre en clairière dans l'étant à la mesure d'un monde de l'étant. Dans un tel monde, le divin lui-même est relatif à l'être. C'est pourquoi nous lisons dans le *Nietzsche* de Heidegger : « Ni la pratique ne se transforme sur la base d'une transformation de la théorie, ni le théorique sur la base d'une transformation de la pratique, mais les deux du même coup à partir d'une mutation du rapport à l'être [25]. » Ainsi le rapport grec à l'être porte une corrélation originale du théorique et du pratique qui sont, dit Aristote, « à rebours l'un de l'autre », le dernier terme de la recherche théorique étant le point de départ de l'action. Mais jusqu'où peut bien remonter la recherche ? Jusqu'au point où les πράγματα eux-mêmes sont vus dans ce qu'à d'*originel* leur *éclosion*. Aristote dit : comme ἐξ ἀρχῆς φυόμενα [26]. C'est dès lors l'inter-

---

22. *Die Gestalt und das Sein* (Eugen Diederichs Verlag), p. 254.
23. *Mythos und Welt* (Klett Verlag), p. 273.
24. *Die Gestalt und das Sein*, p. 80.
25. N., I, 178.
26. *Politique*, I, 1, 1252 a 23-25.

prétation de l'être comme φύσις qui du même coup fixe à la
recherche sa portée et qui donne à l'action son style. Mesurer l'interprétation grecque de l'être comme φύσις à l'aune des « forces
productives » en professant que c'était parce que les Grecs
n'étaient encore qu'une population artisanale, à peine sortie de
l' « idiotisme de la vie campagnarde » que ce qui nous est aujour-
d'hui nature mathématisée leur était « seulement » φύσις, est une
opinion certes aussi fondée que l'explication des mythes à partir
des rites, ceux-ci étant à leur tour expliqués grâce à l'hypothèse
d'une « magie », elle même présupposée utilitaire. De telles constructions font bon marché du « phénomène » qu'elles prétendent
maîtriser mais qui sereinement se moque d'elles. Schelling, si
odieux à Marx, disait au temps même où Marx, sur la lancée de
Feuerbach, s'exposait à lui-même le principe de ses réductions :
« La question n'est pas de nous demander comment le phénomène
doit être ployé, tordu, unilatéralisé ou amoindri pour être au
besoin encore et toujours explicable à partir de principes que nous
avons pris la résolution de ne pas enfreindre ; nous avons au
contraire à nous demander : en quel sens faut-il que s'élargissent
nos pensées pour se maintenir en rapport avec le phénomène [27] ? »
    Mais alors, même le théorique est toujours plus que du « sim-
plement théorique » ? Assurément. Au sens où le pratique est
toujours beaucoup plus que du « simplement pratique ». En ce
sens, dit Heidegger, « un praticien à l'état pur n'existe nulle
part [28] ». Pas plus qu'un pur théoricien. Ils sont l'un et l'autre
ceux qu'ils sont à partir d'une percée beaucoup plus décisive,
celle dont par exemple Descartes nous entretient en 1637 dans
un *Discours de la méthode.* Il ne s'agit pas là en effet d'une simple
« révolution théorique » au sens de Marx, c'est-à-dire au sens où
la *Dioptrique,* qui fait immédiatement suite au *Discours,* apporte
quelque chose de tout nouveau quant aux théories de la réfraction. Car la « théorie » de Descartes suppose précisément la
méthode dont elle n'est que l'un des *Essais.* Pour qu'un tel
« essai » soit possible, il faut en effet être d'abord allé jusqu'à
la méthode. La confusion aujourd'hui de mise, sous le nom de
théorie, de tout ce qui ne relève pas directement de la praxis, le
terme de praxis ne désignant lui-même qu'un savoir-faire instrumental, fait ici écran à toute intelligence de ce qui avec Descartes
vient en question. M. Gouhier a bien raison de dire en ce sens :
« La découverte de la méthode n'a rien de méthodique. On peut
tout faire par la méthode, sauf se la procurer [29]. » La découverte
de la méthode, elle s'annonce bien plutôt dans le « ravisse-

27. *Philosophie de la mythologie ; Werke,* XII, 137.
28. N., I, 203.
29. *Descartes, Essais* (Vrin, 1949), p. 76.

ment » ou l' « éblouissement » que fut à Descartes la nuit du
10 au 11 novembre 1619. C'est ainsi, disait Platon, qu' « à
beaucoup fréquenter ce qui est en question, comme de la lumière
jaillit soudain d'un feu qui étincelle, une lumière de vérité
advient dans l'âme pour ne s'y plus nourrir que d'elle-même [30] ».
Nietzsche, dans *Ecce Homo*, parlait à ce sujet de « révélation ».
Il est aujourd'hui de mode, et la mode est ici bergsonienne, de
nommer la chose « intuition ». C'est négliger que pour Descartes
l'*intuitus*, comme il dit, plus encore que la *deductio*, est le
moment essentiel de la méthode elle-même, *ipsamet deductione
certior, quia simplicior*. Rien n'est donc moins cartésien que de
faire de la découverte de la méthode une découverte « intuitive »,
sinon par un abus des termes, celui qu'en fait l'homme que
Bergson, l'opposant à la fois à l'*homo sapiens* et à l'*homo faber*,
condamnait si sévèrement sous le nom d'*homo loquax*, dont disait-
il, « la pensée, quand il pense, n'est qu'une réflexion sur sa
parole [31] ». Mais comment dès lors nommer ce qu'a pour
Descartes de *transméthodique* la découverte de la méthode ? Ne
vaudrait-il pas mieux, lisons-nous dans la *Lettre sur l'humanisme*,
demeurer ici « dans le sans-nom [32] » ? Nous lisons aussi et
comme en écho dans les *Aphorismes* : « Quand dans les nuits
d'hiver la tempête de neige fait rage contre la hutte et qu'au
matin tout le paysage est en paix sous la neige :

La parole pensante ne serait en paix dans sa source qu'ayant appris à
se garder de dire ce à quoi il revient de rester hors langage.
Un telle retenue porterait la pensée devant la question même.
Le parlé n'est jamais ni en aucune langue le dit.
Que toujours et soudain s'éveille une pensée, de qui l'étonnement
saurait-il en trouver le fond ? »

C'est ainsi qu'Aristote demeure « dans le sans-nom » relativement à ce qu'au contraire le XVIIᵉ siècle baptisera si aisément,
d'un trait de plume ou d'un coup de langue qu'il doit à l'un de
ses philosophes mineurs, *ontologie*. Gardons-nous donc de l'usage
intempestif du mot *intuition*, qui peut-être « obscurcit davantage
la question qu'il n'apporte en elle de lumière [33] ». Peut-être fut-il
plus un mot de congrès qu'une parole philosophique.
Mais cependant les Grecs n'avaient-ils pas nommé ce qui est
en question ? Ils l'avaient bel et bien nommé, mais précisément
d'un nom aussi digne de faire question que la question elle-même.
Ils l'avaient en effet nommé θεωρία. Alors, la *théorie* ? Nulle-

30. *Lettre VII*, 341 d.
31. *La Pensée et le mouvant*, p. 106.
32. *Brief...*, p. 60.
33. Heidegger, *S. G.*, p. 166.

ment. La θεωρία n'a rien d'un « comportement théorique » par
opposition à la praxis que les constructeurs, les entrepreneurs,
les navigateurs et les défricheurs que furent les Grecs auraient,
paraît-il, dédaignée. Ce que certains d'entre eux nommaient
θεωρία était bien plutôt la plus haute praxis, celle dans laquelle
l'étant lui-même par où il est leur était devenu : αὐτὸ τὸ
πρᾶγμα, l'affaire qui leur était question. Comment comprendre
autrement que, de l' « idée du bien », comme on dit couramment
sans trop penser à ce qu'on dit, Platon déclare : δεῖ ταύτην
ἰδεῖν τὸν μέλλοντα ἐμφρόνως πράξειν ἢ ἰδί ἢ δημοσίᾳα [34] ? Il
faut, traduit-on couramment, « que l'ait en vue celui qui entend
se conduire sagement, aussi bien en privé qu'en public ». Mais
Platon ne dit-il pas plutôt : « C'est jusqu'à elle que se doit de
porter son regard celui dont le propos est la praxis la plus avisée,
aussi bien en ce qui le concerne en propre que dans son rapport
à autrui » ? Dès lors, tenir en vue l'idée du bien, autrement dit
être l'homme de la θεωρία, ne serait pas seulement la *condition*
d'une conduite exemplaire, comme le sera pour Kant de ne jamais
perdre de vue la loi morale, mais avant tout le *contenu* même
de la praxis comme *Selbstbehauptung*, aimera répéter Heidegger,
disant par là d'un homme qu'il est à lui-même sa propre tête. Tel
était pour les Grecs le philosophe, dont l'excellence est moins de
se conduire mieux que les autres, donnant même à tout un
chacun des leçons de morale, que de πράττειν τὰ καλά, en cela
même que sa vie a pour sens et pour horizon la θεωρία.

Evidemment, une telle praxis ne consiste pas à labourer le sol
ni à transporter des fardeaux. Mais elle ne consiste pas non plus
à « faire des théories » *sur* ceci ou cela, là où d'autres s'exposent
à de plus dures fatigues. Son affaire est bien plutôt de tenter
une percée encore plus décisive non seulement que la praxis au
sens courant, mais que la simple transcription, dans le langage de
la proposition, de ce qui nous rencontre d'abord d'une manière
plus instante. La transcription « théorique » des choses, Aristote
l'honorait à son juste niveau sous le nom de λόγος αποφαντικός :
celui qui fait paraître n'importe quoi comme sujet d'une proposition. Mais la κατάφασις qui demeurait le lot du λόγος comme
ἀποφαντικός n'était à son tour que la retombée d'une parole au
niveau de laquelle seulement, dans la pensée *catégoriale* de
l'étant dans son être, c'est l'essence même du vrai qui est initialement décidée. Οὐ γὰρ ταὐτὸ κατάφασις καὶ φάσις : elles ne
sont pas le Même, la proposition et la parole [35]. Kant non plus ne
fait pas de théorie quand, dans la *Critique de la Raison pure*,

---

34. *République*, VII, 517 c.
35. *Métaphysique*, Θ, 1051 b 24-25.

il s'aventure jusqu'à ce qu'a de « si dépaysant et 'contraire au bon sens » le paysage de l'être tel qu'à nouveau il s'ouvre *catégorialement,* puis *schématiquement* dans une *Analytique transcendantale,* c'est-à-dire sur un chemin « non encore frayé ». Mais il en allait de même pour le *Discours de la méthode.* Si toutes les *phrases* de ce *Discours* ne sont, grammaticalement parlant, qu'autant de « propositions théoriques », y compris celle qui nous annonce que pour nous le moment est venu de nous « rendre comme maîtres et possesseurs de la nature », le *Discours* par lui-même, comme *projet* ou *avis* concernant la méthode, n'est pas κατάφασις, il est φάσις, il est parole au sens d'Aristote. A cette parole, c'est l'histoire même de l'Occident qui soudain se réveille et à nouveau se met en marche. Car, comme nous le savons par Hegel, c'est l'essence même du vrai qui se trouve à nouveau initialement décidée. « Descartes est un héros », dit laconiquement Hegel.

Interpréter comme Marx le contenu du célèbre *Discours* comme l'émergence au niveau des idées de ce que réclame le développement des forces productives pourrait bien dès lors ne pas en dire grand-chose, sauf si l'on entend théorie et praxis comme deux choses en elles-mêmes « bien connues » mais qui, « pour cette raison précisément, restent inconnues ». Dans l'optique du « bien connu », le théoricien serait tout simplement « l'homme de lettres dans son cabinet », tel qu'au début du *Discours* l'évoque Descartes, par opposition à celui qui est aux prises avec « les affaires qui lui importent et dont l'événement le doit punir bientôt après s'il a mal jugé ». Il est quand même bien difficile de reconnaître dans une telle peinture Platon ou Aristote, Descartes ou Leibniz, Kant ou Hegel ou Nietzsche, c'est-à-dire ceux dans la parole de qui, au cours d'une longue histoire riche en métamorphoses, l'être a été porté au langage, et ceci à partir d'une première parole qui nous est celle d'Héraclite et de Parménide. Sans nullement nier l'évidence, c'est-à-dire l'exploration plus poussée de la terre rendue possible à partir surtout du xivᵉ siècle par l'utilisation de la boussole dans laquelle, comme nous le lisons dans le vieux Malet de notre enfance, « la découverte de l'Amérique était en germe », ainsi que le prodigieux accroissement des circuits commerciaux qui s'accomplit en même temps, il faut peut-être admettre que ni la « route de la soie » ni la « route des épices » ni même la diffusion du *Livre des Merveilles* ou du *Tableau du Monde* n'ont rien changé à l'essentiel, qu' demeure de même nature que dans le monde antique. Mais non plus quand Descartes enfin a la parole. L'*Explication des Engins* de 1637 n'est pas sortie de la tête de Descartes parce qu'une industrie naissante aurait eu besoin de machines, qu'il eût d'ailleurs été fort en peine de lui fournir. C'est bien plutôt Descartes qui, dans sa théorie mathématique des engins, pose sur le monde un regard tout nouveau, mais dont l'avenir sera machiniste, si du moins l'essence du machinisme réside non pas dans l'emploi des machines, mais dans l'interprétation mathématique de l'étant dans son être, la machine, qu'elle soit à explorer le temps ou à produire en série des épingles, étant plus secrètement non pas outil amélioré, mais théorème réifié.

Lorsque nous parlons d'un monde de la·technique, nous serions donc en réalité beaucoup moins du côté des hommes d'action, les fameux réalisateurs — du *manager* au manœuvre de base —, que du côté des hommes de pensée, autrement dit des philosophes. Car ce n'est quand même pas en savants, mais bel et bien en philosophes que Galilée et que Descartes ont formé le projet d'une interprétation mathématique de la nature entière. Ils ne deviennent des savants que par le détail de la chose, quand l'un par exemple établit les lois mathématiques de la chute des corps, ce qui n'est certes pas une petite affaire, ou quand l'autre expose que le secret des « merveilleuses lunettes » qui commencent en son temps leur carrière dans le monde — Spinoza excellait, dit-on, à les apprêter — est tout simplement la proportionnalité non moins mathématique du sinus de l'angle d'incidence à celui de l'angle de réfraction. Il arrive ainsi même au savant de redevenir parfois philosophe, non sans doute quand il se laisse aller à d'éprouvantes banalités sur l'avenir du monde, à moins qu'il ne vaticine sur l'existence de Dieu ou le rapport de la théorie et de la pratique, mais quand il s'interroge sur ce qu'il fait au juste. Que les savants d'aujourd'hui le fassent avec plus de prolixité mais moins de maîtrise que Galilée et que Descartes, on peut certes le déplorer. Mais enfin c'est en philosophe que Heisenberg déclare en 1927, avant même la formulation de ses « relations d'incertitude » : « Dans la proposition : connaissant tous les paramètres qui définissent mathématiquement le présent d'une chose, on peut en calculer avec certitude l'avenir, c'est la conditionnelle qui est fausse, non la principale. » C'est là en effet une parole que ne peut prendre à son compte aucune science. Elle va beaucoup plus loin qu'aucune proposition seulement scientifique. Car même si elle se laisse formaliser dans le langage des équations, c'est pour définir par là une limite intrinsèque à la réduction de la physique « aux lois des mathématiques » qui, dans l'optique de Descartes, était la condition de la physique comme domaine de certitude. L'idée que la certitude suppose une incertitude, elle-même certainement réglée, n'est pas une loi de la nature comme la loi des sinus, mais la loi des lois, celle qui, bien qu'elle maintienne le principe galiléen que la nature ne

parle que si la mathématique lui délie la langue, met philosophiquement en question la possibilité même de l'idée de loi. C'est
ainsi, dit Heidegger, que les sciences positives « demeurent
déférées à la primordialité d'un domaine où seule une pensée a
le pouvoir de les mettre au jour, à la condition que celle-ci ait
à son tour le libre usage de ce qui lui est propre [36] ». On ne peut
mieux dire que, dans son histoire, la philosophie ne s'est nullement « alimentée [37] » à la science. C'est bien plutôt en devenant
philosophante que la science, au lieu de demeurer, selon le mot
de Bacon, « au ras du sol », redevient à ses heures capable de ce
qu'Aristote nommait : περὶ τὰς ἀρχὰς ἀληθεύειν, porter l'ouverture jusqu'au niveau des principes [38] — bien que, dans les bas-
fonds du positivisme, son rythme de croisière soit, non pas de
« se tenir dans l'Ouvert que lui est le renouvellement incessant
de son propre projet », mais bien plutôt de le « laisser à la traîne
derrière elle comme un donné allant de soi [39] ». Nous en sommes
là aujourd'hui où la science prétend avoir comme telle réponse
à tout, la pensée n'ayant droit de cité que pour en admirer les
prouesses après avoir pris la peine de s'en informer, « ce qui est
déjà beaucoup », comme l'en avise charitablement M. Lévi-
Strauss.

La théorie ne sort pas plus de la praxis que celle-ci n'est simplement l'application de celle-là, mais les deux, théorie et praxis,
relèvent d'une pensée qui, comme pensée de pointe, rend l'une
et l'autre possible en leur donnant le ton et qui est l'aurore d'un
monde. Comment une telle aurore est-elle à son heure possible ?
C'est là une question à laquelle ne peut répondre aucun épluchage
des concepts de théorie et de pratique. Sans doute démontrera-
t-on à loisir que la géométrie sort de l'arpentage, lui-même, dit
Marx, pratiquement indispensable à l'Egypte du fait que le Nil
en sa crue recouvre chaque année les terres, et que de son côté
l'arpentage, comme le fera remarquer Bergson, contient déjà une
« géométrie naturelle » ou « latente », car, dira-t-il aussi, l'entendement géométrique n'est quand même pas un enfant trouvé
qui serait, à Euclide, « tombé du ciel avec sa forme ». Dans
une telle optique, on ne peut qu'être renvoyé ambigument de l'un
à l'autre des deux côtés sans jamais pouvoir totalement exclure
aucun des deux, au sens où l'analyse du désir, quelque « dyna-

36. *W. D. ?*, p. 52.
37. Bien que M. Gueroult fasse sienne cette interprétation « alimen-
taire » de la philosophie qui, selon lui, « s'est alimentée avant tout à
deux sources : la religion et la science ». *Dossiers pédagogiques de la
radio-télévision scolaire,* avril-juin 1970, p. 44.
38. *Ethique à Nicomaque,* VI, 1141 a 18.
39. *Hzw.,* p. 90.

miste » qu'elle se veuille, reste cependant résiduellement « intellectualiste », et inversement. S'en tirer ici avec Engels par le concept non moins ambigu d'*interaction,* où il voit l'essence même de la dialectique, c'est d'autant mieux, sur le παλίντροπος χέλευθος de la δόξα, celui sur lequel, dit Parménide, avancer n'est possible qu'à condition de rebrousser chemin, s'installer dans l'indécis, donc se préparer à la polémique et non à la pensée. Mais, si la distinction de la théorie et de la pratique n'est pas le dernier mot de la pensée, si, mise au premier plan, elle ne constitue encore qu'une des impasses de la pensée qui, n'est elle-même qu'en tant qu'elle « advient à elle-même antérieurement à cette distinction [40] », peut-être comprendrons-nous par là un sens du mot *révolution* plus décisif et plus radical que celui auquel les hommes ont coutume de penser dans l'épouvante ou dans l'extase. Peut-être y a-t-il plus de *révolution* d'Héraclite à Aristote et d'Aristote à Descartes que dans toute la Révolution française et même dans celle que les marxistes préparent comme « catastrophe finale ». Une telle *révolution* ne se produit pas dans le bruit et la fureur. Elle advient, disait Nietzsche, « en silence ». Car c'est « à pas de colombes qu'approchent les pensées qui gouvernent le monde ». Telle fut la *révolution* cartésienne de l'ἰδέα au sens platonicien en *perceptio,* ou la *révolution* nietzschéenne qu'est le retournement de l'être lui-même en *valeur.* Lorsque c'est *perceptivement* que Descartes entreprend de penser le monde, c'est-à-dire dans son rapport essentiel à l'*ego cogito* comme *prima et certissima cognitio,* une révolution silencieuse a eu lieu, plus décisive de l'avenir que celle que promeut le « développement des forces productives ». Une telle révolution est plus secrètement le prodrome de la « révolution industrielle » qui éclatera avec beaucoup plus de fracas au XIXᵉ siècle. Et Descartes n'est pas, comme on croit, révolutionnaire parce qu'il tient le bon sens pour « la chose du monde la mieux partagée », car Platon le savait aussi bien que lui. Mais parce qu'il éprouve le bon sens comme la représentation essentiellement réflexive dont la tâche est d' « ajuster » toute opinion « au niveau de la raison », pour qu'elle soit par là recevable à celle-ci. Dès lors, l'étant ne lui est plus rien d'autre qu'un *objet* auquel il se rapporte à son tour comme *sujet.* Par là il sort du Moyen Age et s'éloigne du monde grec encore plus que la scolastique. De l'οὐσία de Platon à la créature et de la créature à l'objet, quelles distances ont été franchies et sur quel chemin ? Serait-il le chemin du progrès comme l'imaginent naïvement et Descartes et Pascal ? Ou serait-ce un tout autre chemin, celui

---

40. *Brief...,* p. 111.

que Heidegger caractérise comme *Holzweg,* qui est bien le
chemin par lequel, de la forêt, nous arrive le bois, mais qui, pris
comme chemin, ne peut nous reconduire qu'au cœur de la forêt ?
Il est certes loisible à tout un chacun de se faire une représentation de l'histoire au fil de l'idée de progrès, fût-ce au prix de
situer avec Marx l'essence du progrès dans le « développement
des forces productives ». Il reste cependant permis de se demander si Descartes est plus en progrès sur Aristote et Hegel sur
Descartes que Shakespeare sur Eschyle ou Rimbaud sur Villon.
Ce qui ne tend nullement à suggérer que Shakespeare soit moindre
qu'Eschyle et Rimbaud moindre que Villon, donc Descartes
moindre qu'Aristote ou Hegel que Descartes. Mais alors tous
demeurent en un sens « sur place » ? Peut-être. Toute la question
est dès lors celle de la place où ils demeurent sur place sans cesser
cependant d'être toujours autres et autres. Peut-être sur ce point
serait-il de saison de demeurer encore une fois « dans le sans-
nom », si les Grecs qui furent les premiers à se demander où ils
étaient au juste ne nous avaient déjà nommé la place qui était
leur et qui demeure nôtre d'un nom ou plutôt d'un verbe qui
fait aussi question que la question elle-même, bien qu'il ait été
du destin de ce verbe fondamental d'être devenu un simple verbe
auxiliaire : *être.* C'est pourquoi Heidegger peut écrire :
« L'énigme nous est dès longtemps proposée dans la nomination
de l'être [41]. »

La pensée de Descartes est l'une des époques de l'être, c'est-à-
dire l'une de celles dans lesquelles l'être lui-même fait époque en
s'ouvrant soudain en clairière dans l'étant. A une telle ouverture
de l'être dans l'étant répond un nom lui-même inattendu, celui de
méthode. Tel est le nom proprement cartésien de l'être même.
Mais le nom de méthode est plus vieux que Descartes ? Assurément. C'est le sens que Descartes donne à ce nom qui est
totalement nouveau. Descartes n'a pas plus inventé la méthode
qu'il n'a inventé l'être, mais il est le penseur de l'être comme
méthode. Que méthode soit un nom de l'être, Descartes ne le dit
nulle part explicitement. C'est à Hegel qu'il sera réservé de le
dire dans sa *Logique,* Hegel à qui précisément « Descartes est
un héros », celui qu'il « se choisit », comme le dit *Sein und
Zeit,* ce qui ne veut nullement dire qu'un tel choix ait rien
d'arbitraire. Mais en quoi consiste pour Descartes la méthode ?
Non dans un simple procédé que l'homme aurait choisi pour
aborder les choses, mais dans l'aptitude que d'elles-mêmes elles
présentent d'apparaître, non pas comme autant de « natures
solitaires », mais comme *series rerum,* séries dans lesquelles il leur

41. *V. u. A.,* p. 229.

appartient de se laisser disposer, elles, les choses, « de telle sorte
que les unes puissent être connues à partir des autres ». Dans
la méthode au sens tout nouveau de Descartes, la connaissance
et l'être sont donc aussi inséparables que dans le poème de
Parménide, mais de telle sorte que celle-là a pris le pas sur
celui-ci. Etre connu est d'autre part interprété à partir de l'*ego
cogito*, dans la mesure où celui-ci procède à son tour *se solum
alloquendo*, ne s'adressant la parole qu'à lui-même, ce qui est
sa manière à lui d'être interpellé par l'être. De là à la maîtrise
et possession de la nature, si résolument étrangère au φύσις
κρύπτεσθαι φιλεῖ d'Héraclite, il n'y a qu'un pas, qui est lui-
même plus qu'à moitié franchi. Nous pouvons dire que c'est par
l'étincellement, tel qu'il fut si éblouissant à Descartes, de l'être
comme méthode, que le monde moderne entre dans l'ère de la
technique [42].

Mais ici la question rebondit. Si, comme la méthode de Descartes, la τέχνη de Platon est dans son fond savoir, si elle est
beaucoup plus essentiellement θεωρία que praxis, le mot θεωρία
ne désignant pas une simple théorie mais la percée même de la
philosophie jusqu'à l'être, est-ce dès l'origine que la philosophie
comme pensée de pointe est interprétée comme τέχνη ? Nullement. Rien en effet n'est plus caractéristique de Platon que
l'interprétation de la philosophie comme τέχνη, c'est-à-dire celle
de la τέχνη, non pas comme praxis, mais comme rapport plus
essentiel à l'ἀλήθεια elle-même. La τέχνη appartient cependant au
domaine de la ποίησις. Celle-ci ne serait-elle donc pas un simple
aspect de la praxis, qui est dans son fond χειρουργία ? Nullement.
Même dans la χειρουργία, le travail de la main, s'abrite déjà la
ποίησις en un sens plus secret. Ποίησις, ποιεῖν, que l'on traduit
un peu trop vite par *faire*, traduction dont Valéry fut une victime
de choix, les Grecs l'entendaient, nous dit Heidegger *vom
Erscheinenlassen her*, à partir de : *laisser apparaître, laisser se
montrer* [43]. C'est ainsi que le temple grec, son architecte le
laisse éclore sans nullement lui imposer de sortir, comme la tour
Eiffel, d'un bureau d'études où il aurait été conçu en mode cartésien, c'est-à-dire méthodiquement, ce qui ne signifie nullement
que le premier ne soit qu'un à-peu-près. Mais, nous dit Aristote,
de l'artisan à l'œuvre, la voie s'ouvre comme la fleur se déclôt et
réciproquement. C'est pourquoi le verbe ποιεῖν peut lui-même
se présenter dans le voisinage immédiat de λέγειν, qui dit aussi
comment une chose s'offre à nous en restant dans son site à
elle. Le fragment 112 d'Héraclite parle ainsi : Σωφρονεῖν ἀρετὴ

42. Cf. Nietzsche, *Der Wille zur Macht*, § 466.
43. *V. u. A.*, p. 160.

μεγίστη καὶ σοφίη ἀληθέα λέγειν καὶ ποιεῖν κατὰ φύσιν ἐπαΐοντας. On traduit couramment : « Penser juste est la plus grande vertu, et la sagesse consiste à dire le vrai et à le mettre en pratique, à l'écoute de la nature. » M. Joseph Prudhomme n'aurait pas mieux dit. Une telle traduction n'a pourtant contre elle rien de grammatical. Mais, sans parler des premiers mots de la phrase d'Héraclite, il est quand même un peu brutal de lire avec Kranz : ἀληθέα λέγειν καὶ ποιεῖν comme : dire la vérité et la mettre en pratique. Car les ἀληθέα ne sont nullement la « vérité », à savoir celle de la proposition, mais l'étant lui-même tel qu'il se montre à découvert. « La σοφίη, Sophie, est : le *laisser à son apparition* et ainsi, oserais-je dire, *en devenir le poète, à l'écoute de ce qui lui est source.* » Car le poète ne *fait* rien. Il se laisse dire la chose, il laisse même la chose se dire elle-même à lui, redoutant dès lors du langage qu'il en dise trop ou trop peu jusqu'au moment, qui arrive ou non, où la chose elle-même devient parole. Alors, il n'y a plus rien d'autre à en *dire,* encore moins à y *faire* quoi que ce soit, mais voici que soudain, en poème, se lève

> Le vierge, le vivace et le bel aujourd'hui...

Tel est, disait Hölderlin, le « métier de poète » qui est, dira René Char, « métier de pointe ». Mais la pensée est de même métier, quand du moins elle ne chôme pas la tâche qui s'ouvre à elle.

Mais si τέχνη renvoie ainsi à ποίησις, il s'en faut de beaucoup que la ποίησις, sans cependant jamais se laisser déraciner du sol natal, ait pu rester entièrement fidèle à son ampleur originelle. Au premier livre de la *Métaphysique,* Aristote évoque les disciples de Platon en les nommant οἱ τὰς ἰδέας ποιοῦντες. Non pas les *fabricants* ou les *producteurs* des idées, mais ceux qui, au lieu de laisser paraître les choses en elles-mêmes, réservent toute la place aux idées, qui, dès lors, se l'arrogent au détriment de ce qui est vraiment. Un tel emploi de ποιεῖν était non moins familier à Platon quand il parle par exemple de ceux qui : ἓν ποιοῦσι[44], qui font apparaître l'Un au petit bonheur, plus vite ou plus lentement qu'il n'est dû. Ποιεῖν est cette fois synonyme de τιθέναι poser, ou de λαμβάνειν, prendre. Platon dit également, dans *Gorgias :* θῶμεν δύο εἴδη πειθοῦς, posons deux espèces de persuasion. Il aurait tout aussi bien pu dire, au lieu de θῶμεν : λάβωμεν ou ποιήσωμεν[45]. Visiblement, ποιεῖν est encore pensé au sens originel de *laisser se montrer.* Mais une réduction s'est

---

44. *Philèbe,* 17 a.
45. *Gorgias,* 454 e ; *Philèbe,* 23 c.

déjà introduite dans ce qu'était pour Héraclite ἀληθέα λέγειν
καὶ ποιεῖν. Une telle réduction est à la mesure exacte de la
différence qui sépare l'εἶδος de Platon de l'ἀλήθεια d'Héraclite,
à qui la *réduction eidétique,* comme la nommera Husserl, est
encore étrangère, car, la réduction eidétique, c'est seulement avec
le questionnement de Socrate qu'elle s'amorce. Τί ἐστι, demandait
Socrate — *qu'est-ce que ?* C'est ainsi que, « comme un taon »,
il ne cessait de harceler ses contemporains. Qu'est-ce que le
courage, le beau, la piété, l'amitié ? « Cherchons ensemble »,
disait-il, comme si arriver à une définition générale était en
tout le comble de la rigueur. Autres étaient pourtant et le style
d'Héraclite et son sens des ἀληθέα tels qu'ils naissent de
πόλεμος, ce qui ne veut nullement dire qu'il passait son temps à
polémiquer, refusant de s'entendre avec d'autres sur ce qui
pourrait bien être commun à tous. Ce qui est commun à tout
et à tous, c'est précisément Héraclite qui fut le premier à le
nommer : τὸ ξυνὸν πάντων (fr. 114), ξυνὸν πᾶσιν (fr. 113).
Mais ce *Même* qui est *commun* n'est pas la généralité à laquelle
vise la définition. Il est ce qui rassemble tout dans l'Un, pensé
comme τὸ σοφὸν μοῦνον (fr. 32). Il n'est donc pas commun au
sens de l'εἶδος de Platon, lorsque Platon dira : « Bien qu'il y
ait à foison des lits et des tables, il n'y a que deux *idées* pour
tous ces ustensiles, une pour le lit, l'autre pour la table [46]. » Le
ξυνόν que nomme Héraclite est, en tout, l'unique κόσμος,
comme l'ἐὸν ἔμμεναι, l'étant-être est à Parménide le κόσμος de
ses propres σήματα. Mais, aux yeux de Socrate, Héraclite autant
que Parménide devait être déjà un présocratique, comme à coup
sûr il le sera pour Platon et même pour Aristote, puis pour tout
le monde après eux, jusqu'à Nietzsche qui, le premier, se
sentira très singulièrement en lutte avec Socrate. C'est bien
pourquoi Alain le nommera « le fumeux Nietzsche », Valéry
ayant déjà dit : « Il irritait en moi le sentiment de la rigueur. »
Heidegger pourtant n'est pas non plus socratisant, comme on le
voit dans sa lettre de 1955 à Ernst Jünger, qui lui avait écrit en
1949 que seule une « bonne définition » du nihilisme pourrait
nous mettre en état de le surmonter et ainsi d'aborder de pied
ferme le « passage de la ligne » en ayant mis toutes les chances
de notre côté. Une « bonne définition », lui répondait Heidegger,
suppose au préalable une tout autre approche dont il n'est
nullement certain qu'elle puisse aboutir à une « bonne définition ». Et c'est pourquoi, reprenant le titre même de l'essai de
Jünger, *Ueber die Linie,* que l'on a traduit en Français par *le
Passage de la ligne,* il proposait d'entendre ce titre non pas

---

46. *République,* X, 596 b.

comme *trans lineam,* mais comme *de linea : à propos de la ligne,* la tentative étant d'en approcher le site plutôt que de prétendre la franchir après l'avoir définie, ou plutôt de l'avoir déjà trop aisément franchie en prétendant la définir.

La réduction platonicienne du ποιεῖν et de sa ποίησις à la mise en place de l'εἶδος détermine cependant une essence de la ποίησις qui l'éloigne de la φύσις pour dès lors revenir à celle-ci sans cependant, dira Aristote, pouvoir la surpasser, bien que la nouvelle ποίησις soit à son tour l'essence même de la φύσις en ce que, selon lui, son moment principal est précisément l'εἶδος platonicien, s'il est vrai qu'à ses yeux c'est la μορφή qui, dans les φύσει ὄντα, est μᾶλλον φύσις, le plus   φύσις. Les φύσει ὄντα lui apparaissent dès lors comme des ποιούμενα. Aristote connaît ainsi une double ποίησις. D'abord, celle de la φύσις qui est insurpassable. Puis celle de la τέχνη, qui « imite » la première, non seulement en produisant des œuvres, telles qu'un navire ou une statue, mais aussi dans la mesure où, de cette τέχνη qu'est *aussi* la philosophie, il peut dire par exemple : τὰ εἴδη ποιεῖ ou encore : τὰς ἀρχὰς λαμβάνει ou ποιεῖ [47], les *laissant apparaître* comme ce d'où tout étant reçoit la délimitation [48] qui lui est essentiellement propre, qu'il s'agisse des « figures de la catégorie » ou du rapport de l'ἐνέργεια à la δύναμις, qui éprouve l'étant encore plus à fond [49]. Mais ποιεῖν, ce n'est plus ici, comme pour Héraclite, être le poète des ἀληθέα, et ceci « à l'écoute de la φύσις », mais se représenter les étants qui lui correspondent, les φύσει ὄντα, comme ἐξ ἀρχῆς φυόμενα, comme naissant de ce qui leur est ἀρχή. Ce concept d' ἀρχή, si décisif pour la pensée de Platon et d'Aristote, n'est précisément pas, note Heidegger, « un concept archaïque ». Il définit au contraire très précisément la réduction *poïétique* de la φύσις, qui marque le passage d'Héraclite à Aristote. Ainsi, dans le monde grec, φύσις et ποίησις gravitent l'une autour de l'autre, mais de telle sorte que le centre de gravité se fixe de plus en plus dans la ποίησις. Ce ne sont pas seulement les idées de Platon, c'est aussi bien la philosophie d'Aristote qui est ainsi dans son essence cette *métaphore poétique,* ce déplacement du centre en direction de la ποίησις qu'il avait reproché à Platon. Tant demeure décisive pour Aristote la percée platonicienne, celle en laquelle Platon rassemble en le dépassant ce qu'avait d'insolitement antigrec, dira Nietzsche, la pensée de Socrate. Heidegger dit cependant parfois qu'en dépit de son origine nordique et provinciale Aristote n'en est pas moins *plus grec* que Platon

---

47. *Analytiques,* II, 74 b 23 et *Physique,* θ , 252 a 10.
48. *Métaphysique,* Z, 1029 a 21.
49. *Ethique à Nicomaque,* III, 1115 b 22.

l'Athénien. Mais c'est pour aussitôt ajouter, dans les dernières pages de son *Nietzsche,* la correction suivante : « Que la pensée d'Aristote soit plus grecque que celle de Platon ne signifie pourtant pas qu'il redeviendrait à nouveau plus proche de la pensée originelle de l'être. Entre l'ἐνέργεια et l'essence originelle de l'être (ἀλήθεια-φύσις), se dresse l'ἰδέα [50]. » Serions-nous donc emportés, comme le dit Valéry, dans le mouvement d'un « écart sans retour » qui serait la philosophie elle-même ? Et le premier moment d'un tel écart serait-il à son tour la pression invisiblement croissante de la ποίησις sur la φύσις, telle qu'elle donne à la pensée un nouveau centre ? Que cela soit laissé, dit Heidegger, à l'endurance de la pensée, si du moins elle demeure assez endurante pour que lui soit enfin question l'essence de la technique.

L'essence de la technique ne serait donc pas son caractère instrumental. Elle serait bien plutôt à chercher dans l'évacuation de ce caractère au profit d'un savoir, celui auquel, il y a plus de deux mille ans, Platon avait précisément donné le nom de τέχνη. C'est en ce sens que Heidegger peut nous dire, sans que nul ne comprenne trop bien ce qu'il dit : *l'essence de la technique n'est rien de technique : das Wesen der Technick ist nichts Technisches* [51]. C'est non seulement le propre de tout *Wesen,* l'essence de l'arbre n'étant pas une fois de plus un arbre que l'on pourrait trouver parmi les autres. Mais c'est encore plus vrai de ce dont le *Wesen* est autre qu'une idée générale, à quoi essaie si vainement de le ramener l'indigence de pensée qui tient lieu de pensée aux spécialistes, quand ils s'essaient pourtant au métier de penser, comme quand de nos jours un éminent sociologue « définit » la technique par l'utilisation des ressources à l'édification des valeurs [52]. Une telle définition eût fait la joie de Courteline :

> Il pleut des vérités premières,
> Tendez vous rouges tabliers !

C'est que les spécialistes croient que pour penser une chose en son essence il suffit de se mettre à plusieurs en vue de grouper, sur la chose en question, le maximum d' « informations », comme ils disent. Les ordinateurs feront le reste, et l'audiovisuel assurera la diffusion du tout. Ainsi va le monde de la technique moderne. Heidegger y est une présence intempestive étant, comme on sait, un défi à l'information.

---

50. *N.,* II, 409.
51. *V. u. A.,* p. 31.
52. *Bulletin international des sciences sociales,* été 1952, vol. IV, n° 2 (Unesco), pp. 252 et 351.

L'essence de la technique n'a rien de technique, nous dit
Heidegger. Et il disait six ans plus tôt, dans la *Lettre sur
l'humanisme* : « La technique est, dans son essence, un destin
historial de la vérité de l'être en tant qu'elle repose dans l'oubli.
Ce n'est pas seulement par le nom qu'elle porte qu'elle remonte
à la τέχνη des Grecs, mais elle provient, selon une histoire plus
secrète, de la τέχνη elle-même comme mode de l'ἀληθεύειν,
c'est-à-dire de l'entreprise grecque de porter l'étant lui-même à
sa manifestation. » Mais le monde grec, pas plus que le Moyen
Age, n'est un bloc dont le centre serait la philosophie de Platon
et celle d'Aristote. Il est lui-même le début d'une histoire plus
secrète dont la philosophie, avec Platon et Aristote, constitue
en son temps une étape terminale, la source d'une telle histoire
étant, avec Héraclite et Parménide, une tout autre pensée. Car,
au grand jamais, ni Héraclite ni Parménide n'ont caractérisé
leur savoir *comme* τέχνη. La parole pensante d'Héraclite n'est
pas τέχνη, au sens où Eschyle dira celle-ci « plus faible que la
nécessité, de beaucoup [53] ». Elle est ouverture immédiate à la
nécessité elle-même. C'est de là qu'elle tient son extraordinaire
désinvolture : « Immortels-Mortels, Mortels-Immortels, vivant la
mort, mourant la vie, les uns des autres. » C'est là une parole
à couper le souffle. Pour que le savoir devienne, avec Platon,
τέχνη, il faut qu'Αλήθεια, qui était l'élément même du savoir,
ait cessé d'être aussi merveilleusement donnante. Dès lors, le
σοφόν, l'unité immédiate de νοεῖν et εἶναι, devient un
ζητούμενον, un *quaesitum,* un *desideratum,* ce qui est à *chercher.*
Il est cherché selon la tension inquisitive de l'ὄρεξις. Ce n'est
quand même pas par hasard que Platon définit son φιλο-σοφεῖν
comme ὀρέγεσθαι τοῦ ὄντος [54]. Rien n'est plus étranger à la
pensée d'Héraclite et de Parménide. Ni l'un ni l'autre ne sont
des « désirants de l'être ». Mais pourquoi ? Parce que l'être
leur est directement séjour.

Dans le monde de la technique moderne, nous sommes loin
d'un tel séjour. Mais loin aussi du monde de Platon et d'Aristote, sans toutefois cesser de lui appartenir, comme Platon et
Aristote ne cessent pas non plus d'appartenir au séjour dont de
plus anciens qu'eux ont été les poètes. Comment mesurer
l'écart qui cependant nous en sépare sans nullement nous en
couper, sans nous couper non plus de ceux du Moyen Age qui,
entre les Grecs et nous, restent peut-être plus près d'eux que
de nous, malgré l'apparition du christianisme et la barrière du
latin ? Une parole de Balzac, vers le début de *Béatrix,* dit la

53. *Prométhée,* v. 514.
54. *Phédon,* 65 c.

différence essentielle entre le monde moderne de la technique et celui qui demeura si longuement le monde de la τέχνη : « Nous avons des *produits,* nous n'avons plus d'*œuvres.* » Mais, dans la différence qui lui apparaît ainsi, il ne s'agit nullement de ce dont le journaliste en lui pouvait à peu de frais se satisfaire, à savoir de l'apparition de ce qu'il se bornait à interpréter dans l'optique d'une industrie « travaillant pour les masses », de telle sorte que le quantitatif prendrait la place du qualitatif. Dans sa formule sans défaut, Balzac dit plus que ce qu'ajoute son commentaire. Car la différence de l'œuvre et du produit relève plus secrètement d'une coupure plus lointaine. Elle nous renvoie à ce qui vient du fond des âges. Le *fond des âges,* dit Heidegger, *quand le ruisseau de la montagne, dans la paix nocturne, raconte ses cascades au gré des blocs de roches, le fond des âges, dans la pensée qui s'ouvre à lui, c'est de derrière nous qu'il vient, et cependant il vient sur nous.*

Fini le temps des *Travaux et des jours.* A nous celui de la *journée de travail.* Dans le second, pourtant, c'est encore le premier qui persiste. Non au sens où il aurait été le miel dont le second ne serait plus que l'amertume. Il est aussi fou de se représenter dans le temps géorgique d'Hésiode le paradis sur terre que de l'imaginer sortant du développement des forces productives à la faveur, bien sûr, d'une révolution qui nous le mettrait, comme on sait, « au bout du fusil ». Parler ainsi n'est nullement décrier la révolution et sa violence pour entreprendre d'en décourager les « masses » au profit des abus dont il est trop clair qu'elle résulte. Mais le nouveau sujet que la révolution promet à la technique ne change rien à ce à quoi la révolution prétend seulement donner un sujet et qu'elle se représente dès lors comme quelque chose de neutre, comme un état de choses purement instrumental. Penser ainsi est penser court, c'est-à-dire à partir de la sécurité du « bien connu ». La révolution au sens de Marx appartient bien plutôt en tant que telle à ce que Hölderlin nomme *die Gefahr,* le péril, qu'elle n'est déjà *das Rettende,* le salutaire, bien que les deux soient l'un de l'autre au plus proche :

> Mais là où est le péril, grandit
> Lui aussi ce qui sauve.

Mais quel péril ? Ce n'est pas à partir de Marx, mais à partir d'une pensée bien plus aiguë que le marxisme, à savoir la pensée de Nietzsche, qu'un tel péril peut lui-même apparaître en son site. Cette « situation » du péril a même été déjà le thème d'un livre resté inapparent — si inapparent qu'un autre livre plus récemment publié et qui, en domaine allemand, rassemble une ample documentation sur ce qui autour de nous partout s'annonce,

ne le mentionne même pas. Il est en effet symptomatique que la
copieuse étude de Friedrich Wagner, publiée en 1964 sous le
titre *La Science et le monde en danger,* si elle n'omet même pas
de citer Heidegger, oublie dans sa bibliographie le livre d'Ernst
Jünger, paru à peine plus de trente ans après la mort de
Nietzsche, et dont le titre était en 1932 *der Arbeiter, le Travailleur.* L'étude de Jünger, écrivait Heidegger en 1939, *hat
Gewicht,* a du poids. Et il ajoutait : « Si elle a du poids, c'est
parce qu'elle apporte, d'une tout autre façon que Spengler, ce
dont jusqu'ici la littérature issue de Nietzsche avait été incapable,
à savoir une expérience de l'étant dans son être à la lumière
de la volonté de puissance. » Dans ce livre, disait encore
Heidegger, « la métaphysique de Nietzsche n'est, il est vrai,
nullement pensée ; les chemins conduisant à une telle pensée ne
sont même pas indiqués ; tout au contraire, au lieu de devenir
par elle-même une question, cette métaphysique se présente
comme allant de soi et apparemment comme un superflu ». Ces
lignes de 1939, nous les connaissons par la Lettre à Ernst
Jünger de 1953, *Ueber die Linie,* elle-même publiée en 1955
sous le titre *Zur Seinsfrage,* que nous pouvons traduire ainsi :
Droit à la question de l'être [55]. Ce dont Heidegger s'émerveille
dans le livre d'Ernst Jünger, c'est que, pour la première fois,
celui-ci apporte de la technique moderne non plus, comme partout jusqu'ici, une définition seulement nominale, autrement dit
instrumentale, mais que, sous les apparences d'une définition,
il en ouvre le concept à une ampleur encore inconnue. Cette
présentation, qu'on peut nommer *herméneutique,* de la question
amène soudain au premier plan ce qui demeurait en retrait dans
toutes les définitions nominales, y compris dans l'interprétation
marxiste de la technique comme mode de la praxis, entendue à
son tour comme « travail humain », par opposition à l'activité
animale. Sous l'interprétation instrumentale de la technique qui
n'en faisait encore que quelque chose de neutre, Jünger découvre
en une parole insolitement révélatrice une tout autre signification de la technique moderne en disant d'elle qu'elle est « la
mobilisation totale du monde entier dans la figure du Travailleur ». Spinoza avait très bien dit en une parole dont la réfrin-
gence fait un diamant noir : « Autre est le cercle, autre l'idée du
cercle : l'idée du cercle n'est pas un objet ayant, comme le
cercle, un centre et une périphérie [56]. » Jünger nous dit à sa
façon : « Autre est la technique, autre l'essence de la technique ;
l'essence de la technique n'a rien de technique. »

---

55. Plutôt que *Contribution à la question de l'être,* in : *Questions* I
(Gallimard, 1968), pp. 195 à 252.
56. *De la Réforme de l'entendement,* § 33.

Mais si Heidegger admire sans réserves la présentation insolite que, dans l'optique de la philosophie de Nietzsche, Jünger propose enfin de la technique, c'est pour s'étonner d'autant plus que la philosophie de Nietzsche soit prise par lui comme une optique allant de soi. Elle lui apparaît en effet comme seulement plus lucide que les autres ou, comme on dit aujourd'hui, « démystificatrice », au lieu d'être questionnée en direction précisément de ce qui en elle fait question, à savoir l'interprétation de l'« essence la plus intime de l'être [57] » comme volonté de puissance. Il se pourrait cependant qu'une telle interprétation relève à son tour de l'essence même de ce que Jünger prétend définir « à sa lumière ». D'où la nécessité d'une radicalisation encore plus poussée de la question, l'essentiel n'étant pas d'établir avec Jünger, « à la lumière de la volonté de puissance », prise à son tour comme « essence la plus intime de l'être », une meilleure définition de la technique, mais de penser la métaphysique nietzschéenne de l'être comme volonté de puissance à partir d'un « mouvement de l'être », tel que peut-être mûrit en lui la lente venue au jour d'un règne plus secret de la technique elle-même, ce règne à son tour s'amorçant de très loin, et dès la concordance à peine aperçue, avant même le temps de Platon, d'ἐπιστήμη et de τέχνη. Dès lors, le projet nietzschéen de l'étant comme volonté de puissance et l'interprétation corrélative de celui-ci comme *valeur* respireraient à leur insu une histoire encore *plus* secrète que celle que Nietzsche nomme *histoire secrète*. Plus secrète, parce que même Nietzsche demeure sans ouverture pour ce qui en elle est le plus digne de question, c'est-à-dire pour la question de sa provenance essentielle. Car, si Nietzsche est le premier à avoir pressenti que c'est « à pas de colombe qu'elles arrivent, les pensées qui gouvernent le monde », peut-être fallait-il avoir encore plus d'oreille pour écouter encore plus avant un silence encore plus inapparent.

C'est pourquoi Nietzsche, même s'il a entrevu, dans *le Voyageur et son ombre,* les « prémisses de l'âge des machines » (§ 278) n'est pas encore un penseur de la technique. Encore moins Hegel, même si, dans la *Philosophie du droit,* il discerne « l'abstraction qu'est produire pour produire [58] ». Pas davantage Marx, même s'il assigne, au niveau des « forces productives » et de leur « développement », le fond de l'histoire, prétendant seulement corriger le « jour le plus court » qu'est le jour de la technique par la « réduction de la journée de travail », où il voit la « condition fondamentale du passage du monde de la

---

57. *Der Wille zur Macht,* § 693. Texte vraisemblablement de 1888.
58. *R.,* § 198.

nécessité dans un monde de la liberté [59] ». Tous en effet pensent
encore « dans l'ombre que leur est l'essence de la technique [60] ».
Car tous ne se la représentent encore qu'en mode instrumental.
Hegel et surtout Marx en ont certes une « expérience élémentaire [61] ». Mais c'est avec Nietzsche et seulement avec lui que
commence à poindre une énigme, qu'il s'énigmatise à lui-même
plutôt qu'il ne se l'explique dans la corrélation insolite de la
volonté de puissance et de l'éternel retour de l'identique.

Avec l'interprétation de l'étant dans son être comme volonté
de puissance dont l'éternel retour de l'identique est la culmination,
Nietzsche se porte en effet jusqu'à l'extrême de la non-sortie de
l'ombre, et, par là, dans le voisinage immédiat du « point le
plus critique [62] ». Nietzsche en appelle, en apparence, contre le
« gris sur gris » dont se serait contentée jusqu'ici la philosophie,
à la « vie » et à l' « art ». Mais ce vibrant appel, sous le voile
d'esthétisme dont il fait parade, n'est que l'alibi d'un projet,
auquel la vie et l'art ne se rapportent que de biais, celui d'une
domination inconditionnée de l'étant nommé homme sur tout le
reste de l'étant. C'est conformément à un tel projet que l'étant
dans son être n'apparaît même plus comme *objet,* mais uniformément et partout comme *valeur.* L'*objet* est encore auréolé
d'une *vérité,* dont même l'interprétation cartésienne comme *certitude,* si déjà elle réduit ce qu'il y a en lui d'adverse à ce que
peut en déterminer la puissance du calcul, le renvoie cependant
à lui-même et le laisse rayonner comme objet là où brillait encore
le soleil de Platon, quand celui-ci prétendait le voir « dans son
séjour à lui ». Mais l'idée même de vérité devient pour Nietzsche
intolérable. La vérité n'est plus que la dernière idole. Il n'y a
pas de vérité, sauf du « point de vue de la valeur » qui est dans
son fond celui de la volonté de puissance. Dès lors, l'objet n'est
plus que le terme corrélatif de l'évaluation. La question : qu'est
ceci ? Devient : quelle valeur a-t-il comme auxiliaire ou comme
obstacle, autrement dit comme « condition » dans l'entreprise
d'en venir à bout ? L'*évaluation* est un rapport aux choses, aux
autres, à Dieu lui-même, beaucoup plus essentiel que la *connaissance,* qui n'est que la retombée de l'évaluation dans le domaine
de l'atavisme. Au fond, il n'y a plus de *choses,* mais seulement
des *conditions* avec lesquelles la volonté de puissance doit s'entendre à *compter.* Novalis disait : « Nous cherchons partout

59. *K.,* III, 874.
60. *W. D. ?,* p. 54. Cf. K. Axelos, *Marx penseur de la technique,* Ed.
de Minuit, 1961.
61. *Brief...,* p. 88.
62. *V. u. A.,* p. 130 : *das Bedenklischste.*

l'inconditionné et ne trouvons jamais que des choses [63]. »
Nietzsche pourrait dire : Là où nous croyons rencontrer des
choses, nous n'avons jamais affaire qu'avec des conditions. Tel
est le sens voilé de l'appel nietzschéen à la vie et à l'art envisagé
lui-même « sous l'optique de la vie ». Gardons-nous donc d'opposer au prétendu rationalisme de Descartes ou de Leibniz un
prétendu irrationalisme de Nietzsche. C'est là rester à la surface
de ce qui est à penser. Heidegger pense beaucoup plus avant
quand il nous dit qu'appartient à la vie comme volonté de puissance « la domination sans réserves de la raison en tant que
calculante et non pas le trouble et la confusion d'un bouillonne-
ment vital en proie à ses propres fumées [64] ». Car le calcul dans
son essence ne consiste pas nécessairement à tout réduire en
formules numériques, mais « sévit avec d'autant plus de rigueur
là où il n'a même plus besoin des nombres [65] ».

Le onzième des vingt-huit paragraphes rassemblés dans *Essais
et conférences* sous le titre *Dépassement de la métaphysique*
commence ainsi : « Ce que la métaphysique de Nietzsche met en
lumière dans la volonté de puissance, c'est le *pénul*tième degré
du déploiement volontatif de l'étant dans son être comme
volonté de volonté ». Cette locution, formée par Heidegger à
partir de volonté de puissance, est pour lui le nom le plus propre
de la technique moderne dont la « mobilisation totale du monde
entier dans la figure du travailleur » est bien à ses yeux une
conséquence essentielle, mais non l'essence. La différence entre
la volonté de puissance et la volonté de volonté que la première
abrite encore en elle répond à la dissolution de ce que Nietzsche
se représente « esthétiquement » comme « grand style » dans
l'uniformisation plus inapparente du calcul que la technique met
partout en œuvre au service d'une exploitation toujours plus
poussée de l'étant. Nietzsche disait encore en 1884 : « Ce qu'il
nous faut, c'est une doctrine assez forte pour agir éducativement. »
Selon une telle « doctrine », la domination de la terre n'a elle-
même de sens que comme « moyen de produire un type plus
élevé [66] ». Mais la volonté de volonté n'a même plus besoin d'une
telle « doctrine ». Il lui suffit de disposer d'ordinateurs. La mise
à l'ordre du jour des ordinateurs, comme « machines informa-
tionnelles » telles que sous nos yeux elles président à la « pro-
grammation » de toute entreprise humaine, est la transformation
la plus extrême du rapport de l'homme à ce qui jusqu'ici lui
fut parole en une réduction de la parole elle-même à un langage

---

63. *Die Dichtungen* (Ed. Lambert Schneider, Heidelberg, 1953), p. 307.
64. *V. u. A.*, p. 81.
65. *Hzw.*, p. 270.
66. *Der Wille zur Macht*, § 862.

rigoureusement « computationnel », la grande nouveauté étant
la découverte que « les possibilités computationnelles de la
machine dépassent de beaucoup celles des hommes [67] ». Une
telle nouveauté se prépare à vrai dire bien en amont de notre
époque avec le projet leibnizien d'une *lingua rationalis,* Leibniz
recevant lui-même, à travers et contre Descartes, de la *Logique*
d'Aristote, qui est le chef-d'œuvre grec de l'ἐπιστήμη comme
τέχνη, une directive qui lui demeure voilée. Ce qui cependant
s'amorce ainsi en deçà de Nietzsche pour aboutir au point où
nous en sommes, c'est en passant par lui qu'il nous atteint. Car
les « estimations » qui constituent les « possibilités computationnelles » du langage que se parle à elle-même la volonté de
puissance ne sont nullement des à-peu-près, mais le calcul le
plus aigu des « conditions » selon lesquelles la vie se déploie
en une « escalade » où le *maintien* et *l'expansion* de sa puissance
se conditionnent elles-mêmes réciproquement. Mais la moderne
informatique et ses programmations ne vont-elles pas encore plus
loin dans l'escalade que l'estimation nietzschéenne des valeurs ?
Le « traitement » de l'information ne permet-il pas en effet d'en
démultiplier méthodiquement la signification et, ainsi, de développer au maximum ce qui pour Nietzsche était devenu l'essentiel, à savoir le « perspectivisme », grâce auquel seulement la
volonté de puissance, experte à « voir les choses par cent yeux »,
pouvait pleinement s'assurer d'elle-même dans ses entreprises
dont l'objet véritable, sous son masque de gloire, était déjà plus
essentiellement celui même que l'informatique va reprendre à
son compte : la domination multiforme de la terre par l'homme ?
    Qui ne discerne pas, dans l'interprétation si insolite de l'être
de l'étant comme volonté de puissance, et quelle que soit la
conviction que garde Nietzsche d'être « resté poète jusqu'aux
limites les plus extrêmes du terme [68] », le prélude immédiat à
ce « degré zéro » de la parole dont, dans un monde de la
technique, dominée par l'informatique, alliée à son tour avec la
linguistique, nous vivons déjà le triomphe absolu, il pourra
bien, attirant la philosophie de Nietzsche dans le « bric à
brac [69] », comme il aimait dire, d'une prétendue modernité, s'en
faire l'idée qui lui plaira, qu'il l'utilise comme un excitant de
choix, l'oppose arbitrairement à la dialectique hégélienne, ou
la parcoure en diagonale, monté sur le tandem aujourd'hui à
la mode qu'on nomme *Marx-et-Freud :* il n'en restera pas moins
bien en deçà de ce que nous donne à penser celui que Heidegger
nomme : le dernier philosophe. Que nous donne-t-il donc à

---

67. *Cahiers de philosophie* (UNEF. FGEL), n° 1, janvier 1967, p. 148.
68. Lettre à E. Rohde, 22 février 1884.
69. *Par delà le Bien et le Mal,* § 10.

penser ? Que son concept de volonté de puissance comme
« essence la plus intime de l'être », c'est peut-être seulement à
partir de ce qu'il ne dit pas encore qu'il commence pourtant à
s'éclairer, un tel recel n'étant à son tour que la reprise poussée à fond, et par là philosophiquement terminale, de celui
qu'inaugure, dès l'aube de notre monde, la τέχνη des philosophes
grecs, en tant qu'initialement vibre en elle l'impulsion décisive
qui, tout au long d'un Occident, nous a conduits à notre insu
jusqu'à ceux que nous sommes. Mais *qui* sommes-nous donc ?

> Nous sommes un signe, privés du sens,
> Hors douleur nous sommes, ayant presque
> Perdu la langue en pays étranger.

Ainsi nous parle Hölderlin. Ce que nous dit Hölderlin, c'est cela
même que Nietzsche caractérisera, avant la fin du même siècle,
comme : *avènement du nihilisme européen.*

Il demeurera réservé à Heidegger de penser dans le nihilisme,
pour lequel Nietzsche a si bien « rompu la glace [70] », un péril
assez plein d'avenir pour que s'y engage, par sa tentative même
de le surmonter en extorquant à la philosophie un *nouveau* chant
du coq, la philosophie de l'être comme volonté de puissance.
Car un tel avenir, c'est de bien avant Nietzsche qu'il a pris son
départ, étant, de saison en saison, l'histoire que nous est, d'un
bout à l'autre de la métaphysique, l'ouverture en clairière de
l'être dans l'étant, depuis l'aube que fut la naissance grecque
d'un monde de l'étant, jusqu'au soir du temps où l'homme de
cette naissance et nul autre que lui n'a plus d'autre héritage,
portion congrue, que la *domination* de ce qui lui fut d'abord
apparition. Telle est l'essence, encore inaperçue par Nietzsche,
du *nihilisme européen.* A la pensée de Nietzsche la domination de
la terre que lui promet du fond des âges la parole d'un Ancien
Testament apparaît encore comme trop évidente. Le difficile est
seulement la découverte des « principes » au nom desquels la
tâche ainsi fixée d'avance pourra être menée jusqu'au bout. « La
grande politique, le gouvernement de la terre sont proches :
manque absolu de *principes* à cet effet [71]. » A la pensée de
Heidegger, ce ne sont pas tant les principes que la tâche elle-
même qui devient digne de question. Cette question devient à
son tour : comment l'homme d'Occident a-t-il bien pu en venir
jusqu'à n'être plus à ses yeux que l'homme d'une telle tâche,
relativement à quoi Nietzsche a bien raison de dire que tout le
reste n'est qu'échappatoire et alibi. Telle est, posée pour la pre-

---

70. C'est le mot de Leibniz à propos de Galilée ; *Opuscules et fragments
inédits,* p. 178.
71. *Der Wille zur Macht,* § 978.

mière fois comme question essentielle dans la conférence que
prononce en 1953 Heidegger, la *Question de la technique*,
celle qui, au lieu de s'interroger encore une fois sur les avantages
ou les inconvénients de la technique et sur la possibilité ou non
de la prendre en main, la met en question comme technique, à
la mesure de son règne aujourd'hui mondial.

Au plus profond de la technique moderne, telle qu'elle nous
donne la lune, permettant même aux Américains d'y débarquer
à l'heure, discernons-nous encore une fois l'écho d'une nostalgie,
celle qui, dans la τέχνη de Platon et d'Aristote, s'allume comme
« désir de l'être » ? Ou la technique moderne, dans son assurance
éperdue, ne serait-elle pas plutôt l'oubli le plus radical de ce
dont la philosophie depuis sa naissance gardait encore l'écho ?
Un tel oubli n'est cependant pas abolition pure. Il est le plus
extrême retrait de ce que nous sommes originellement. Dans la
« nuit claire » de l'oubli et du *rien* dont il est le règne émerge,
salutaire, l'angoisse. Elle en émerge rarement. Mais à chaque
fois s'ouvre un monde. Dès lors, le triomphe grec de la τέχνη
dans la φιλοσοφία, s'il est la source et par là l'essence de la
technique au sens moderne, en tant qu'amorce d'un retrait croissant de l'essentiel, n'est pas abandon, n'est pas déchéance. Il
est bien plutôt, « nous regardant sans être vu, le plus ample et
le plus riche avènement à l'intérieur duquel c'est toute l'histoire
occidentale du monde qui nous est destinée d'une manière plus
instante [72] ».

Ces paroles, Heidegger les disait il y a plus de vingt ans. Il
avait en vue à l'époque non pas tant la technique comme volonté
de volonté que la métaphysique elle-même. A la lumière de ce
qui précède, ne serait-il pas cependant possible de pressentir
qu'un rapport secret unit l'une et l'autre ? Dès lors, la longue
histoire qui conduit l'homme de la métaphysique, tel qu'il apparaît avec le début même de la pensée grecque, à devenir celui
qu'il est aujourd'hui devenu, à savoir le « fonctionnaire de la
technique », ne serait qu'*en apparence* la version occidentale
d'une histoire universelle dans laquelle l'Occident n'aurait pris
les devants que comme un athlète plus doué, dans une compétition, prend de l'avance sur les autres. Serait-il donc de son
destin d'être aujourd'hui le fonctionnaire de la technique ?
Laquelle, n'ayant dans son essence rigoureusement rien de la
neutralité instrumentale à laquelle elle est communément réduite,
n'aurait aucun besoin non plus d'un autre sujet qu'elle-même
pour que ce qu'elle est lentement vienne au jour ? Ce jour, dit
Heidegger, est « le jour le plus court : en lui menace l'unicité

---

72. *Hzw*, p. 336.

d'un interminable hiver [73] ». De cet hiver du monde qui monte irrépressiblement, Nietzsche, attentif à ce qu'il nommait le « mythe du futur [74] », avait, dès le temps de *Zarathoustra*, pressenti quelque chose : « Du sein de votre automne, je vous annonce l'hiver et une pauvreté de glace [75]. » Mais pourquoi et d'où une telle annonce ? De la merveille, dit Heidegger, que l'homme d'Occident est *das Meta-Physische selbst* — le métaphysique en lui-même, étant non moins à méditer, avait-il dit aussi quinze ans plus tôt, que « l'essence de la métaphysique moderne et celle de la technique moderne sont du même secret [76] ».

Si technique et métaphysique coïncident ainsi au plus secret de leur essence, ne nous faut-il pas reconnaître enfin que prétendre à la maîtrise de la technique, comme il est de règle aujourd'hui, revient à prétendre au dépassement de la métaphysique ? D'aucuns s'imaginent que c'est déjà chose faite, soit avec la philosophie de Nietzsche, soit au pays du socialisme — et encore mieux chez les Hippies. « A vos souhaits ! » pourrait-on leur répondre. Mais si, selon le mot de Heidegger, « on ne se dévêt pas de la métaphysique comme on change de point de vue[77] », serions-nous alors voués sans recours à l'une et à l'autre ? Et par la même μοῖρα qui, dans le poème de Parménide, est dite maintenir l'être même « dans les liens d'une limite qu'elle ne relâche nulle part » ?

La μοῖρα n'est pas cependant ce *fatum* que Leibniz définira comme *stoïcum, mahometanum* et finalement *christianum*. Sans doute est-ce bien elle qui tient l'être dans ses liens, mais l'être à son tour, tel que l'entreprirent les Grecs, est-il destin ultime ? N'avons-nous pas à méditer précisément en lui le rapport à la μοῖρα qu'il nous est, au *partage* plus essentiel dont c'est l'énigme même qui nous est dès longtemps proposée dans la nomination de l'être ? C'est pourquoi, dit Heidegger, la tâche de la pensée n'est pas seulement de penser : *zurück zu den Griechen,* en rétrocédant jusqu'aux Grecs, mais *über das Griechische hinaus* [78], en dépassement du monde grec lui-même. Non sans doute dans la prétention de surpasser les Grecs, qui sont insurpassables, mais jusqu'au retrait plutôt de ce qui leur est source. Avec les Grecs nous ne sommes encore qu'ἐπὶ κύκλου περιφερείας [79], sur la circonférence du cercle : au pays

73. *Hzw*, p. 272.
74. Cité par Heidegger, *W. D. ?*, p. 46.
75. *Nietzsche*, XII, § 654.
76. *Hzw*, p. 69.
77. *V. u. A.*, p. 72.
78. *Z. S. D.*, p. 79.
79. Héraclite, fr. 103.

certes d'Ἀλήθεια, mais sans savoir rien encore de ce que pourtant la déesse de Parménide nomme ἀληθείης ἧτορ, de ce qui, à l'Ouvert-sans-retrait, est centre, de son *cœur,* à partir de quoi seulement une telle ouverture nous est donnante. La tâche de la pensée serait ainsi de devenir plus pensants que ne le furent ceux-là mêmes à qui nous sommes redevables de penser en mode métaphysique.

Sein und Zeit, il y a plus de quarante ans, fut le premier essai d'une pensée qui déjà se risquait en ce sens, osant rétrocéder, en s'en dégageant, du *jusqu'ici* pour tenter le passage de la question *directrice* de la métaphysique, qui est celle de l'être, à sa question *fondamentale,* celle que Heidegger formulait alors comme la question du *sens* de l'être, et à partir de laquelle seulement notre rapport à la première devient plus libre. Une telle liberté ni ne surmonte ni ne maîtrise ce qui dès l'abord se propose. Elle en sauve l'inapparent, s'ouvrant par là à un secret plus essentiel de la présence manifeste. Elle ne se laisse plus dès lors fasciner par ce qui, de partout, s'annonce en un présent, mais elle en est à sa façon désabusée. Au lieu donc de se porter passionnément au double extrême de l'approbation ou de l'exécration, peut-être commence-t-elle à savoir dire *non* et *oui* à la fois au présent que nous est aujourd'hui la technique. Non sans doute par une prétendue impuissance à trouver ce que Nietzsche appelait « un chemin nouveau vers l'affirmative », mais selon la rigueur d'une pensée plus questionnante qui est celle de l'être comme éclosion et comme retrait. « L'être se retire, tandis qu'il se déclôt dans l'étant [80]. » Si l'organisation technique nous est devenue aujourd'hui ce que fut à Platon l'étant dans son être, vu que l'étant, de toute évidence, n'est aujourd'hui que pour la domination de l'homme sur lui, une telle évidence ne va nullement de soi. Elle est bien plutôt l'oubli, dans l'étant, de ce que lui était être. Un tel oubli n'est pas une simple inadvertance comme, lisons-nous dans la lettre à Jünger, quand « un professeur distrait oublie son parapluie ». Il est dans sa « nuit claire » le retrait de ce qui nous demeure à penser.

L'oubli ainsi entendu comme retrait de l'être, s'il est l'affaire de la pensée, il nous faut apprendre à le *patienter* bien plutôt que prétendre à le surmonter. Car la technique moderne est d'essence plus haute que ne le soupçonnent ceux qui font des plans pour la « prendre en main » ou qui se croient assez forts pour lui « faire la morale » au nom d'une métaphysique ou d'une religion, fût-elle, avec Nietzsche, l'avènement de Dionysos. Mais *patienter* ainsi n'est pas subir passivement. C'est, selon la parole

---

80. *Hzw,* p. 310.

d'Eschyle dans *Agamemnon,* apprendre à devenir τῷ πάθει μάθος — expert à partir de l'épreuve. D'un tel apprentissage au niveau même de l'épreuve, n'attendons cependant la « solution » d'aucun « problème ». La question de la technique comme correspondance à l'épreuve n'est pas en effet un problème, c'est-à-dire, selon Leibniz, l'une seulement de ces questions « qui laissent une partie de la proposition en blanc (...), comme lorsqu'on demande de trouver un miroir qui ramasse tous les rayons du soleil en un point[81] ». Bien des questions ne sont encore que des problèmes. Mais si tout problème est bien sûr une question, il s'en faut de beaucoup que ce qui est question se réduise nécessairement à un simple problème au sens de Leibniz. Question et problème font deux.

Faut-il donc devenir encore plus questionnant que ne peut l'être aucun problème ? N'est-ce pas là perdre son temps ? Ou bien est-ce encore une fois reprendre souffle à partir de ce que *Sein und Zeit,* avait nommé : « la force calme du possible[82] » qui, déjouant toute prévision aussi bien scientifique que technique, ne cesse pourtant d'ouvrir à l'homme un avenir ? Serions-nous à court d'avenir ? Il le semble aujourd'hui où tout nous devient prévisible. Un tel péril pourtant n'est pas encore le dernier mot. Hölderlin nous le dit au début du poème *Patmos,* conçu *in dürftiger Zeit,* à l'époque du manque, qui est de plus en plus notre partage :

> Mais où est le péril, là grandit
> Lui aussi ce qui sauve.

Ce qui sauve n'est pas la technique, où menace au contraire le plus extrême péril, mais le secret de son essence, à nous-mêmes plus instante que toute annonce d'un dieu nouveau, plus proche aussi que tout ce qui ne transforme de la vie que techniquement, donc comme suite d'une telle essence. L'essence de la technique n'a rien de technique. Pas plus que ce qui sauve n'est tout simplement le péril. Les deux cependant sont *le Même.* Mais au sein de quelle Mêmeté ? Aucune logique ici ne peut nous secourir, pas plus qu'aucune dialectique, mais seulement, pour la pensée, l'entreprise d'ouvrir à son questionnement un chemin qui lui soit toujours plus digne de question. C'est vers un tel chemin que, sans être entendu, Heidegger pourtant nous fait signe, en nous exhortant jusqu'à l'insolite à devenir pensants, par-delà les *problèmes* que pose la technique, de la *question* encore non pensée que demeure pour nous celle *de* la technique.

81. *Nouveaux Essais,* IV, ch. II, § 7 (*Phil.,* V, 349).
82. *Brief...,* p. 57.

HEIDEGGER ET NIETZSCHE :
LE CONCEPT DE VALEUR

Dans la philosophie de Nietzsche, le « point de vue de la valeur » paraît jouer un rôle aussi central que l'énigme de la double détermination de l'être comme *volonté de puissance* et *éternel retour*. Faut-il se borner à constater le fait et n'y voir qu'un incident sans importance, le langage des valeurs étant « à la mode » à l'époque de Nietzsche plus encore qu'il ne l'est aujourd'hui ? Faut-il au contraire aller jusqu'à penser que rien n'est ici incident ni accidentel, et que c'est la métaphysique même de Nietzsche, méditée dans l'horizon de ce que Heidegger nomme *histoire* ou, mieux, *destin* de l'être — la *Seinsgeschichte* étant dans son fond *Seinsgeschick* —, qui requiert le recours de Nietzsche au concept de valeur, lequel serait dès lors, non pas un moyen d'expression parmi d'autres, mais une nomination elle-même porteuse de destin et qui ne prendrait tout son sens que dans l'optique de la volonté de puissance et relativement à la culmination de la volonté de puissance dans la figure de l'éternel retour ? Dans cette hypothèse, la philosophie de Nietzsche ne serait pas, comme on dit aujourd'hui, une « axiologie » parmi d'autres, mais la philosophie même de la valeur, le langage des valeurs n'étant, hors de cette situation unique et privilégiée, que verbalisme inconsistant. Cet apparent paradoxe, c'est ce que Heidegger nous propose de méditer aussi bien dans l'étude de *Holzwege* qu'il consacre à Nietzsche que dans le deuxième volume du *Nietzsche* qu'il publia voilà déjà deux ans, et c'est sur ce point que vont porter les remarques que je me propose de développer.

Soulignons-le à nouveau : rien n'est, en apparence, plus paradoxal qu'une telle interprétation. Elle se heurte en effet à l'idée
solidement ancrée que le concept de valeur est un concept universellement de mise, et que la tâche la plus propre de la philosophie
depuis son origine est l'exploration d'un monde de la valeur en
vue de la fixation d'une échelle de valeurs, sans laquelle les
entreprises humaines seraient vouées à l'arbitraire. Et l'un des
reproches souvent faits à Heidegger est précisément que sa
pensée est incapable de fonder une éthique, c'est-à-dire d'aboutir
à une ferme distinction du bien et du mal, dans la mesure où elle
se contente d'exhorter à une « résolution » pour laquelle tous les
possibles s'équivalent, l'essentiel étant d'être résolu, sans nul souci
de ce qui fut aux yeux de tous les philosophes la « grande
affaire », disait Kant, non seulement de la philosophie, mais de
la vie humaine.

Nous pouvons certes raisonner ainsi. Nous pouvons aussi
rester en défiance. Que la pensée à son début, à savoir la pensée
grecque, ait été essentiellement attentive à ce qui pouvait bien
être dans le monde ou ailleurs ἄξιον τοῦ λόγου, en résulte-t-il
que l'on puisse caractériser la pensée de Platon par exemple
comme une « axiologie » au moins implicite ? Autant dire à ce
titre que la philosophie platonicienne des Idées n'est qu'une
idéologie parmi d'autres. La philosophie de Platon cependant
n'est pas une idéologie. Elle est l'apparition philosophique de
l'être dans la figure de l'εἶδος — ce qui n'a rien pourtant
d'idéologique. Peut-être est-ce bien plutôt quelque chose encore
du Platonisme qui persiste à vivre jusque dans ce que nous
nommons aujourd'hui des idéologies, le propre de telles idéologies étant de n'être plus qu'un reflet tardif, ou, si l'on veut, la
monnaie longuement dépréciée de l'apparition première à laquelle
répondit la pensée de Platon en instituant le début original de
toute l'histoire de la philosophie. L'axiologie contemporaine, qui
n'est qu'une mise en forme de la déchéance de la philosophie en
système idéologique, prétend survoler la philosophie elle-même et
en analyser les structures à partir des lois de la valeur, posée à
son tour comme une sorte d'absolu de la question. De ce point
de vue déclaré « scientifique » rien n'est plus tentant que de
railler les « simplifications [1] » axiologiques dans lesquels se
seraient naïvement « débattus » les philosophes grecs, vu le
caractère rudimentaire de leur détermination des « valeurs ».
Toute la question est cependant de savoir si la philosophie
grecque n'est vraiment qu'une première variation sur le thème de
la valeur, qui serait sous-jacent à toute philosophie, en attendant

---

1. Raymond Ruyer, *Le monde des valeurs* (Aubier 1948), p. 19.

de devenir l'objet d'une élucidation plus scientifique. Nietzsche
écrivait déjà des Grecs, dont il avait profondément ressenti le
caractère « dépaysant » pour les « tards venus » que nous
sommes : « Ils vénéraient autrement, ils méprisaient autrement[2]. » Comment comprendre cet *autrement* ? Avaient-ils
simplement d'autres valeurs que nous ? Ou au contraire étaient-
ils aussi étrangers à ce que nous nommons valeur qu'à notre
interprétation idéologique de la philosophie ? Mais à quoi donc
étaient-ils étrangers, ces Grecs qui honoraient et qui méprisaient
tout autrement que nous ? A quoi s'adressaient-ils donc en
honorant et en méprisant ? Et qu'était donc ce qui leur était
ἄξιον τοῦ λόγου ?

La parole essentielle de la pensée grecque, avant même qu'elle
ait pris avec Platon et Aristote la figure, destinée à devenir
séculaire, de la philosophie, nomme l'être. Mais la pensée de
l'*être,* identique à leur sens à celle de l'*un,* n'intervient cependant pas comme facteur d'uniformité. Elle est bien plutôt
l'éclosion d'un monde de la différence. L'être, à savoir la singularité unique *par où* est ce qui est, autrement dit l'étant, constitue
dans son fond ce qu'il y a de « bon » en lui. Mais le « bon »
à son tour a plusieurs visages. Aristote en dénombrera trois : le
plaisant, l'utile et le beau. C'est selon ces trois manières d'être,
dont aucune n'est logiquement réductible à aucune des deux
autres, que se manifeste diversement ce qui *est.* Le beau est plus
à honorer que le plaisant et que l'utile, bien qu'il ne manque
généralement pas d'être plaisant et qu'il lui arrive même d'être
utile. Mais il est non moins honorable de ne sacrifier ni l'utile
ni le plaisant « si la vie qui est nôtre doit quand même être une
vie[3] ». Quand donc les Grecs situent le beau, le plaisant et
l'utile du côté de l'être, ce n'est nullement au profit d'une
« échelle ontologique » où la monotonie des « degrés d'être[4] »
éclipserait indûment la différenciation radicale du beau, du plaisant et de l'utile, mais parce que l'apparition de l'être en sa vérité
est par elle-même assez riche en différences pour donner avant
tout à choisir. Le pays de l'être est le pays du choix. C'est ce
que nous dit une phrase d'Héraclite : « Ils choisissent un de
préférence à tout, les meilleurs — gloire impérissable de préférence à ce qui meurt, tandis qu'il suffit au grand nombre d'être
rassasié comme du bétail[5]. » Un tel αἱρεῖσθαι ἀντί, choisir de
préférence à, telle est la tâche essentiellement critique de la

---

2. *Aurore,* § 170.
3. Platon, *Philèbe,* 62 c.
4. Scheler, *Der Formalismus in der Ethik* (traduction M. de Gandillac,
Gallimard, 1955), pp. xvii et 167.
5. Fragment 8.

pensée de l'être. La philosophie la reprendra à son compte comme προαίρεσις, qui signifie précisément, dira Aristote faisant écho à Héraclite, prendre en vue quelque chose comme πρὸ ἑτέρων αἱρετόν (digne d'être choisi de préférence aux autres choses). Cette idée de choix est le fond du λόγος qui ne consiste pas à tout rassembler en vrac, mais à ne garder en son recueil que ce qu'il a trié. Κρίναι δὲ λόγῳ, dit Parménide. Fais donc le tri essentiel. Mais qu'avons-nous au juste à trier λόγῳ, ou, dira Aristote, μετὰ λόγου, en suivant le λόγος ? Quoi, sinon ce qu'il y a de bon, ou plutôt de meilleur dans ce qui est pris en vue ? Et ceci selon les figures essentiellement différentes du plaisant, de l'utile et du beau ? Dans la *Rhétorique,* Aristote pousse encore plus loin la précision. Si, dit-il, l'enfance ne vit que pour le plaisant et la vieillesse pour l'utile, tandis que l'adolescence s'enthousiasme surtout pour le beau, il est cependant un quatrième âge de la vie qui est son ἀκμή. Aristote, qui le situe aux environs de la cinquantaine, dit posément des ἀκμάζοντες : « Sans se fier à tout ni se défier de tout, ce sont eux qui font le meilleur tri en suivant le vrai ; ils ne vivent ni pour le beau uniquement ni uniquement pour l'utile, mais pour l'un et l'autre tout aussi bien [6]. »

Rien n'est donc plus familier à la pensée grecque que la distinction, dans l'être, du meilleur et du pire à partir du « suffisant », si ce n'est la distinction encore plus subtile entre « tous les biens qui peuvent exister *de facto* [7] » et ce *par où* de tels biens sont des biens. Il faudra en effet toute la barbarie d'Hippias pour ne rien entendre à la différence entre τί ἐστι καλόν et τί ἐστι τὸ καλόν ; — qu'est-ce qui est beau ? et qu'est-ce que le beau [8] ? En réponse à la première question, il suffit en effet d'indiquer de belles choses, dont la plus belle, dit Hippias, est sans conteste l'or. Il est moins facile de répondre à la seconde question. Dire en effet δι'ὅ, par quoi une belle fille par exemple a de la beauté, c'est plus difficile que de la siffler au passage, toute la difficulté consistant ici en un tout autre passage, le passage proprement grec de l'*ontique* à l'*ontologique*. Mais, si la philosophie grecque est un tel passage, si donc l'ἀγαθόν n'est pas une « bonne chose », mais *par où* est bon ce qui est tel, la philosophie grecque n'est-elle pas précisément le passage de la prise en vue des biens à l'optique des valeurs ? A ce titre, la critique si sommaire que fait Scheler d'Aristote à qui il reproche çà et là de n'avoir fait aucune différence ni entre la

6. *Rhétorique* II, 14, 1390 a 31 sqq.
7. Scheler, *op. cit.* p. 103.
8. *Hippias majeur*, 287 d.

valeur et l'être, ni entre les biens et les valeurs, dénote tout
simplement à quelle distance la pensée pourtant si pénétrante de
Scheler se tient de la philosophie grecque qu'il récuse sans trop la
comprendre. Et cependant Scheler n'a peut-être pas tort de dire
d'Aristote, dans l'avant-propos à la troisième édition de son
livre (1926), qu'il « ignore le concept même de la valeur ».
Non sans doute pour les raisons qu'il évoque, mais parce que,
dans la philosophie grecque, la détermination du bien *par où*
il est bien n'a pas encore la signification moderne de la valeur
qui suppose un tout autre fond que celui de la philosophie
grecque.

Peut-être en effet n'est-ce pas un hasard si le mot de valeur
ne commence à devenir un terme technique de la philosophie
qu'avec Descartes. Dans le *Traité des Passions,* et antérieurement,
dans des lettres à la princesse Elisabeth et à Chanut, Descartes
fait culminer la philosophie dans la détermination de la « juste
valeur » des biens dont l'acquisition peut dépendre de nous. Il
en excepte ceux que nous devons à l'infaillible gratuité de la
parole divine, ou à ces moments de *chance* qui, comme Socrate
avait son démon, nous favorisent parfois d'un bonheur imprévu.
Mais, ces exceptions faites, d'où et comment pouvons-nous
déterminer la « juste valeur des biens » ? D'où, sinon de ce
foyer unique de déterminations précises qu'est l'*ego cogito ?*
Comment, sinon en nous attachant à faire *sub cogitationem
cadere,* tous les biens dont nous pouvons avoir l'idée ? L'apparition philosophique de la notion de valeur va donc historiquement de pair avec l'interprétation cogitative, qui est l'interprétation cartésienne, de la pensée. Or rien n'est plus étranger à la
pensée grecque qu'une telle interprétation. Sans doute, rien
n'est plus familier à cette pensée que l'inscription dans l'être
d'un rapport essentiel au λόγος, de telle sorte que c'est là seulement où il y a λόγος que se manifeste la merveille de l'être. Tel
est, pourrions-nous dire, le « coup d'envoi » de la pensée
grecque elle-même dont l'une des premières paroles dit l'identité
de la pensée et de l'être. Cette parole ne prononce rien sur l'être
comme, au contraire, lorsque Berkeley dira bien plus tard :
esse est percipi. C'est sur la pensée qu'elle prononce, en disant
de la pensée et de son noème qu'ils sont « en vue de l'être »,
c'est-à-dire « ayant l'être en vue ». Mais ce rapport au λόγος
qui appartient à l'essence même de l'être ne va pas jusqu'à faire
de l'homme le centre unique d'une décision sur la nature de
l'être. En lui, l'homme est bien plutôt frappé d'ouverture pour
l'Ouvert même de l'être qu'il ne lui appartient de le réduire à
une mesure préalable, celle de la *clara et distincta perceptio,* qui
à son tour n'est telle que représentativement, c'est-à-dire au regard

de l'esprit humain. Ce qui ne signifie nullement que la pensée grecque était obscure et confuse, mais que sa lumière ne se mesurait pas encore à la mise au point de l'optique cartésienne.

La philosophie moderne au contraire, dans son éclosion cartésienne, peut être caractérisée par l'apparition, dans l'homme, d'une figure nouvelle, celle d'un *sujet* privilégié dont ce que les Grecs nommaient l'être, n'est plus dès lors, comme le dira Kant, que le *corrélat*. C'est comme corrélat du sujet que l'être se manifeste à la fois dans son unité *et* ses différences. L'apparition du sujet dans le domaine de la philosophie n'est nullement moderne. Elle est bien plutôt aristotélicienne. Ce qui est moderne, c'est la préséance reconnue à un certain sujet, à savoir le sujet certain de lui-même, celui dont la science essentiellement réflexive qu'il a de lui, autrement dit sa conscience, devient dès lors pré-science, et par-là décisive de la vérité. Avec l'apparition de cette vérité nouvelle dont l'immanence *égologique* ou *cogitative* est le fond radical, commence le monde moderne de la représentation. Désormais, écrira Hamelin en une formule que Heidegger adopterait sans aucune réserve, « la représentation est l'être et l'être est la représentation ». Dans le nouveau monde de la représentation, la pensée n'est plus cette correspondance à l'être dans le non-retrait de l'Ouvert, dont l'expérience portait le Poème de Parménide. Un renversement s'est produit. L'*ego cogito*, considéré dans son colloque avec lui-même — *se solum alloquendo*, disait Descartes —, tel donc qu'il préfigure secrètement l'*unmittelbares Selbstgespräch mit sich* du sujet hégélien, à savoir ce colloque solitaire au sein duquel un tel sujet « fait front de toutes parts sans jamais pouvoir être pris à revers » —, voilà ce qui devient mesure de l'être même, réduit dans son fond aux proportions du *cogitatum* ou du *cogitandum*. C'est sur un tel fond que se déploient, dans leur apparition désormais perceptive, les distinctions de l'être, celles que déployèrent, sur un tout autre fond, les Anciens et les Scolastiques. Parmi ces distinctions reparaît naturellement le panorama des différences signalées par Aristote, l'être ayant non seulement pour base la commune mesure du *cogitatum,* mais se manifestant aussi par degrés à partir d'un maximum, celui qui est tel que : *nihil majus potest cogitari.* Mais pour qui ? pour l'*ego cogito* axé sur lui-même. Tel est le site ou l'horizon nouveau à l'intérieur duquel seulement, dira Kant, pourra trouver place « tout rapport (à quoi que ce soit) de l'être ou du non-être ».

La « valeur des biens », dans la philosophie moderne, se définira donc *cogitando,* c'est-à-dire selon l'optique de la *clara et distincta perceptio,* qui est, pour Descartes, décisive de l'essence même de l'être. Une telle optique, est, si l'on veut, l'interprétation proprement cogitative de ce dont l'ἀγαθόν, avec la multiplicité de ses visages, était l'interprétation *eidétique.* Ce renversement radical de l'éidétique au perceptif est si bien l'acquis de la philosophie moderne que même la grande opposition de Pascal au cartésianisme, celle qui donnera à Scheler le principe même de son axiologie, se bornera à substituer à l'immanence proprement perceptive de la *cogitatio,* à son « immanence égologique », dira Husserl, une autre immanence, celle que Pascal nomme le « sentiment du cœur », mais qui n'est, comme il le précise vocativement, qu'une autre version d'un certain « consentement de vous à vous-même » dont Descartes faisait l'*ipsissimum* de son interprétation de la vérité. C'est, comme Descartes, se *solum alloquendo* que Pascal lui aussi s'aventure à la recherche d'un Dieu qu'il voudra avant tout « sensible au cœur », et en qui il croira témérairement reconnaître le « Dieu d'Abraham, d'Isaac et de Jacob ». Mais, si c'est du fond du cœur que Pascal se parle à lui-même, la perception, selon Descartes, n'est pas non plus le fond ultime de la pensée. Sans doute professe-t-il que l'erreur la plus absurde et la plus exorbitante que puisse commettre un philosophe est de « faire des jugements qui ne se rapportent pas aux perceptions qu'il a des choses » — ou, dit-il encore, qui ne tiennent pas leur règle de ces perceptions. C'est au nom d'une telle règle que le morceau de cire de la *Seconde Méditation* n'est plus « rien d'autre » que ce quelque chose qu'il est véritablement. Mais Descartes va encore plus loin. Et peut-être est-ce grâce à ce dépassement d'une première position qu'il juge lui-même encore timide qu'une révolution bien plus radicale s'accomplit. Cette révolution définira l'interprétation proprement cartésienne du jugement.

Jusqu'ici, la régulation essentielle du jugement au sens de Descartes était sa régulation *perceptive.* Mais plus essentielle à ses yeux que la régulation perceptive apparaît maintenant une régulation proprement *élective,* selon laquelle est posé non plus seulement comme perçu, mais bel et bien comme voulu, le fond même de la vérité. La certitude cartésienne est avant tout affaire de volonté [9]. C'est comme volonté plus encore que comme entendement que l'*ego cogito* est en colloque avec lui-même. En d'autres termes, Descartes ne retourne, dans le jugement, l'ἰδέα de Platon en *perceptio* que pour retourner le jugement lui-même en action de la volonté. Dès lors, aussi bien l'être que la vérité qui lui est radicale, c'est dans une perspective radicalement étrangère aussi bien à la philosophie médiévale qu'à la philosophie grecque qu'ils apparaissent l'un et l'autre. Par cette irruption dans

---

9. Car l'entendement *non est facultas electiva.* Descartes, A. T., IV, 63.

la pensée d'un trait aussi nouveau et aussi imprévu, celui selon lequel c'est « l'empressement et l'ardeur de la volonté », dira Malebranche, sa *facilitas* et son *impetus,* disait Descartes, qui portent l'*actus judicandi,* la vérité elle-même est ébranlée dans son essence. Désormais, l'intuition et la décision vont de pair. Mais, en philosophie comme à la guerre, ce qui importe, c'est la décision. Il est de la nature de la décision de brusquer le moment. Toute décision est à l'emporte-pièce. Descartes parle de la vérité en capitaine. C'est, dit-il, « donner des batailles » que tâcher de parvenir à la connaissance de la vérité. La *Géométrie* de 1637, à laquelle Leibniz reprochera non sans raison, mais quarante ans plus tard, de commencer « par une rodomontade », fut l'une de ces batailles qui ne peuvent devenir des victoires que sous la condition que formule cette extraordinaire incidente de la *Méditation Quatrième : cum latius pateat voluntas quam intellectus.* Portée d'un bout à l'autre par la volonté d'aboutir, la pensée de Descartes va de l'avant. On pourrait dire qu'elle *fonce,* et par là *force* un avenir plus qu'elle ne s'attarde au présent.

Si nous revenons maintenant à l'entreprise de déterminer *cogitativement* la « juste valeur » de tous les biens, entreprise dans laquelle seulement commence à se faire jour la *représentation* de la valeur, il est clair que la justesse cartésienne de cette détermination se règle encore plus sur l'assentiment de la volonté que sur la perception de l'entendement. Autrement dit, la connaissance même de la vérité, telle qu'elle est requise pour une appréciation exacte des valeurs, devient à son tour l'objet d'une appréciation qui, de son côté, dépend essentiellement de l'aptitude de la volonté à faire électivement face aux situations dans lesquelles elle se trouve engagée. Autrement dit encore : c'est, avec Descartes, le point de vue proprement appréciatif ou électif de la valeur qui commence à triompher dans la détermination de la vérité elle-même. Si Descartes peut dire, comme il lui arrive de le dire : *nemo ante me...* — personne avant moi..., c'est bien surtout à raison du séisme que provoque, dans la vérité, son interprétation du jugement. C'est par là que Descartes apparaît en philosophie comme cet « ébranleur du sol » dont le passage « à longues enjambées » — celles du Poseidon de l'*Iliade* plutôt que du « cavalier français » de Péguy — prépare de loin ce qui éclatera seulement avec Nietzsche, à savoir cet extrême de la philosophie que sera, dans l'optique de la volonté radicalisée en volonté de puissance, l'interprétation de l'essence même de la vérité comme *Wertschätzung.*

L'interprétation du jugement comme action de la volonté, qui n'est d'ailleurs pas, chez Descartes, primitive, vu qu'elle est presque absente des *Regulae* où le jugement apparaît bien plutôt comme *nexus* ou *compositio,* constitue, parmi les thèses de la métaphysique cartésienne, l'une de celles d'où les philosophes dits « cartésiens » ont le plus résolument et le plus constamment rétrocédé. Du vivant même du philosophe, le joyeux traducteur des *Principes* que fut l'abbé Picot, à la faveur d'un de ces à-peu-près dont la collection constitue ce que l'on nomme depuis trois siècles la traduction française des *Principes de M. Descartes,* en affaiblit déjà délibérément l'excès. Mais surtout Spinoza proclamera, contre la doctrine de la suprématie de la volonté, l'identité foncière de la volonté et de l'entendement. A son tour, Leibniz, retrouvant le mouvement même d'une phrase d'Aristote, dira : *judicamus igitur non quia volumus, sed quia apparet.* Enfin, dans la *Critique de la Raison pure,* Kant définit le jugement du point de vue du seul entendement et comme « représentation d'une représentation ». Juger, pour Kant, c'est se représenter *comme* étant ceci ou cela ce qui est *déjà* représenté. Par exemple, dans le cas d'une pierre au soleil qui de froide devient chaude, c'est se représenter le soleil, déjà présent dans une première représentation, *comme* la cause qui fait que la pierre devient chaude. Lorsque Kant dit : « Penser, c'est juger », il ne veut pas dire autre chose. Juger n'est nullement faire acte de volonté, mais laisser apparaître ceci *comme* cela dans l'éclaircie d'un horizon catégorial. Le jugement au sens de Kant n'a rigoureusement rien à voir avec le jugement au sens de Descartes, à savoir celui qui *non nisi in assensu consistit.* Si le jugement pour Kant reste bien un acte, c'est comme synthèse intellectuelle, nullement comme assentiment volontaire. Hegel reste ici profondément kantien. Si Descartes est bien un héros, ayant repris toute l'affaire à son point de départ et constitué le nouveau sol de la philosophie, il reste quand même un de ces Français qui ont « la tête près du bonnet » et vont plus vite que la musique. Si la volonté reste le fond de la pensée, c'est sans l'emporter sur l'entendement. Le *quia apparet* de Leibniz prend même avec Hegel les proportions d'une *Phénoménologie de l'Esprit* dans laquelle la volonté est à égalité avec l'intelligence dont elle constitue *die nächste Wahrheit.*

S'il en est ainsi, c'est-à-dire si tout le mouvement de la philosophie moderne apparaît comme un contre-mouvement de l'ébranlement cartésien dans ce qu'il comporte de plus original, peut-être n'est-il pas sans intérêt d'observer que, deux siècles après Descartes et trente ans environ avant l'apparition de Nietzsche, c'est en liaison étroite avec un renversement historique de ce contre-mouvement que la philosophie se manifeste pour la première fois dans la figure d'une philosophie de la valeur. Le phénomène se produit canoniquement avec Lotze — celui-même que

Husserl situera naïvement au même rang que Kant en célébrant dans les *Prolégomènes* « l'autorité de grands penseurs, tels que Kant, Herbart et Lotze » — et ceci dans l'optique d'une interprétation comme valeurs des Idées de Platon. C'est un élève de Lotze, Windelband, qui plantera plus tard l'étendard des valeurs dans le pays de Bade, où il sera relayé par Rickert, le prédécesseur de Husserl à l'université de Fribourg. A partir de 1911, Rickert y enseignera la philosophie, c'est-à-dire les valeurs, au jeune Heidegger qui venait à cette date de quitter la théologie pour la philosophie plutôt que pour les valeurs, auxquelles le prédisposait très peu son début de formation aristotélicienne. Mais Rickert lui fera quand même passer en 1913 son doctorat, et, deux ans plus tard, l'habilitera. Rickert professe expressément, dans l'optique de Lotze, par opposition à l'interprétation proprement herméneutique du jugement, celle qui se déploie dans la *Critique de la Raison pure* et dont l'origine est aristotélicienne, l'interprétation cartésienne du jugement dans laquelle l'éclairement de la synthèse s'efface au profit de la mise en avant de l'*assensus*. Dès lors, la nature de la valeur pénètre celle de la vérité qui tend à devenir valeur, même si personne n'ose pousser la réduction à fond, car c'est seulement avec Nietzsche qu'elle devient totale.

Lotze n'est pas un inconnu de Nietzsche. Il le nomme en effet çà et là dans des textes qui paraissent dater de 1875, parlant par exemple du « mauvais livre de Lotze » ou citant Lotze parmi d'autres dans une liste dont le titre est : *Anzugreifen !* — A attaquer ! Mais, si Nietzsche se prépare à l'attaque, c'est pour rencontrer Lotze sur son propre terrain, qui est celui de la valeur. La tâche de la philosophie, dans la mesure où elle consiste à « maintenir à travers les siècles la ligne de faîte spirituelle », se définit déjà par la « détermination de la valeur ». Une telle tâche, dira plus tard Nietzsche (1885), n'advient cependant à sa véritable aurore qu'avec Schopenhauer. C'est lui qui, pour la première fois, a osé être assez radical pour se demander ce que *vaut* l'existence au lieu de s'en tenir aux vieilles évaluations. Il a donc enfin posé la question des questions. Sa réponse est, à vrai dire, pitoyable. Il faut donc surmonter ce qu'a de pitoyable le pessimisme allemand, c'est-à-dire le négativisme de Schopenhauer, et trouver « un chemin nouveau vers l'affirmative ». La découverte de ce chemin suppose une réévaluation des valeurs. Schopenhauer ayant continué à tout peser sur la vieille balance et avec les vieux poids de l'eudémonisme. C'est la balance elle-même qu'il faut réinventer pour que le « point de vue de la valeur » transfigure enfin l'ancien monde. Il ne faudra pas moins, pour cela, que l'interprétation de l'être comme *vie* poussée elle-même jusqu'à une interprétation de la vie comme *volonté de puissance* qui est *das innerste Wesen des Seins*. Qui dit volonté dit aussi puissance. *So ist der Wille Macht an ihm selber und das Wesen allgemeiner Macht, der Natur und des Geistes* [10], avait déjà dit Hegel. Pour Aristote, la puissance était seulement faculté. Pour Leibniz, elle était faculté et tendance. Pour Hegel et pour Nietzsche, elle n'est plus seulement faculté et tendance, elle devient plus essentiellement : *Herrsein über* — non seulement sur l'autre, mais *über sich selbst*. Pourtant, là, Hegel ne va pas encore assez loin. Son interprétation de la puissance de l'esprit en fait encore plafonner le concept, faute d'avoir élucidé le vrai rapport de l'esprit et de la puissance, c'est-à-dire d'avoir compris que ce que Nietzsche nommera *die höchste Mächtigkeit des Geistes* était la volonté de puissance elle-même. Le résultat est que, si l'initiative hégélienne est grandiose, elle n'est encore qu'initiative et dévie tout aussitôt en « escalade gothique du ciel » au lieu de *sich an den Dingen vergreifen* [11], ce qui est aux yeux de Nietzsche le vrai but de la philosophie. C'est seulement par la radicalisation de la volonté en volonté de puissance, avec la corrélation des moments de « conservation » et d' « accroissement » qu'une telle radicalisation implique, que la philosophie cesse de rêver autour de l'être pour le penser enfin dans la nudité crue de son essence. Mais voici qu'alors la vérité éclate en valeur comme sous l'action d'une dynamite. Il n'est plus temps de reculer : « Nous faisons un essai où il y va de la vérité. Peut-être l'humanité va-t-elle en craquer. Allons-y ! »

Nous sommes ici, en apparence au moins, aux antipodes de Descartes. Peut-être cependant Descartes est-il le philosophe, qui, par son savoir-faire, a le plus « miné et ébranlé le terrain » sur lequel pourra dès lors avoir lieu la « démonstration » décisive qu'est la philosophie de Nietzsche [12]. Laissons parler les faits en prenant un exemple.

En septembre 1637, Huygens convoque Descartes à « quelque divertissement » en lui demandant d'écrire pour lui, comme il l'avait déjà fait pour Beeckmann à propos de la musique, un petit traité sur « le fondement de la mécanique et des trois ou quatre engins qu'on y démontre ». Un mois plus tard, Descartes lui envoie son *Explication des Engins*. Il s'agissait de « réduire aux Mathématiques », comme il aimait dire, une question de mécanique. Mais comment réussir cette réduction ? Galilée s'y

---

10. *V. G.*, p. 113 : « Ainsi la volonté est puissance en elle-même, elle est l'essence de la puissance en général, aussi bien dans la nature que dans l'esprit ».
11. S'attaquer directement aux choses : *Der Wille zur Macht*, § 781.
12. XIV, 2, § 301.

était déjà essayé en considérant les forces mises en jeu dans les engins comme inversement proportionnelles aux vitesses des points auxquels elles étaient appliquées. Descartes a au contraire l'idée d' « omettre », comme il dit, la considération de la vitesse au profit de celle du chemin parcouru. L'équation à laquelle aboutit la réduction entreprise sera dès lors ce qu'on appellera plus tard l'égalité des travaux, qui deviendra ainsi le principe d'une nouvelle statique.

Le petit *Traité des Engins* est parfait en son genre, et pourtant les contemporains de Descartes eurent l'impression qu'il les laissait sur leur faim. Pourquoi ? Parce qu'il excluait du phénomène la considération de la vitesse qui lui est pourtant intrinsèque. Descartes écrit : « Si j'ai témoigné tant soit peu d'adresse en quelque partie de ce petit écrit de statique, je veux bien qu'on sache que c'est plus en cela qu'en tout le reste. » Tout repose donc finalement sur un tour d'adresse de Descartes, au sens où Leibniz écrira plus tard dans la *Théodicée* (§ 186) : « C'était apparemment un de ses tours, une de ses ruses philosophiques : il se préparait quelque échappatoire. » Tout cela en effet est-il bien digne de ce que Gassendi appelait « la candeur du philosophe et le zèle de la vérité » ? Au fond, Descartes est trop expéditif. Sa solution est habile plus qu'elle n'est vraie. La contrepartie sera d'ailleurs qu'ayant « omis » en statique la considération de la vitesse, il n'arrivera pas à voir clair dans le cas où la vitesse est impossible à éliminer, et restera flottant quant à la détermination des « forces vives ». C'est ce que soulignera Leibniz : « Il lui est arrivé de retrancher la considération de la vélocité là où il la pouvait retenir et de l'avoir retenue là où elle fait naître des erreurs. » De même, à propos de la Dioptrique, Fermat reprochera à Descartes de s'être contenté à trop peu de frais, se bornant, dans la démonstration qu'il donne des lois de la réfraction, à « accommoder son *médium* à sa conclusion, de la vérité de laquelle il était auparavant certain ».

Nietzsche écrit : « Une violence organisatrice de premier rang, comme par exemple Napoléon, ce qu'il lui faut, c'est se bien tenir en rapport avec ce qu'il projette d'organiser. Peu importe qu'il ait ou non de beaux sentiments. Il lui suffit de savoir apprécier à fond ce qu'il y a de plus fort, ce qui est le plus décisif dans la masse à organiser [13]. » Peut-être pourrait-on dire, en transposant ces mots de Nietzsche à ce précurseur que lui fut Descartes : « Une violence organisatrice de premier rang, comme par exemple l'*ego cogito* armé de sa méthode, il lui faut

_____

13. XIV, 1, § 126.

avant tout se tenir en rapport avec la situation qu'il projette de maîtriser. Sans trop avoir à se préoccuper de la vérité de la chose, il lui suffit d'apprécier d'un coup d'œil ce sur quoi il peut bien prendre barre dans cette situation pour s'en rendre maître. »

Rien ne répond mieux peut-être que notre exemple à l'interprétation du jugement comme assentiment de la volonté, vouloir ou assentir signifiant ici : juger bon de s'y prendre ainsi plutôt qu'autrement, c'est-à-dire bien juger. Sans doute Descartes, au contraire de Nietzsche, maintient encore, pour l'essentiel, l'idée de vérité comme fond dernier de toutes les sciences, mais, avant que la vérité puisse être atteinte, bien des « ajustements » méritent d'être tentés, au moins à titre provisoire. Il y a en effet un *distinguo* à faire entre « expliquer la possibilité des choses en général » et « expliquer un même effet particulier ». Dans le dernier cas, on peut bel et bien « ajuster une cause à un effet en diverses façons possibles ». C'est dans le premier cas seulement « qu'il n'y a qu'une façon d'expliquer qui est la vraie ». Dans le *Traité des Engins,* comme dans la Dioptrique, nous n'en sommes pas encore aux raisons dernières. Il est donc permis de faire preuve d' « adresse », par exemple d' « omettre » la vitesse, si cette omission est payante. Ainsi la méthode consiste parfois à chercher des *biais,* c'est-à-dire des moyens obliques, et la justification de ce sens des biais dont Descartes fait preuve, c'est l'interprétation du jugement comme action de la volonté. Leibniz aura beau dire que c'est précisément le jugement qui ne dépend de la volonté que de *biais — quatenus obliqua arte —,* un ébranlement est en route avec la force irrépressible de ce que Heidegger nomme parfois le destin de l'être.

La figure terminale d'un tel destin est la mutation totale de la vérité en valeur, la métaphysique de Nietzsche apparaissant dès lors, dit Heidegger, comme l' « achèvement » ou plutôt l' « accomplissement » de ce à quoi, à l'insu de Descartes, prélude le virage cartésien. Dans la mutation de la vérité en valeur, ce qui désormais prédomine, c'est la nature de ce que Nietzsche, faute de mieux, nomme *l'utile.* Mais il ne s'agit nullement de la réduction de la philosophie à un quelconque utilitarisme, car le mot utile, tel que l'entend Nietzsche, est essentiellement ambigu. Ce mot, il le met volontiers entre guillemets, quand par exemple il écrit à une date vraisemblablement tardive : « Ce qui est « utile » relativement à l'accélération de la cadence de l'évolution est une autre sorte d' « utile » que celui qui se rapporte à la fixation et au maintien dans la durée de ce qui a fait son évolution [14]. » Réduisant l'utile à ce deuxième sens, Nietzsche pourra

_____

14. *W. z. M.,* § 648.

donc écrire aussi : « C'est le *goût* — non l'utile — qui donne
la valeur [15]. » Le goût à son tour se laisse déterminer comme :
ein starker Wille zu seinem *Ja und* seinem *Nein* [16], une volonté
énergique pour le oui et le non qui est le plus propre à celui
qui veut. Telle est l'essence de la volonté, radicalisée en volonté
de puissance, dont la formule est également donnée dans le *Crépuscule des idoles* : « Un oui, un non, une ligne droite, un but. »
Si tel est le héros au sens de Nietzsche, n'est-ce pas en ce sens
que Descartes est précisément, comme le disait Hegel, un héros ?
Et nous étonnerons-nous que Valéry, lorsqu'il tente en 1937 un
portrait de Descartes, c'est le portrait de l'homme au sens de
Nietzsche qu'il esquisse ? Ici, « la volonté de puissance envahit
son homme, redresse le héros, lui rappelle sa mission toute per-
sonnelle, sa fatalité propre ; et même sa différence, son injustice
individuelle ; car il est possible après tout que l'être destiné à
la grandeur doive se rendre sourd, aveugle, insensible à tout ce
qui, même vérités, même réalités, traverserait son impulsion, son
destin, sa voie de croissance, sa lumière, sa ligne d'univers ».

Nous venons de le voir : L'Oiseau-Prophète de la Philosophie,
c'est en regardant en arrière qu'il peut raconter ce qui va venir.
Nous sommes remontés de Nietzsche à Descartes pour essayer
de surprendre dans la pensée de l'initiateur des Temps modernes,
quelque chose du premier ébranlement de la vérité que la pensée
de Nietzsche, à la fin des Temps modernes, fera éclater en
Wertschätzung. Peut-être cependant faut-il remonter plus haut
que Descartes pour en entrevoir, dans une perspective tout autre,
une origine encore plus lointaine. La proximité de Nietzsche à
Descartes se double en effet d'une proximité encore plus étrange,
celle de Nietzsche à la pensée de Platon, dont la philosophie de
Nietzsche entreprend le « retournement ». Mais tout retournement est une transformation, dont le propre est de comporter
certains invariants qui la caractérisent en tant précisément qu'elle
est une telle transformation. Le retournement nietzschéen du
platonisme ne répond-il pas à son tour, dans le platonisme, à
quelque chose du platonisme, qui devient d'autant plus visible
à la lumière de son retournement ?

Le prototype de ce que Nietzsche, avec plus de rigueur que
tout autre, appellera valeur, est historiquement, nous l'avons vu,
le primat platonicien de l'ἀγαθόν. Mais comment pouvons-nous
comprendre un tel primat ? Et que signifie ἀγαθόν ? Ce mot
grec, nous avons pris l'habitude de le traduire par : le *Bien*.

15. XIII, § 620.
16. *Ibid.*, § 802.

Peut-être est-ce entendre le grec d'une oreille un peu lointaine
ou un peu distraite. Quand les Grecs disent *bien,* ou plutôt
bon, ils entendent essentiellement, semble-t-il, *bon à* ou *bon
pour.* Un bon cheval, dit Aristote, est ἀγαθὸς δραμεῖν (bon pour
la course), Diomède dans l'Iliade est ἀγαθὸς βόην (bon quant
au cri), et Ithaque, dans l'Odyssée, est, dit Ulysse lui-même,
qui s'y connaissait, ἀγαθὴ κουροτρόφος (bonne à produire de
beaux garçons). Mais, tout ce qui est bon étant bon à quelque
chose, à quoi peut bien être bon, pour Platon, le *Bon* nommé
absolument, sinon à la chose des choses qui est, pour n'importe
quoi, *être.* L'être, aux yeux de Platon, est ce à la mesure de quoi
la chose se manifeste à découvert, son εἶδος. Le bon, quand il
sera pensé *absolument,* sera en réalité pensé *relativement* à
l'εἶδος, comme ce « sous quoi » seulement il y a εἶδος. Dès
lors, l'être-à-découvert des choses, leur ἀλήθεια, dépend à son
tour d'une puissance plus haute dont la fonction est de la *procurer.* Le rapport ἀλήθεια-οὐσία, comme le précise sans fard *la
République,* est « sous le joug » du Bon qui, grâce aux Idées,
conjugue l'un à l'autre le νοῦς au νοούμενον, au sens où le soleil,
grâce à la lumière, conjugue l'un à d'autre ὁρᾶν et ὁρώμενον. C'est
bien pourquoi tout εἶδος est avant tout ἀγαθοειδές. Il est réglé
en tant qu'εἶδος, par la « puissance du Bon » qui règne sur
lui. Le monde des Idées suppose ainsi un régulatif suprême,
ce régulatif des Idées étant à son tour une Idée et la première
de toutes. « L'idée n'est plus, pour la vérité, sa présentation
en un premier plan, mais bien le fond qui la rend possible. »
Ainsi parle Heidegger dans *La Doctrine platonicienne de la
vérité.* Ἐᾶν εἶναι τὰ εἴδη, laisser être les Idées, selon la
parole de Platon dans *Parménide,* c'est donc, en réalité, mettre
la vérité sous le joug. Plus essentiel que la vérité est ce qui la
subjugue. C'est ainsi que Platon inaugure, sous le nom de philosophie, une mise en condition de la vérité, celle à laquelle, et à
son insu, Kant, bien plus tard, souscrira à son tour, en subordon-
nant toute vérité aux « conditions de possibilité » qui la régissent.
Elles sont le rapport a priori du *je pense* aux « conditions »,
elles-mêmes a priori, de sa réceptivité. L'expérience, au sens
kantien, est ici la subjugation, platonicienne en son fond, de
l'empirique par le transcendantal.

Le langage des « conditions de possibilité », tel qu'il éclate
sans prévenir dans la *Critique de la Raison pure* et sans que
Kant en soupçonne nullement le platonisme implicite, c'est précisément lui que Nietzsche va reprendre sans plus y penser que
Kant, mais en le transposant à son interprétation de l'être comme
vie. Et là, les conditions de possibilité pour l'être interprété
comme vie sont les valeurs. La vie n'est elle-même possible que

dans un horizon où les choses *lui* apparaissent comme valeurs.
Dès le temps du *Gai Savoir,* Nietzsche écrit : « Connaître, c'est
rendre possible l'expérience [17]. » On croirait entendre Kant.
Mais Nietzsche ajoute aussitôt : « Par ceci que ce qui se passe
réellement aussi bien du côté des forces qui agissent en nous
que du côté de notre propre pouvoir de créer des formes est
extraordinairement simplifié (...). Ainsi, la vie n'est possible que
grâce à un tel appareil de falsifications. Penser est une transformation falsificatrice, sentir et vouloir sont de telles falsifications. » Nietzsche ici s'éloigne de Kant en remplaçant *vrai* par
faux. Mais, nommant ces « conditions de possibilité » que sont
de telles falsifications, des *valeurs,* Nietzsche, sans plus que Kant
s'en aviser, se rapproche plus encore que Kant de la subjugation
platonicienne du *vrai* par le *bon* [18]. De tous les philosophes,
Nietzsche est ainsi, dira Heidegger, « le plus effréné des plato-
nisants ». Mais, pensant à partir de la vie et comme valeur ce
qui rend possible la vie, Heidegger dit encore : « Il a fait droit à
l'essence de l'ἀγαθόν dans un style beaucoup plus libre de préjugé que ceux qui s'attachent à poursuivre la contrefaçon privée
de sens qu'en constituent les valeurs en soi. »
   Si l'on se contente, à propos de Platon, de l'image édifiante
que nous transmet de lui une tradition paresseuse, il est bien
évident que Nietzsche est ici aux antipodes de Platon, étant le
philosophe du renversement du platonisme. « Mettez en pièces,
allez-y donc, les bons et les justes », dira Zarathoustra. Mais, si
on entrevoit dans Platon l'extraordinaire événement qu'est la
subjugation du vrai par le bon dans une promotion éidétique de
l'être de l'étant, et si l'on pense à ce que pouvait avoir de corro-
sivement agressif, en un mot d'antigrec, une telle subjugation,
alors les perspectives changent. Par la mise au premier plan du
Bon et la subjugation *agathoïde* de la vérité, Platon rompt brutalement avec la pensée qui fut celle d'Héraclite et de Parménide,
qui n'étaient pourtant pas de « mauvais sujets ». Mais la référence au Bon n'était pas pour eux essentielle au vrai, qui se
suffisait à lui-même, sans avoir besoin d'être garanti de plus
haut. Ἀληθέα λέγειν καὶ ποιεῖν, c'était, pour Héraclite,
κατὰ φύσιν ἐπαίειν, et non pas, comme pour Platon, τὸ
ἀγαθὸν κατιδεῖν. Etre à l'écoute de la φύσις et non tenir
l'Agathe bien en vue. L'Agathe ? — c'est-à-dire ce en vertu de
quoi τὸ ἀεὶ κατὰ ταὐτὰ ὡσαύτως ἔχον, *l'en-permanence-qui-ne
cesse-de-se-comporter-identiquement,* s'empare de l'être pour
l'éidétiser, de telle sorte que le reste ne soit plus que μὴ ὄν τι,

17. XIV, 1ʳᵉ partie, § 69.
18. Heidegger, N., II, 233.

non pas sans doute un pur néant, mais ce qu'il ne faut à aucun prix prendre pour l'être. Dans la pensée de Platon, la prééminence ou mieux la proéminence de l'ἀγαθόν, l'interprétation de l'être comme εἶδος et le discrédit jeté sur tout le reste, c'est-à-dire ce que Nietzsche nommera le « mauvais œil » ou le « regard venimeux » du ressentiment — vont de pair.

Du Bon au-delà de l'être, nous avons un doublet mythologique dans le démiurge du *Timée* dont Platon dit précisément : « Il était bon, et c'est pourquoi il a voulu que tout fût bon à quelque chose, et, autant que possible, qu'il n'y eût rien de bon à rien. » Il était bon, cela ne veut pas dire : il était rayonnant de bonté, mais plutôt : il était à la hauteur de la tâche entreprise, il avait vraiment les qualités requises pour « mettre debout en le rassemblant τὸ πᾶν τόδε — ce tout que voici ». Loin d'être un amoindrisseur, un rapetisseur, il était bel et bien un véritable équarrisseur, n'hésitant pas, comme on dit, à « mettre le paquet ». La démiurgie du *Timée* répond mythologiquement au primat philosophique du Bon sur l'être et sur le vrai. La philosophie d'Aristote, au contraire, se refusera par essence à un tel dédoublement. Elle reviendra de la mise en condition du vrai pour rendre au vrai une telle dignité que l'alternative : vrai ou faux, sera même la manière la plus haute, pour l'être, d'avoir λόγος. Quant au Très-Haut, au sens théologique, il n'est nullement, comme le Bon, « en fonction » au-delà de l'être où il s'affairerait pour le procurer éidétiquement à ce qui devient, de ce fait, agathoïde ; il est par lui-même souverainement être. Tel est le moteur qui meut sans être mû. L'apparition du reste n'exige aucune intervention de sa part, ce qui n'est pas le cas pour Platon quand il s'agit du Bon et du démiurge qui en est l'image.

C'est pourquoi, bien des siècles plus tard, saint Thomas, bien que s'inspirant d'Aristote, est en un sens plus près de Platon, pour qui le monde est, mythologiquement au moins, *factus a Deo*. En un mot, la doctrine de la création du monde platonise bien plus qu'elle n'aristotélise. Comme créateur, Dieu est en effet *Summum Bonum*. Mais cette qualification est moins une préfiguration du Bon Dieu, celui des bons enfants, qu'elle ne contient, vibrant en deçà d'Aristote, un écho de l'étrange priorité platonicienne du Bon sur l'être. Le Dieu de saint Thomas sera non moins celui de Descartes et de Spinoza, avant de donner lieu au *je pense* [19] kantien, qui procure à son tour, au « fouillis » empirique, les conditions de son organisation en Expérience. Il sera enfin l'Absolu de Hegel, dont le virage nietzschéen en volonté

----

19. « L'Esprit de l'homme est le dieu de Spinoza... » *Opus Postumum*, p. 756.

de puissance donne, dernier refuge du Bon, le « point de vue de la valeur ». Le point de vue de la valeur apparaît ainsi comme ultime figure, ayant derrière elle une longue histoire, riche en métamorphoses, celle de la mise en condition de la vérité, telle qu'elle débute philosophiquement avec Platon et telle qu'elle fait carrière jusqu'à Nietzsche, qui pourra écrire en effet, donnant à la vérité son nom moderne de certitude : « Il pourrait sembler que j'élude la question de la certitude. C'est tout le contraire qui est vrai. Mais la question des valeurs est plus fondamentale que la question de la certitude, qui n'est qu'une question dérivée, une question de rang second. » Platon aurait pu dire : « Il pourrait sembler que j'élude la question de l'ἀλήθεια. C'est tout le contraire qui est vrai. Mais cette question ne prend tout son sérieux que relativement à la question de l'ἀγαθόν, du point de vue de laquelle elle n'est que de second rang. »

Peut-être pourrions-nous nous résumer ainsi. Dans sa pensée de la valeur, Nietzsche, sans se référer nullement à Descartes pour qui, à ses yeux, la vérité demeure « nécessaire à la détermination de toutes les valeurs supérieures [20] », et n'évoquant Platon qu'en vue d'un retournement du platonisme, est en réalité bien plus proche et de Descartes, dont il dénonce la « naïveté [21] », et de Platon, dont il prétend venir à bout à la faveur d'un retournement, que ne le furent jamais ceux qui, comme Lotze, se réclament pourtant et de l'un et de l'autre. Nietzsche est au plus proche de Descartes dans la mesure où l'ébranlement de la vérité au profit de la volonté que Descartes met en route aboutit à l'interprétation proprement nietzschéenne de la vérité comme *Wertschätzung,* dans l'optique de la volonté elle-même radicalisée en volonté de puissance. Mais il est, plus secrètement encore, au plus proche de Platon, dans la mesure où c'est avec Platon que la vérité apparaît pour la première fois subjuguée de plus haut qu'elle, cette subjugation de la vérité constituant le statut proprement platonicien de la métaphysique occidentale, auquel Nietzsche échappe d'autant moins qu'il s'acharne davantage à retourner le platonisme.

Une telle proximité est d'ailleurs le privilège exclusif d'un très petit nombre, qui est celui des grands penseurs. En apparence aux antipodes les uns des autres, ils sont, disait Hölderlin, les « dissonances du monde ». Et il termine son *Hypérion* en écrivant : « Comme la discorde entre amants, ainsi les dissonances du monde ; la réconciliation est au cœur du combat, et tout ce qui s'est séparé se retrouve à nouveau. » Nietzsche a

20. *W. z. M.*, § 583.
21. *Ibid.*, § 577.

su quelque chose d'un tel secret. C'est de lui sans doute qu'il nous parle dans le *Gai Savoir,* sous le nom de *Sternenfreundschaft* : amitié stellaire (§ 279). Le texte fait partie de ce *Sanctus Januarius* qui commémore le temps le plus heureux de la vie de Nietzsche. Lisons-le donc pour terminer. Peut-être n'est-il pas sans rapport avec tout ce qui vient d'être dit.

« AMITIÉ STELLAIRE. — Nous étions deux amis. Nous sommes deux étrangers. Mais c'est bien ainsi. Nous n'allons pas nous en cacher en le recouvrant d'ombre, comme s'il y avait de quoi en rougir. Nous sommes deux vaisseaux dont chacun a son but et sa course. Nous pouvons nous croiser peut-être et célébrer ensemble une fête, comme nous l'avons déjà fait. — Ces braves bateaux, ils étaient pourtant là si paisibles, à quai dans un même port et dans un même soleil, qu'on aurait pu les croire déjà au but, croire même qu'ils n'avaient jamais eu qu'un seul but. Mais voilà que la toute-puissance de nos tâches nous a séparés l'un de l'autre, poussés de nouveau vers des mers différentes et sous d'autres soleils, et peut-être ne nous reverrons-nous jamais plus. Peut-être nous reverrons-nous quand même, mais sans nous reconnaître, tant la diversité des mers et des soleils nous aura changés. Devenir étrangers l'un à l'autre, telle était la loi qui régnait *sur* nous. C'est justement pourquoi nous n'aurons jamais assez d'égards l'un pour l'autre. C'est pourquoi la pensée de notre amitié ancienne doit nous devenir encore plus sacrée. Il existe probablement dans l'invisible une formidable trajectoire, orbite stellaire, où nos voies et nos buts différents viennent s'*inclure* comme de petites étapes. Elevons-nous jusqu'à cette pensée. Mais notre vie est trop courte et notre vue trop faible pour que nous soyons plus qu'amis au sens de cette sublime possibilité. *Croyons* donc à notre amitié au niveau des étoiles, dussions-nous, sur la terre, être des ennemis. »

NOTE SUR LE RAPPORT
DES DEUX « PAROLES FONDAMENTALES »
DE NIETZSCHE

A Medard Boss

L'interprétation par Heidegger de la pensée de Nietzsche comme philosophie, la question centrale de cette philosophie étant à ses yeux l'énigme de la connexion des deux « paroles fondamentales » par lesquelles elle détermine à la fois comme *volonté de puissance* et comme *éternel retour de l'identique* l'étant dans son être, a ceci de particulier qu'elle échappe à tous ceux qui, depuis dix ans et plus, ne la mentionnent que pour prendre aussitôt des distances à son égard. Rien ne leur est en effet plus étranger que la dimension de pensée qui est celle de Heidegger et qu'il nomme à la fin de son *Nietzsche : die Erinnerung in die Metaphysik.* Nous pouvons traduire : la *remémoration* comme entrée dans la question que demeure à elle-même la métaphysique. Tel est le développement qu'il donne lui-même en 1941 à son titre de 1929 : *Qu'est-ce que la métaphysique ?*

Les essais sur Nietzsche qui fleurissent aujourd'hui comme pâquerettes au printemps n'abordent en effet leur sujet que dans la prétention de rompre avec la métaphysique, soit au profit d'un savoir beaucoup plus positif s'inspirant de la psychanalyse et de la linguistique, soit même au profit d'une morale puérile et honnête dont la « démystification » serait le principe. Mais avec quoi au juste prétendent-ils rompre ? Et qu'est-ce que la métaphysique ? A cette question Nietzsche, qui se veut en effet

antimétaphysicien [1], répond seulement par ce qu'il nomme parfois une « psychologie de la métaphysique » dont l'ambition
serait d'en dévoiler les « arrière-pensées ». A quoi Heidegger
répond : si la métaphysique n'est pas plus transparente à elle-
même qu'elle ne l'est aux profanes, ce n'est nullement parce
qu'elle aurait, fût-ce à son insu, des « arrière-pensées ». A la
« psychologie de la métaphysique » il oppose dès lors ce qu'il
nomme : *die Erinnerung in die Metaphysik.*

Qu'est-ce donc que la métaphysique ? Le mot μετά, dont le
sens fondamental est *parmi,* dit aussi, construit avec l'accusatif,
venant après, et par extension *au-delà de,* à quoi répondra le
latin *trans.* Mais au-delà de quoi ? De la présentation plus immédiate de ce qui est. Quand par exemple Aristote questionne les
φύσει ὄντα en direction de ce qui leur est φύσις, son questionnement est essentiellement métaphysique. C'est pourquoi Heidegger
écrit, en accord complet sur ce point avec W. D. Ross : « La
« physique » d'Aristote demeure le livre fondamental de ce que
l'on nomme plus tard métaphysique [2]. » En ce sens on peut dire
que les métaphysiciens par excellence sont les premiers penseurs
grecs, au sens où Parménide ne traite de l'étant que dans l'optique de l'être. Heidegger nous dit encore : « Avoir pris en vue,
c'est-à-dire pensé, un tel μετά est le sens simple et par là iné-
puisable de la pensée grecque tout entière [3]. » Mais le mot μετά
ne signifie pas simplement, à partir de l'étant partout manifeste,
le développement de la question de l'être de l'étant. Ou plutôt
cette question donne presque aussitôt lieu à la recherche, en
amont de l'étant dès l'abord manifeste (μετ'ἐκεῖνα) [4], de plus
étant que lui et, en fin de compte, d'un suprêmement étant. En
ce sens on peut dire que la métaphysique ne commence qu'avec
Platon et Aristote.

Peut-être cette mutation pour ainsi dire germinale de la métaphysique est-elle ce qui avant tout est à « remémorer » en elle
s'il s'agit d'entrer dans le secret de son essence. Peut-être même
est-ce seulement une telle remémoration qui nous permettra
d'entendre quelque chose de la parole de Nietzsche quand il
caractérise le « monde qui nous importe [5] » aussi bien comme
volonté de puissance que comme éternel retour de l'identique.

De ces deux dénominations, la seconde est, dans ses écrits,
bien antérieure à la première. Elle apparaît en effet pour dési-

---

1. *Der Wille zur Macht,* § 1 048.
2. *S. G.,* p. 111. Cf. W. D. Ross, *Aristote* (Payot, 1930), p. 120.
3. *W. D. ?,* p. 77.
4. Platon, *République,* 516 c.
5. *Der Wille zur Macht,* § 616.

gner une hypothèse au moins vraisemblable dès la seconde des
Considérations inactuelles (1874, § 2). La première au contraire,
absente même d'*Aurore* (1881) et du *Gai Savoir* (1882), apparaît
cependant dans les papiers de Nietzsche vers 1880-1881 : « A
peine ose-t-on encore parler de la volonté de puissance : il en
allait autrement à Athènes [6]. » Mais elles figurent toutes les deux
dans *Zarathoustra,* bien que sur des plans différents. La seconde
est comme le *non-dit* du livre lui-même. La première est énoncée
comme en passant : « Là où j'ai trouvé de la vie, j'ai trouvé la
volonté de puissance » (*De la victoire sur soi*). On peut cependant, avec Heidegger, chercher dès *Zarathoustra* une première
tentative d'harmoniser ces deux pensées apparemment disparates
et interpréter en ce sens, dans la deuxième partie, le texte
intitulé : *De la rédemption.*

Ce qui en tout cas ne peut être nié, c'est que la volonté de
puissance et l'éternel retour de l'identique deviennent de plus
en plus les deux paroles fondamentales de la philosophie de
Nietzsche, celles entre lesquelles il s'efforcera vainement de
frayer un chemin. Vers 1883-1884, ne reculant même pas devant
la platitude du positivisme qui, après tout, est un « chant du
coq [7] », il lui arrivera de dire que, si la volonté de puissance est
représentée ainsi qu'elle doit l'être comme une « force finie »,
son développement à l'infini « ne peut être pensé autrement que
comme périodique [8] ». Quelques années plus tard (1886-1887),
il continuera à dire sur la même lancée : « Le principe de la
conservation de l'énergie exige le retour éternel [9]. »

On peut cependant présumer que cette interprétation « scientifique » que Nietzsche se propose à lui-même de sa propre
philosophie nous laisse à la surface de ce qu'elle nous donne à
penser. La tentative de Heidegger sera de chercher à déterminer,
en deçà de Nietzsche et « à partir de l'histoire de l'être », un
rapport plus radical de ces deux dénominations. Mais, là, il nous
faut tenir compte de deux textes : le *Nietzsche* publié en 1961
et qui rassemble des leçons faites de 1936 à 1941 ainsi qu'un
essai de 1944-1946, et l'étude recueillie en 1950 dans *Holzwege*
dont Heidegger nous dit que l'essentiel date de 1943. Les deux,
s'ils disent le même, loin de parler d'une manière rigoureusement
identique, ouvrent en lui des horizons très différents.

---

6. *Aurore,* trad. Julien Hervier (Gallimard, 1970), p. 638.
7. *Crépuscule des Idoles,* Comment le « monde-vérité » est devenu une
fable, § 4.
8. XII, 2ᵉ partie, § 727.
9. *Der Wille zur Macht,* § 1 063.

I. *L'étude de* Holzwege : La parole de Nietzsche : « Dieu
est mort. »

Selon l'interprétation que propose laconiquement Heidegger
dans cette étude [10], les deux pensées, d'abord relativement exté-
rieures l'une à l'autre, du moins à l'époque de *Zarathoustra,* se
rapprochent cependant l'une de l'autre, non sans doute pour se
confondre indistinctement, mais pour se rejoindre ou plutôt se
répondre dans la proximité des deux *modi essendi* que sont, à
tout étant dans l'optique de l'être, l'essence et l'existence.
Que Nietzsche ne dise explicitement rien de tel et que la
distinction de l'essence et de l'existence n'apparaisse nulle part
dans sa philosophie, qu'elle en disparaisse [11] même bien plutôt,
ne peut que frapper un lecteur attentif. Mais sa parole, comme
dédoublement radical de ce qu'elle nous donne à penser, en est-
elle moins l'ombre portée de ce qui, dans cette distinction
devenue elle-même dès longtemps un lieu commun de la philosophie, s'abrite ? Car une tel lieu commun, dans son insignifiance apparente, n'est à son tour que l'écho affaibli d'une « histoire secrète [12] » qui est celle de la métaphysique elle-même.
Dans une telle histoire, l'avènement tardif de la distinction de
l'essence et de l'existence marque une époque, elle-même pré-
cédée par une autre, où la distinction aristotélicienne dans l'être
du τί et de l'ὅτι, à laquelle se rattache historiquement celle de
l'essence et de l'existence, n'est à son tour rien d'initial. C'est
pourquoi Heidegger peut écrire : *La distinction entre ce qu'est
l'étant et qu'il est ne constitue pas seulement une pièce doctri-
nale de la métaphysique. Elle fait signe vers ce qu'a de plus
proprement sien l'histoire de l'être* [13].
Essayons donc de nous *remémorer* ce dont même la distinction
aristotélicienne du τί et de l'ὅτι n'est déjà qu'une version tardive
et non pas l'origine, c'est-à-dire d'entrevoir le chemin sur lequel
Aristote lui-même en vient à dire ce qu'il dit. La métaphysique,
dont sa philosophie première est, comme on sait, l'archétype,
pense l'étant *par où il est,* le pensant aussi *dans son tout.* Mais
ces deux déterminations n'en ont fait en leur temps qu'une
seule. Dans le poème de Parménide, il n'est aucune phrase, il
n'est même aucun mot qui ne dise et redise, unique et panique,
la « sphère » qui, comme sphère de l'être, porte en elle son
propre centre et où tout l'étant est présent aussi bien qu'absent,
sans que la sphère ni son centre ne soient par eux-mêmes rien

10. Heidegger, *Hzw.,* p. 218.
11. Heidegger, *N.,* II, 476.
12. Nietzsche, *Le gai Savoir,* § 34.
13. *N.,* II, 402.

d'étant, tandis que l'arbre et la prairie, la falaise et la mer, les poissons dans la mer et le troupeau dans la prairie sont à chaque fois de l'étant. Mais alors, la sphère et son centre ne sont pas ? Tant s'en faut. « Par-delà l'étant qu'elle dépasse non pour s'en éloigner, mais le devançant jusqu'à lui, se déclôt une place vacante. Une clairière s'ouvre. Pensée à partir de l'étant, elle est plus étante que lui. Ce foyer d'ouverture n'est donc pas circonscrit par l'étant, mais c'est lui, radieusement, qui décrit autour de l'étant, tel le rien que nous connaissons à peine, son cercle [14]. » Que la parole de Parménide et, à l'autre bout du monde grec, la parole d'Héraclite, au lieu de dire tout simplement l'étant, nous disent du fond des âges l'ouverture en clairière de l'être dans l'étant, c'est ce que Heidegger et lui seul sait pour la première fois entendre. Mais si la merveille que nous est cette naissance de la parole qu'en philosophes nous parlons encore à notre insu fut le matin de notre monde, nous ne sommes plus les hommes d'un tel matin, que n'étaient déjà plus Platon et Aristote. Les hommes du matin, ceux qui savaient l'éclosion de toutes choses au foyer vivant de leurs propres contrastes, tout s'y rassérénant en un accord unique dont il n'est rien qui ne garde l'écho, ont engendré Socrate. Avec lui, l'être ne donne plus rien de tel à entendre. Serait-il donc au sein d'un monde qui se retire le moment du passage à un autre monde ? Et cet autre monde serait-il à son tour le monde de la philosophie, monde d'un déclin au niveau des cimes, la parole d'Héraclite et de Parménide ne lui étant plus que « balbutiement [15] » ? Mais comment caractériser par rapport à l'ancien le nouveau monde ? Disons peut-être que si le monde des premiers penseurs grecs était celui de la présence et de son éclosion (φύσις), le monde de la philosophie ne sait plus d'une telle éclosion que ce qui en ressort présentativement (οὐσία). *Présence* et *présentation* font deux. Celle-ci accentue la première et la porte à un premier plan. Elle *produit* ce que la présence au contraire *contient*. Produire n'évoque pas ici l'exercice d'une causalité, encore moins d'une activité d'où résulterait une effectuation. Le mot doit être pris à la lettre, au sens où il dit encore aujourd'hui : mettre en lumière et ainsi exhiber ce qui, de lui-même, demeurerait dans l'inapparence de sa réserve :

D'aujourd'hui seulement je produis mon visage
Et j'ai déjà querelle, amour et mariage,

---

14. *Hzw.*, p. 41.
15. Aristote, *Métaphysique*, A, 10, 993 a 15.

dit le *Menteur* de Corneille pour s'étonner d'avoir soudain tant d'affaires sur les bras alors qu'il vient seulement de se montrer à Paris.

A la production de l'étant dans son être répond tout aussitôt l'aspect qu'il présente en commun avec autant d'autres que l'on voudra, et non plus son appartenance au jeu varié de la présence unique dont il n'est que l'un des contrastes, au sens où l'île contraste avec la mer qui trouve en elle sa limite tandis que le bateau en son approche cherche l'entrée du port où, en contraste avec le large, s'apaise le flot, la terre que l'abri du port rend abordable contrastant à son tour avec le front hostile que partout ailleurs elle oppose au pilote. C'est ainsi qu'à l'*Un-tout* (ἕν πάντα), qui diffère en lui-même sans jamais se disjoindre, s'oppose la détermination selon l'un (καθ'ἕν) des étants pris à part, en relation avec un εἶδος unique et suivant qu'ils sont « de pareil εἶδος » (ὁμοειδῆ) [16]. Tel est l'écart que prend, à partir du monde de la présence et de son éclosion, celui de la production de l'étant dans son être. Produire ainsi l'étant est, pour Platon, procéder à sa division eidétique, tout εἶδος relevant d'une définition (ὁρισμός) qui le circonscrit en lui-même distinctivement. Ainsi procède le savoir auquel il donne le nom de τέχνη. Une telle dénomination n'indique pas plus une interprétation technologique de la pensée qu'elle n'est une métaphore tirée du métier. Τέχνη signifie s'y connaître, s'y entendre, et désigne non pas un quelconque « travail des mains » (χειρουργία), mais un savoir, lui-même « à part de toute *praxis* [17] ». La supériorité d'un tel savoir est à la lettre de *produire* devant nous ce à quoi il répond. Au plus secret d'une pensée plus matinale qui remettait l'étant à l' « orage de l'être » dont l'éclair, disait Héraclite, guide chaque chose jusqu'où il appartient de se manifester à sa mesure (fr. 64), survient comme un *raidissement* de l'étant dans son être, dont la première figure est l'εἶδος platonicien. « Ecouter selon la φύσις » (fr. 112) tourne soudain à : devenir expert dans la discrimination des « idées » dont chacune apparaît comme une détermination communautaire de l'étant. *Celui-ci dès lors prend le pas sur l'être.* Telle est la mutation inapparente par laquelle un monde mûrit en un autre tandis que celui-ci se retire en lui, mais par là lui demeure plus essentiellement présent que ce que le nouveau monde peut savoir historiquement du monde dont il provient. Platon ne sait pas plus quel rapport sa philosophie garde avec la pensée d'Héraclite, sur laquelle il ne manque pourtant pas d'informations,

---

16. Aristote, *De Caelo*, I, 9, 278 a 15 sqq.
17. *Politique*, 259 e.

que Descartes ne sait sa propre provenance quand il se borne à récuser péremptoirement ses devanciers. Car l'histoire est « histoire secrète ».

Le monde de Platon, comme monde des « idées », est aussi celui d'Aristote, dont la position critique par rapport à la philosophie de Platon n'est qu'une divergence qui la maintient d'autant mieux comme centre et ainsi la promeut d'autant plus décisivement. On peut dire qu'Aristote dégage l'horizon à l'intérieur duquel Platon avait pensé sans cependant le voir comme l'horizon de sa propre pensée. Un tel horizon, Aristote se l'explicite à lui-même dans l'analyse de la *mobilité,* qui devient le fil conducteur de toute sa philosophie. Non que l'être en lui-même soit conçu comme du mouvement, car la mobilité, en tant qu'à son tour elle est quelque chose, relève déjà de la question de l'être ; mais c'est le regard fixé sur l'énigme de l'étant comme mobile qu'Aristote déploie toute sa problématique. C'est en effet à partir du mouvement qu'il voit l'étant se présenter selon l'εἶδος, celui-ci pensé maintenant comme μορφή, le terme ouvrant la représentation de l'étant à un autre côté que celui qui le spécifie selon la figure dans laquelle il s'offre comme tel ou tel étant. Cet autre côté, odieux à Platon, est au contraire pour Aristote non moins essentiel que l'εἶδος à la production de l'étant dans son être, répondant à ce qui déjà était présent avant de l'être en une autre figure. Tel est le marbre d'où surgit la statue, l'argile d'où la poterie tire l'amphore ou le bois d'où proviendra le gouvernail. L'étant dans son être apparaît ainsi comme l'*œuvre* vers quoi s'achemine ce qui n'était encore que du marbre, de l'argile ou du bois. L'œuvre ne se réduit ni à la figure de la chose, ni à ce d'où elle prend figure, mais les rassemble l'une et l'autre à partir du mouvement grâce auquel seulement chacune des deux regardant à l'autre lui répond au plus proche dans l'unité d'un tout.

Platon voyait bien l'εἶδος comme être de l'étant, mais sans voir la mobilité de l'étant dont il est l'εἶδος et, par là, sans le voir comme l'un des côtés seulement de l'étant dans son être. Mais qui le dit ainsi, pense Aristote, dit non seulement l'εἶδος mais d'où surgit l'étant d'un tel εἶδος et d'où le mouvement qui, selon l'εἶδος, conduit un tel étant jusqu'à la présence achevée qui le met devant nous comme « tout justement celui-ci [18] » et non n'importe quel de même sorte. Dans l'optique de la mobilité, l'εἶδος n'est donc plus le tout de la présence qui, loin de se réduire à la fixité de l'aspect qu'elle offre, a d'autres limites que celles de la définition. La présence des choses est plus que

18. Aristote, *Métaphysique,* Z, 4, 1 030 a 3.

leur définition. Même si la définition reste essentielle à la présence, son déploiement est avant tout la présence de l'œuvre (ἔργον), pour laquelle Aristote demande à la langue un terme nouveau, celui d'ἐνέργεια. Dans l'optique du mouvement, l'ἐνέργεια rassemble à elle le bloc de marbre et la figure qu'il prend dans la statue de l'homme ou du dieu. Elle est à la fois marbre et statue, plus encore statue que marbre, mais avant tout *cette* statue que l'art déjà présent à la pensée du sculpteur a su faire venir du marbre. Voici donc devant nous l'Apollon d'Olympie ou l'Athéna pensive, mais aussi bien tout ce qui déploie indivisiblement une présence qu'habite la mobilité et dont l'εἶδος n'est qu'un mode, aussi longtemps du moins que, commun à beaucoup, il n'est pas le visage singulier de cette chose-ci, devenant alors, mais alors seulement, indistinct de l'ἐνέργεια et comme un autre nom pour elle. Ainsi, ἐνεργείᾳ εἶναι et ἐν τῷ εἴδει εἶναι [19] sont à la limite identiques, la question demeurant de savoir si l'être de la table est de n'être qu'une table ou d'être cette table, autrement dit si ce qu'il y a de dernier dans l'être est la façon dont un oiseau se distingue d'un poisson, d'un cheval, d'une échelle, ou la présence unique de l'étant que voici. C'est à cette question qu'Aristote répond au chapitre II des *Catégories,* en distinguant dans l'οὐσία elle-même deux côtés, l'εἶδος et le τόδε τι, celui-ci étant dit premier par rapport à l'autre qui n'est l'être qu'au sens second. Tel est, semble-t-il, le fond de la distinction que fait couramment Aristote entre *ce qu'est* la chose et ce qui lui est *tout simplement être,* à savoir *qu'elle est* (ὅτι ἔστι), c'est-à-dire qu'elle apparaît immédiatement comme celle que voici.

Est-ce là déjà, comme on a coutume de le dire, la différence qu' « on nomme aujourd'hui (...) la distinction d'essence et d'existence [20] » ? Tant s'en faut. Par *être,* Aristote entend la présence même des choses telle qu'elle culmine à ses yeux dans le repos de l'œuvre à quoi se rapportent toutes les distinctions qu'il établit. Rien n'est au contraire plus loin de la présence des choses que la distinction dans l'être de l'essence et de l'existence, car celle-ci franchit d'un bond ce qui, à la naissance d'un monde, frappa d'ouverture la parole grecque. Quand la philosophie reprend, après l'épreuve romaine, son souffle, c'est en effet non pas à partir de la présence des choses mais à partir de leur création qu'elle parle. La création, dit Kant, est *actuatio substantiae* [21], la substance étant à son tour définie principalement comme essence. L'essence n'est encore qu'un possible. La

---

19. Aristote, *Métaphysique,* Θ, 8, 1 050 a 16.
20. E. Gilson, *Le Thomisme* (Vrin, 1942), p. 53.
21. *Critique du jugement,* § 87, note.

création lui donne l'existence actuelle. Mais d'où vient à l'étant dans son être la détermination du possible et le dépassement de celle-ci en existence laquelle, dit encore Kant, ne pose *rien de plus* que ce que déjà posait l'essence, mais le pose *plus* qu'il n'était jusque-là posé [22] ? Elle vient visiblement du but ou de la fin à laquelle la philosophie devenue scolastique croit arriver, *quasi pedetentim* [23], et dont en réalité elle part, à savoir que tout s'explique dans son principe par l'action d'un Dieu créateur. Il n'y a plus dès lors qu'à argumenter : Dieu, dont l'essence est d'exister, conçoit diversement les essences des choses en se rapportant à son essence à lui, non pas absolument mais proportionnellement à ce qu'il lui plaît de créer, et il leur « influe » uniformément l'existence, comme *aliquid fixum et quietum in ente* [24], à partir de ce par quoi il existe lui-même exemplairement. La distinction dans l'être de l'essence et de l'existence, loin de répondre, comme le prétend non sans témérité M. Gilson, à « deux aspects du réel que l'analyse métaphysique doit soigneusement distinguer [25] », n'est donc qu'une paraphrase de la création et, par là, comme il le dit aussi, mais cette fois à juste titre, « approfondit la tradition juive [26] » bien plutôt qu'elle ne trouve son antécédent dans la philosophie d'Aristote. Celle-ci n'intervient que pour les besoins de la cause, c'est-à-dire pour fournir à l'argumentation le « matériel de concepts [27] » sans lequel la scolastique ne serait pas possible, toute la question restant de savoir si le grec peut venir ainsi au secours de l'hébreu ou si au contraire il n'établit pas pour les choses un tout autre site que celui où nous dépayse le dogme. Si, dit Heidegger, les concepts de l'ontologie antique paraissent « taillés sur mesure » pour leur emploi par l'interprétation chrétienne du monde, cela n'empêche nullement que pour les Scolastiques la distinction de l'essence et de l'existence est « à la lettre tombée du ciel ».

L'ombre portée de la révélation biblique sur la philosophie s'étend cependant au point que, même quand la philosophie prétend s'émanciper de la révélation, rien ne lui apparaît plus évident que la distinction dans l'être de l'essence et de l'existence. Elle est, disait Descartes à Hobbes, « bien connue de tous », *omnibus nota* [28]. Il suffit alors avec Spinoza de prendre l'omnibus pour que la réponse décisive à la question de l'être soit l'assi-

22. Kant, II, 80.
23. Saint Thomas, *S. Th.*, I, q. XLIV, a. 2, *ad resp.*
24. Saint Thomas, *Contra Gentiles,* I, 20.
25. *Op. cit.*, p. 42.
26. *L'Esprit de la philosophie médiévale* (Vrin, 1932), t. I, p. 238.
27. *La philosophie au Moyen Age* (Payot, 1952), p. 601.
28. A. T., VII, 194.

gnation d'un étant « dont l'essence enveloppe l'existence ». Que
telle soit la première définition de l'*Ethique* et non celle de
l'essence ou de l'existence, n'en soyons pas surpris : *quid enim
magis clarum quam, quid sit essentia et existentia, intelligere* [29] ?
Ni Malebranche, ni même Leibniz ne pensent autrement. C'est
seulement avec Kant que, pour la première fois, la philosophie
commence à s'inquiéter d'une telle évidence, mais non pas
encore de son bien-fondé. « Y a-t-il dès lors lieu de s'étonner
si la distinction de la quiddité et de l'existence, quand la métaphysique occidentale en vient à son achèvement, apparaît encore
une fois au premier plan dans sa plus extrême acuité, mais du
même coup de telle sorte que cette distinction en tant que telle
se retire dans l'inapparence et que les deux déterminations
fondamentales de l'étant dans son ensemble, volonté de puissance
et éternel retour de l'identique, soient alors portées au langage,
hors de tout sol métaphysique mais dans l'inconditionnalité de
leur position [30] ? » La volonté de puissance, Nietzsche la dit
en effet comme l' « essence la plus intime de l'être [31] » dont
l'éternel retour de l'identique constitue, « sans aucun finale dans
le rien », l'existence. Tout étant comme tel est, dans le langage
prédicatif que les logiciens disent *de tertio adjacente,* volonté de
puissance, mais il n'est qu'embarqué à demeure dans la rotation
que lui est, *de secundo adjacente,* être même au sens d'exister.
Il est significatif que dans l'éternel retour Nietzsche pense le
Dasein (existence) de ce dont le *Wesen* (essence) est volonté de
puissance sans nullement s'inquiéter que l'être soit aussi bien
Wesen que *Dasein,* pas plus que de l'atavisme philosophique en
vertu duquel il est aussi bien l'un que l'autre. En quoi même
Nietzsche est métaphysicien sans le savoir, car il parle sans
savoir d'où, ce qui n'empêche nullement son dire de répondre
à ce qui est à dire, et de le porter au langage le plus rigoureux
et le plus vigoureux à la fois. Par là il est non pas un métaphysicien parmi d'autres mais le seul mandataire du destin dont
nous sommes sans échappatoire possible, bien qu'aujourd'hui
philosopher soit refuser de voir où présentement nous en
sommes, nous fermant à la parole de Nietzsche qui, comme on
sait, n'est plus qu'une occasion de biaiser avec ce qu'elle dit.
    Reste que, si le langage de Nietzsche répond à son insu à une
tradition dont il croit être quitte alors qu'il en demeure l'otage,
peut-être la mise au jour d'un tel état de choses permettra de
comprendre autrement qu'il ne l'a fait lui-même la double déter-

---

29. *Cogitata metaphysica,* I, ch. II.
30. Heidegger, *N.,* II, 15-16.
31. *Der Wille zur Macht,* § 693.

mination de l'être que sa parole pensante porte au langage. C'est
ce que tente Heidegger, non pour reléguer la parole de Nietzsche
dans le passé dont elle émerge et ainsi se chercher « un refuge
dans la tradition [32] », mais pour l'entendre comme encore une
fois métaphysique, c'est-à-dire comme procédant de l'étant à
l'étant, à la faveur bien sûr d'un regard sur l'être, mais d'un
regard qui ne le laisse pas éclore en tant qu'être et dans sa
vérité. La métaphysique de Nietzsche est ainsi, bien plutôt
qu'un début, une fin : la fin d'un monde plus que bimillénaire.
Ce qu'elle dit de ce monde, le nôtre, est ce qu'il est lui-même
terminalement dans son essence et en tant qu'il existe. Elle le
dit ainsi en deux paroles dont l'unité demeure à Nietzsche lui-
même énigmatique. Car en quel sens l'éternel retour de l'identique ne pose-t-il rien de plus que ce que pose déjà la volonté de
puissance, mais le pose-t-il plus qu'il n'était jusque-là posé ?
Comment penser en un ces deux pensées, au sens où, dans
le Dieu de l'ancien monde, elles n'en faisaient à la limite
qu'une seule, puisqu'il était celui dont l'essence est d'exister ?
Mais qui donc est pour le nouveau monde celui qui fut pour
l'ancien monde son Dieu ? Nietzsche le nomme Dionysos.
Dionysos est le dieu en qui ce qui est d'un côté volonté de
puissance est du même coup éternel retour. En quoi c'est
Dionysos lui-même qui est « le oui éternel de l'être [33] », autrement dit « dans sa personne même, l'apologie et la divinisation
de la vie » entendue à son tour comme volonté de puissance.
Dionysos est ainsi une « promesse de vie », renaissant éternelle-
ment et revenant sans cesse du fond même de sa propre destruction [34]. Ainsi parle encore Nietzsche, juste avant la fin de sa vie
lucide, assignant dans la rotation du cyclique le foyer même de
ce qu'il pense d'autre part comme volonté de puissance.

« Que Nietzsche ait explicité et éprouvé sa pensée d'abîme
à partir du dionysiaque ne fait qu'attester qu'il lui fallait encore
la penser métaphysiquement et qu'il ne pouvait la penser qu'ainsi.
A quoi ne s'oppose nullement que, dans une telle pensée d'abîme,
s'abrite un non-pensé qui du même coup demeure fermé à la
pensée métaphysique [35]. » Ainsi nous parle Heidegger dans une
note qu'il ajoute à sa conférence : *Qui donc est le Zarathoustra
de Nietzsche ?*

La métaphysique, nous l'avons dit, pense l'étant comme tel et
dans son tout à partir du retrait en lui de l'être et de sa vérité.
Elle est ainsi métaphore de l'être dans l'ombre que l'étant pro-

32. *Hzw.*, p. 88.
33. *Dionysos Dithyramben, Ruhm und Ewigkeit*, 4.
34. *Der Wille zur Macht*, § 1 052.
35. Heidegger, *V. u. A.*, p. 126.

jette sur lui. La métaphore est obscurcissement du sens. Mais
elle est d'autant mieux gardienne de ce qu'elle dit à sa guise
et sans le dire expressément. Ce que dit Nietzsche sans le dire,
créant ainsi le « mythe du futur [36] », peut-être est-ce à quoi une
époque à venir aura à faire face, « à supposer bien sûr que
demeure réservé à la pensée de mettre au jour l'énigme de la
technique moderne [37] ».

La langue d'une telle mise au jour ne sera plus la langue de
la métaphysique que Nietzsche parle encore à son insu, s'il est
vrai que la double détermination de ce qui lui est à penser
répond à la distinction dans l'étant de l'essence et de l'existence.
Mais elle dira d'autant mieux que l'étant dans son être est les
deux à la fois, pensant, non plus dans l'absolu mais à partir du
mouvement de l'être, que c'est son affaire à lui, l'être, de se
manifester enfin comme tel et non pas autrement. Que l'être
cependant nous soit dans son essence volonté de puissance, voilà
ce que tout un chacun refuse, craignant sans doute de redevenir
par là ce Calliclès que Socrate, au dire de Platon, avait victo-
rieusement réfuté. Mais qu'il existe comme éternel retour, c'est
encore plus inadmissible. Il est certes métaphysiquement aussi
bien essence qu'existence, mais c'est tout autrement que ne le
dit Nietzsche. Qu'est cependant le monde qui nous importe ou
plutôt qui importe, ce qui revient au même, à la technique
moderne, sinon celui dont, comme on dit, les « impératifs de
la croissance » définissent abstraitement l'ordre du jour ? Et
quel est le principe de ce monde, sinon d'aller toujours plus
loin dans la domination pour la domination sans que rien d'acquis
soit jamais assez dans quelque domaine que ce soit ? L'organisation qui est aujourd'hui son idole et qu'il se définit comme
l'art d'obtenir aux moindres frais n'importe quoi creuse ce
« jamais assez », sans avoir d'autre issue que de se réorganiser
elle-même, retournant insatiablement à son propre possible pour
faire naître de lui un nouveau front d'attaque, et ainsi de suite
sans fin. Tel est, dit Nietzsche, le triomphe de la *méthode* [38]
à qui peu importe le but et qui déploie plutôt à dessein d'elle-
même sa puissance de métamorphose en un perpétuel recommen-
cement.

> Le monde, à tour de roue
> Frôle un but puis un autre :
> Misère ! dit la hargne,
> Le fou dit : c'est le jeu...

---

36. XII, 400.
37. Heidegger, *V. u. A.*, p. 126.
38. *Der Wille zur Macht*, § 466.

Ainsi chante le prince Vogelfrei tandis que Nietzsche annonce :
« Voici la parole qui vous délivrera du flot éternel. Le flot ne
cesse de refluer en lui, et voici qu'à nouveau vous entrez dans
l'uniformité du flot, uniformément égaux à vous-mêmes [39]. »
Mais alors l'éternel retour de l'identique, loin de répondre à
un concept « cosmologique » qui viendrait compléter du dehors
le concept prétendument « psychologique » de volonté de puissance, pourrait dire une tout autre ronde ? Ainsi du moins
apparaît-il au penseur à qui la technique elle-même apparaît à
son tour, non pas comme une simple invention humaine, mais,
dans sa frénésie enfin libérée, comme l'ultime figure d'un destin
du monde dont le regard grec sur l'étant fut en son temps la
mise en route. Si l'être même de la technique n'est rien de technique, mais d'une essence encore inapparente, peut-être la parole
de Nietzsche est-elle en son énigme un plus profond miroir de ce
qui s'annonce aujourd'hui à la mesure d'un monde que les
considérations soi-disant philosophiques qui, devant les prouesses
de la technique, la célèbrent éperdument ou la condamnent sans
appel, à moins que, quand l'égarement est porté à son comble,
on ne la considère comme neutre en prétendant la prendre en
mains au nom d'un idéal [40]. C'est bien plutôt Heidegger qui
l'idéalise, si idéaliser est entendu au sens où l'entend Nietzsche
quand, dans les *Flâneries inactuelles,* il nous dit : « Débarrassons-
nous ici d'un préjugé : *idéaliser* ne consiste pas, comme on le
croit communément, à retirer et à distraire le petit et l'inessen-
tiel. Le décisif est bien plutôt de *faire sortir à l'arraché* les traits
fondamentaux, par quoi ce sont les autres qui alors disparais-
sent [41]. »

A qui la pense dans son fond comme éternel retour, la volonté
de puissance est moins en vérité l'ivresse de vivre tant célébrée
par Nietzsche que le dépassement toujours identique à lui-même
de tout acquis par la conquête d'un plus, répondant chaque fois
à plus de puissance dans la domination de l'homme sur l'étant.
Plus de puissance et rien de plus. Chacune des conquêtes de la
volonté dont l'essence est la volonté de puissance renverse ainsi
pour elle tout point d'arrivée en un point de départ d'où tout
repart d'un élan identique. Si, note Heidegger, « l'identique qui
revient a son identité dans un impératif à chaque fois nouveau [42] »,
les formes diverses que prend ce nouveau ne sont jamais, avait
déjà dit Nietzsche, « que les modes d'expression et les métamorphoses d'une volonté unique en tant qu'inhérente à tout deve-

---

39. XII, 2ᵉ partie, § 723.
40. Heidegger, *V. u. A.,* p. 13.
41. *Crépuscule des Idoles, Streifzüge eines Unzeitgemässen,* § 8.
42. *N.,* II, 311.

nir [43] ». N'est-ce pas en ce sens que le penseur de la volonté comme volonté de puissance avait pu dire, dans un texte qu'il intitulait significativement : *Récapitulation,* l'éternel retour de l'identique comme le *faîte* de la volonté de puissance elle-même ?

« *Imprimer* au devenir la marque de l'être — telle est *la plus haute volonté de puissance* (...).

« *Que tout revienne rapproche* à l'extrême *un monde du devenir de celui de l'être : — Cime de la méditation* [44]. »

Ainsi l'éternel retour de l'identique ne rêve pas autour de l'interprétation de l'être comme volonté. « Il est le plus haut triomphe de la métaphysique de la volonté en tant que celle-ci veut sans cesse son propre vouloir [45]. » Mais alors, le concept de volonté de puissance que Nietzsche avait pensé comme le complément qu'exige « le concept victorieux de force grâce auquel nos physiciens ont créé Dieu et l'univers [46] » devrait lui-même être à nouveau pensé à partir de ce qui en lui demeure voilé. La puissance, en effet, bien qu'intrinsèquement mobile, est encore quelque chose à quoi vise la volonté qui, par là, ne coïncide pas encore avec la désolation de sa propre essence en tant que volonté de se vouloir elle-même sans but. Tel est pourtant ce que devient la volonté de puissance à qui la pense à partir de l'éternel retour de l'identique, sans que Nietzsche ait osé aller explicitement jusque-là. D'où cette proposition de Heidegger : « La métaphysique de Nietzsche met au jour dans la volonté de puissance l'*avant*-dernier degré du déploiement volontatif de l'être de l'étant comme *volonté de volonté* [47]. » Une telle locution sonne ici comme quand on dit : *l'art pour l'art.* La volonté de volonté est la vérité de la volonté de puissance dans l'oubli radical de l'*être* en faveur du *faire,* celui-ci à son tour n'ayant d'autre sens que *refaire* encore et toujours dans l'affairement privé d'horizon qui partout mobilise un monde en ouvrant en lui un nouvel espace, celui de la planification. *Phénix* du nouveau monde, comme dira, à partir de Nietzsche, Ernst Jünger [48], son unique raison est de se détruire elle-même pour renaître à nouveau de ses cendres, la nouveauté qu'elle met au jour vieillissant à vue d'œil et n'étant là que pour faire place à une autre, d'où renaîtra encore une autre, « sans aucun finale dans le rien [49] ».

---

43. *Der Wille zur Macht,* § 675.
44. *Ibid.,* § 617.
45. Heidegger, *W. D. ?,* p. 43.
46. *Der Wille zur Macht,* § 619.
47. *V. u. A.,* p. 81.
48. *Das Wäldchen 125.*
49. Nietzsche, *Der Wille zur Macht,* § 55.

Le monde de la technique moderne entraîne dans le tourbillon sans frein et sans but de la volonté de vouloir tout ce qui, jusqu'ici, avait prétendu à durer. Il est le monde de l'éphémère où penser ni œuvrer, encore moins habiter, ne sont plus de mise. Aujourd'hui on ne pense plus. On suscite et renverse des courants d'opinion qui se satisfont de mots d'ordre. Autrement dit, on ameute. L'art lui-même a pris le tournant. Il est devenu « créativité », multipliant au jour le jour des produits de remplacement dont la publicité assure pour un temps la vogue. De même, nul n'habite plus nulle part, car plus rien n'est demeure. Construire une demeure fut jusqu'ici un défi au temps. La volonté de volonté sait au contraire d'un clair savoir que les demeures des hommes, leurs *maisons,* ne sont que vieilleries périmées. Dans la « maison de l'être » — ainsi la nommait Nietzsche —, tout bouge. L'Université elle-même, issue du Moyen Age comme *monumentum aere perennius,* est, à la suite de l'Eglise, sous nos yeux entrée dans la danse. A Braque écrivant à Heidegger : *l'écho répond à l'écho, tout se répercute,* le monde de la technique répond à son tour en écho : *le plan succède au plan, vive le recyclage !*

II. *Le* Nietzsche *de Heidegger*

Mais le dédoublement ontologique de l'être en essence et en existence à quoi paraît répondre, fût-ce à l'insu de Nietzsche, la proximité énigmatique où sont l'une par rapport à l'autre les deux paroles fondamentales de sa métaphysique, se reflète à son tour dans le dédoublement onto-théologique de la métaphysique elle-même qui éclaire leur rapport d'une manière différente. Le dédoublement en question n'est plus celui dans l'étant de l'essence et de l'existence, mais de l'étant considéré comme tel et dans son tout. Dans le *Nietzsche* de Heidegger, c'est plus généralement selon cette seconde optique qu'est interprété le rapport des deux paroles fondamentales de Nietzsche.

D'après sa structure fondamentale, la métaphysique ne dit en effet l'étant comme tel que relativement à une tout autre détermination de celui-ci, celle qui le pose comme véritablement ou suprêmement étant. Elle est ainsi *onto-théologie.* La locution d'onto-théologie n'est nullement forgée par Heidegger. Ce n'est pas lui mais Kant qui, dans la *Critique de la Raison pure,* caractérise la théologie transcendantale, celle des *déistes,* par opposition à la théologie naturelle, celle des *théistes,* comme *onto-théologie* [50]. Lorsque Heidegger reprend cette locution kantienne

---

50. A 632, B 660 ; T. P., p. 447.

pour caractériser la métaphysique elle-même, c'est seulement après
que les théologiens eurent commencé à prendre un intérêt particulier à *Sein und Zeit*. Dans *Qu'est-ce que la métaphysique ?*,
elle n'intervient pas encore. La métaphysique y est présentée
comme la question qui transgresse l'étant, non pour le laisser
derrière elle, mais pour l'instituer en•retour *comme tel* et *dans
son tout*. La conférence montre comment c'est en perçant jusqu'au
rien que la métaphysique peut recouvrer l'étant dans cette double
optique et ainsi l' « établir au niveau du concept [51] ». Tel est ce
qui advient avec la « philosophie première » d'Aristote. Elle
détermine l'étant comme tel en tant qu'il se manifeste en modes
multiples, bien que principalement comme ἐνέργεια. Elle le détermine dans son tout à partir d'un domaine qui l'emporte sur
d'autres et dont ceux-ci dépendent, chacun à son rang. La représentation du tout à partir de ce qui en lui est sommet n'est pas
moins *méta*physique, c'est-à-dire *trans*gressive de l'étant que la
représentation de l'étant comme tel, si du moins le tout de
l'étant n'est pas seulement « tout l'étant » au sens d'une simple
somme [52], mais l'articulation en lui de différents domaines dont
Aristote précise que celui qui nous est le plus proche est à peine
une partie de ce tout [53]. De là provient tardivement le dédoublement de la métaphysique en *métaphysique générale* ou ontologie,
à laquelle Kant donnera l'ampleur d'une *Critique de la Raison
pure,* et en *métaphysique spéciale,* dont les « inévitables problèmes » sont au nombre de trois : « Dieu, la liberté et l'immor-
talité [54]. » Dieu est nommé en tête, car, dans le tout de l'étant,
comment n'aurait-il pas, dira Hegel, « le plus incontestable des
droits à constituer le point de départ [55] ? » La métaphysique est
ainsi ontologie *et* théologie. Sans ce dont s'avise dès le départ la
théologie, l'ontologie n'aurait pas même d'objet, « car autrement
il s'en suivrait cette proposition absurde qu'il y aurait manifestation sans que rien ne se manifeste en elle [56] ». Mais, sans ontologie, la théologie elle-même n'aurait rien à voir. De ce dédoublement onto-théologique de la métaphysique, Heidegger nous
dit : ses deux côtés n'admettent pas plus la subordination de
l'un à l'autre que leur coordination à un rang égal. « Tous les
deux sont, chacun à sa guise, le Même [57]. » Mais quel *Même ?*
La même préséance de l'étant sur l'être pour une pensée qui,

---

51. *W. M. ?,* p. 38.
52. Heidegger, *S. Z.,* p. 244, note.
53. *Métaphysique,* Γ, 5, 1 010 a 30-31.
54. B 7 ; *T. P.,* p. 35.
55. *Wissenschaft der Logik,* I, 84.
56. Kant, *Critique de la Raison pure,* B XXVI ; *T. P.,* p. 23.
57. *Hzw.,* p. 179.

nous l'avons vu, ne regarde à l'être que pour s'acheminer de l'étant à l'étant afin que celui-ci soit *présentativement* manifeste.

Si donc la représentation d'un tout de l'étant répond aussi bien au dépassement de l'étant jusqu'à l'être que la représentation de l'étant comme tel, ce double dépassement répond à son tour unitivement à la *présentation* de ce qu'il dépasse, non à son inscription dans l'unité plus inapparente de la *présence* à laquelle pourtant il appartient déjà. La parole d'Héraclite, « à l'écoute de la φύσις », (fr. 112), n'avait d'autre sens que d'être l' « approche » (fr. 122) d'une telle présence et de sa réserve. Elle était donc autrement dépassante de l'étant que celle qui ne le dépasse que dans le dédoublement onto-théologique, un tel dépassement culminant à la fois dans l'assignation d'un genre suprême de l'étant *et* dans la détermination transgénérique qui le dit communautairement comme tel, même si elle le dit ainsi non plus seulement, comme Platon, *selon l'un* (καθ'ἕν), mais en modes multiples et *regardant à l'un* (πρὸς ἕν) [58]. Le dépassement ontothéologique est ainsi l'indice d'un déclin de la présence qu'est l'être au profit de la *production* de l'étant, qui prend alors le pas sur l'être, celui-ci n'étant plus accessible que dans l'ombre portée sur lui par l'étant qui en est, au niveau du langage, la plus proche *menace* [59]. C'est bien pourquoi la scolastique, axée dès le départ sur la révélation d'un étant comme suprêmement étant, trouvera son « matériel de concepts » dans la philosophie d'Aristote et non dans la parole plus matinale dont la philosophie est déjà le retrait. Que cette parole oubliée soit soudain *rappelée* quand, avec Hegel, la philosophie moderne en est venue à se vouloir *système,* ne signifie nullement qu'elle soit pour autant *remémorée.* Dire avec Hegel : « Il n'est aucune proposition d'Héraclite que je n'aie reçue dans ma *Logique* [60] » — ou, plus insolitement, avec Nietzsche : « J'ai pour précurseurs la philosophie des Védas ainsi qu'Héraclite [61] » n'est pas encore tenter l'approche de l'énigme que nous demeure la parole de celui que les Anciens eux-mêmes nommaient déjà *l'Obscur.* Il se pourrait en vérité que même Hegel, même Nietzsche, soient dans l'éloignement le plus extrême de la pensée qu'ils prétendent rejoindre et même dépasser. Le retour aux « Présocratiques », tel qu'avec eux il s'annonce, ne libère cependant pas leur pensée de la métaphysique issue d'Aristote. Toute la philosophie de Hegel est la corrélation onto-théologique de l'absolu comme nom le plus propre de l'étant et de la dialectique comme interprétation de

58. Aristote, *Métaphysique,* Γ, 2, 1 003 a 2.
59. Heidegger, *Erläuterungen zu Hölderlins Dichtung* (4ᵉ éd., Francfort, 1971), p. 36.
60. Hegel, *G. P.,* I, 344.
61. XIII, § 187.

l'étant en tant que tel. On peut de même entendre la philosophie de Nietzsche comme suprêmement métaphysique, disant la corrélation de l'être déterminé en tant que volonté de puissance et de l'étant à son sommet comme éternel retour de l'identique. C'est à ce niveau seulement que cette philosophie prend pied dans le véritablement étant, qui demeure l'objet le plus propre d'une recherche dans laquelle la volonté de puissance n'intervient que comme marchepied, autrement dit, dans le langage de Nietzsche, comme « présupposition [62] ».

Si donc il est encore une fois du destin de Nietzsche de penser métaphysiquement la question de l'être, c'est-à-dire de penser en mode onto-théologique l'étant dans son être, il lui faut le dire aussi bien dans son tout que comme tel. Sa parole le dit comme tel en le déterminant par la volonté de puissance. Elle le dit dans son tout à partir du solstice qu'est à l'étant l'éternel retour de l'identique. Telle est la version nietzschéenne de l'éternité. C'est en effet comme éternité qu'apparut, dès le début de la métaphysique en tant qu'onto-théologie, le véritablement étant auquel mesuré ce qui est temporel n'est que de rang second. Il ne put toutefois apparaître ainsi qu'à partir du temps et de son maintenant, en tant que celui-ci, à peine là, est déjà le suivant. « C'est dans cette mutation qu'il montre du même coup que la présence qui est sienne est aussi permanence, en vertu de quoi dès Platon le regard orienté sur le temps, éprouvé comme suite de maintenant dont l'apparition est disparition, conduit nécessairement à nommer le temps : image de l'éternité [63]. » Le maintenant qui, dans la succession du temps, survient instantanément pour passer et renaître, mais par-dessus lequel, disait Platon, il est cependant impossible de sauter [64], est l'image ou l'écho d'un maintenant plus pur qui n'est plus *entre* le passé et l'avenir, mais *sans* passé ni avenir. Ainsi le temps lui-même, représenté à partir du maintenant qui passe, nous met à sa façon sous les yeux l'éternel, faisant partout, en tant que maintenant, signe vers lui. L'analyse aristotélicienne du temps, telle qu'elle se déploie au livre IV de la *Physique,* privilégie non moins en lui le maintenant qui passe. Il est en effet dans le temps ce qu'il y a de véritablement étant. Le passé n'étant plus, l'avenir pas encore, c'est dans le non-étant que les deux s'écartent de part et d'autre du maintenant, qui seul *est* véritablement [65]. Le sommet de l'étant sera donc à son tour représenté comme un maintenant. Cela, Aristote ne le dit pas encore explicitement,

---

62. *Der Wille zur Macht,* § § 1 057 et 1 059.
63. Heidegger, *S.Z.,* p. 423.
64. *Parménide,* 152 b.
65. 223 a 5 sqq.

pas même ou à peine saint Augustin, mais, un siècle après lui,
Boèce, à qui renverra saint Thomas[66]. C'est ainsi dans l'élaboration philosophique du christianisme que l'éternité en vient à
être formellement interprétée comme la permanence du maintenant, que nous n'éprouvons pourtant que dans la succession où
il n'en finit jamais de n'être que passage. Dans cette optique,
dit Heidegger, « même Nietzsche pense les trois phases du
temps à partir de l'éternité comme permanence du maintenant,
à ceci près que cette permanence ne repose plus pour lui dans un
arrêt, mais dans un retour perpétuel de l'identique[67] ». Le *nunc*
comme *ratio aeternitatis,* loin donc d'être *nunc stans,* comme le
veut, après Boèce, saint Thomas, reste bien celui que Boèce
disait *nunc currens,* mais comme *recurrens.* A saint Augustin,
enseignant dans un commentaire du Psaume 38 : *nihil de
praeterito revocatur, quod futurum est, transiturum expec-
tatur*[68], la parole de Nietzsche répond : *omnia de praeterito
revocantur, quod futurum est, sempiternum expectetur*[69]. Autrement dit : *Non alia sed haec vita sempiterna*[70].

L'éternel retour de l'identique n'est donc plus ici, comme nous
l'avions dit dans une autre optique, le point le plus central de
la volonté de puissance elle-même, autrement dit le foyer de son
éclosion en volonté de volonté, mais seulement l'autre côté de
ce dont la volonté de puissance est métaphysiquement l'un des
deux côtés, à savoir, toit du monde, la détermination dans son
tout et à son sommet de ce que Nietzsche nomme volonté de
puissance. C'est ce tout qu'il pense encore une fois comme
éternité, sans s'inquiéter plus que ses devanciers de ne le penser
ainsi qu'à l'aide du temps qui passe et de son maintenant, exorbité
de la succession qui le contient en elle, pour devenir l'origine
radicale de celle-ci. A ce titre, sa « pensée d'abîme » n'est qu'une
variation encore sur le thème de l'interprétation métaphysique
du temps dont elle demeure tributaire, restant par là l'ultime
écho du platonisme dans le retournement que Nietzsche en
entreprend. En ce sens, Heidegger peut écrire : « La métaphysique prend appui sur la différence entre ce qui est véritablement
et ce qui, mesuré à lui, constitue le non-véritablement étant. Pour
l'essence de la métaphysique, le point décisif ne réside pas en
ceci que la différence ci-dessus mentionnée représente le contraste
du supra-sensible et du sensible, mais en ce que cette différence,

66. *S. Th.,* I, q. X, a. 2.
67. *V. u. A.,* p. 109.
68. Cité par Heidegger, *W. D. ?,* p. 41.
69. « Tout est rappelé du passé, ce qui est à venir, qu'il soit attendu
comme sempiternel ».
70. XII, 1re partie, § 123.

comme ouvrant un abîme, demeure base première, celle qui porte tout. Elle persiste là même où la hiérarchie platonicienne du suprasensible et du sensible est retournée, le sensible étant éprouvé d'une manière plus ample et plus essentielle, au sens où Nietzsche le caractérise en évoquant le nom de Dionysos [71]. » L'abîme ouvert par Nietzsche est celui qui sépare, dans l'interprétation du devenir, le linéaire du cyclique, celui-ci recueillant en lui comme étant ce qui jusqu'ici s'évanouissait dans le non-étant du *ne plus* et du *pas encore.* Tel est, dit Zarathoustra, « l'abîme le plus étroit [72] » sur lequel jeter un pont est l'entreprise la plus ardue. Car penser l'éternel dans le devenir est de difficulté plus haute que d'opposer à l'éternel le devenir en vue de pouvoir décrier celui-ci au nom de l'éternel. Nietzsche est ici devancé au plus proche par Hegel, quand Hegel annonce le retour dans la conscience de soi du monde jusqu'ici « partagé en *en-deçà* et en *au-delà* [73] ». Que ce retour soit retour éternel de l'identique, telle est l'audace qu'a Nietzsche de dépasser Hegel d'un pas dans la grande affaire qu'est, pour la philosophie moderne, sauver le devenir de la « nuit de la disparition [74] ».

Mais, si l'éternel retour de l'identique comme vérité de l'étant dans son tout n'est encore une fois que le passage du temporel à l'éternel, exaltant l'éternel à l'origine même du temps, la volonté de puissance ne va-t-elle pas à sa façon *plus loin* que la pensée dont elle est réciproque ? Ni éternelle ni temporelle, elle est bien plutôt transgénérique à l'étant, comme l'étaient déjà l'εἶδος de Platon, l'ἐνέργεια d'Aristote ou la *vis primitiva activa* de Leibniz. N'étant par elle-même rien d'étant, elle répond à l'ontologie de Nietzsche, entendue à son tour comme la plus extrême radicalisation de ce qui fut pour lui préalablement, comme il le dit dans *Ecce Homo,* inspiration ou, mieux, *révélation* pourtant décisive. « Car, s'il est vrai que tout penseur pense déjà à fond, quand il la pense pour la première fois, son unique pensée, il ne la pense pas encore jusqu'à son déploiement, c'est-à-dire au point d'être lui-même constamment dépassé par toute la portée du risque qu'elle lui impose d'assumer [75]. » Lorsqu'en 1763 Kant aperçoit pour la première fois que l'entreprise d'établir démonstrativement l'existence de Dieu, problème ultime de la raison, suppose une condition dont la métaphysique jusqu'ici ne s'était nullement avisée, il est déjà entièrement lui-même, mais bien loin encore de s'attendre à la tâche qui va lui revenir : fixer

---

71. *V. u. A.,* p. 122.
72. *Ainsi parlait Zarathoustra,* III, *le Convalescent.*
73. Hegel, *Ph.,* p. 316.
74. *Jenaer Realphilosophie,* p. 185, note 2 j.
75. Heidegger, *N.,* I, 482.

ontologiquement les « colonnes d'Hercule [76] » de la connaissance
en se risquant sur des chemins « non encore frayés [77] ». Dans le
passage de l' « éclair d'or [78] » que fut, en août 1881, la vision de
Surlej, à l'interprétation de l'éternel retour de l'identique comme
« faîte de la volonté de puissance », Nietzsche à son tour « devient
celui qu'il est » à la pointe du risque qu'est pour lui « fixer à
nouveau le concept de vie ». Cette « nouvelle fixation » est le
plus extrême « revirement jusqu'à l'être du regard dirigé sur
l'étant [79] ». Car la volonté de puissance n'est plus rien d'étant.
Sans doute demeure-t-elle « le fait ultime jusqu'où nous puissions
descendre [80] ». Mais ce *letztes Faktum* n'est pas lui-même *eine
Grundtatsache* [81] dont nous pourrions avoir une « certitude
immédiate », comme celle du soleil en plein midi. C'est au
contraire la « grande erreur » de Schopenhauer d'avoir pris la
volonté « pour la chose du monde la mieux connue, voire la
seule véritablement connue [82] ». Pas plus que ce qu'Aristote
nommait catégorie ou ἐνέργεια, ce n'est dans l'optique du *fait-
alisme* — ce barbarisme est une invention de Nietzsche — que
la volonté de puissance peut être découverte. Elle est partout et
nulle part. Rien n'est plus significatif que l'entreprise nietzschéenne de la désubstantialiser radicalement. Sans doute le fil
conducteur reste-t-il ici la psychologie. Il en résulte d'autant mieux
que, dans la locution : *Wille zur Macht,* la mise au jour de
l'injonction *zur Macht !* comme essence de *Wille* crève le plafond
de la psychologie. L'éternel retour, au contraire, s'il n'est pas
un *fait* au sens du positivisme, reste cependant une *croyance* [83].
Non pas sans doute l'une de ces croyances dont la « naïveté
hyperbolique [84] » est de « ne pas démordre d'une interprétation
religieuse de l'existence [85] », car une telle croyance est « plus
que toutes les religions [86] ». Mais, dans le flux incessant du
devenir, elle n'en détermine pas moins, quelque énigmatique
qu'elle demeure, « le solide grâce auquel les hommes posent la
borne de toute mise en question et de tout renouvellement possible de leur propre inquiétude [87] ». Dans l'éternel retour comme

76. *Critique de la Raison pure,* A 395 ; T. P., p. 319.
77. *Ibid.,* A 98 ; T. P., p. 110.
78. *Der Wille zur Macht,* § 577.
79. Heidegger, *Phänomenologie und Theologie,* éd. Klostermann, p. 14.
80. Nietzsche, XIV, 2ᵉ partie, § 161.
81. XIV, 1ʳᵉ partie, § 77.
82. *Ibid.*
83. Heidegger, N., I, 382 sqq.
84. *Der Wille zur Macht,* § 12.
85. *Par-delà le bien et le mal,* § 59.
86. XII, 1ʳᵉ partie, § 124.
87. Heidegger, N., I, 388.

devenir pensé sous l'empreinte de l'être, ce qui dans son
essence n'est qu'un devenant prend pied. Peut-être pourrait-on
dire, en renversant la parole de Nietzsche, que c'est bien plutôt
l'éternel retour qui est le « fait ultime », le fond même de l'étant,
ce qu'il y a en lui de suprêmement étant, le divin, tandis que la
volonté de puissance représente au contraire ce qu'Aristote
nommait à propos du mouvement le « difficile à voir [88] » de la
recherche ontologique.

La double pensée de l'étant dans son être comme volonté de
puissance et du devenir sous l'empreinte de l'être comme éternel
retour de l'identique est dans la philosophie de Nietzsche difficulté inextricable. Non seulement à nous, mais à Nietzsche lui-
même. Toutefois, l'origine d'une telle difficulté n'est peut-être
pas à chercher dans sa philosophie mais plutôt, en deçà de celle-ci,
dans le contexte où elle se déploie à son insu comme métaphysique. Ce n'est pas la philosophie de Nietzsche, mais la philosophie elle-même comme métaphysique qui est inextricable. Les
« nouveaux philosophes » dont Nietzsche annonce la venue et
qui auront pour tâche de « préparer la sagesse consciente qui sera
nécessaire au gouvernement de la terre [89] » n'en sont pas moins
des philosophes et, comme tels, de la même *ascendance* [90] que
ceux qu'ils prétendent dépasser. Retrouver jusque dans la philosophie de Nietzsche le contre-chant secret de ce qu'elle dit explicitement en la pensant dans son rapport essentiel au « premier
commencement » que fut l'origine grecque de la philosophie
auquel elle demeure, au terme d'une longue métamorphose,
fidèle, une telle entreprise ne peut cependant que surprendre
et dès lors rebuter celui que jamais n'effleura la question : *qu'est-
ce que la métaphysique ?* Autant dire tout un chacun. C'est bien
pourquoi tout un chacun ne peut que prendre des distances à
l'égard de l'interprétation de Heidegger, la tenant pour une
interprétation parmi d'autres, y compris la sienne propre, et à
laquelle il convient cependant de faire une place, celle qui lui
revient à côté des autres. Autant « faire une place » aux *Méditations* de Descartes, à la *Monadologie* de Leibniz, à la *Critique de
la Raison pure* et à la *Logique* de Hegel. Mais *où,* si les œuvres
citées ont pour caractère propre, non pas seulement d'occuper
de la place, mais d'ouvrir la place elle-même à son ampleur la
plus insolitement spacieuse, comme à son heure *Sein und Zeit ?*
Heidegger cependant n'est pas un nouveau métaphysicien. Ce

---

88. *Physique* III, 2, 202 a 2.
89. XIII, § 73.
90. XII, 1ʳᵉ partie, § 456.

qui advient avec *Sein und Zeit* n'est pas encore une « thèse sur l'être », mais un « autre commencement », dont le rapport au premier demeure essentiel. Peut-être ne sommes-nous pas nous-mêmes encore assez mûrs ou, dit Heidegger, assez « commencés [91] » pour comprendre *Sein und Zeit* dans sa tentative de porter au langage ce qui en toute métaphysique demeure, depuis l'origine, *non dit,* y compris quand tout près de nous le métaphysicien est Nietzsche.

Qui donc est Nietzsche ? Peut-être est-il celui que, dans son discours de Rectorat (mai 1933), Heidegger évoquait comme : *der leidenschaftlich den Gott suchende letzte deutsche Philosoph,* le dernier philosophe d'Allemagne en qui demeure passion la quête du Dieu. Mais alors, sa philosophie n'est pas athéisme ? Nullement. Ce sont à ses yeux les autres philosophes, à savoir les adeptes du « Dieu moral » qui sont les « athées », ceux qu'à jamais déserte la présence du Dieu. Sa pensée, comme annonce de la « mort de Dieu » n'est qu' « une sorte de théologie négative [92] », le positif qu'abrite ce négatif étant à son tour l'invention d'une parole qui ne soit plus, comme la théologie jusqu'ici, l'étouffoir du divin, mais la possibilité pour lui de « renaître dans toute sa luxuriance [93] » comme « jeu divin par-delà le bien et le mal [94] ». Telle est, dit-il encore, évoquant Héraclite, *die* « *Kindlichkeit* » *Gottes* [95], l'innocence divine, innocence d'enfant. Mais ce « jeu divin » par lequel l'existence est « transfigurée [96] » suppose à son tour que la volonté de puissance soit l' « essence la plus intime de l'être ». Chacune des deux paroles renvoie à l'autre. Elles se font pour ainsi dire écho. Qu'un tel écho soit à son tour possible autrement que comme rencontre fortuite, telle est la merveille que Heidegger tente, non pas d'expliquer, mais d'ouvrir à la plénitude d'une complexité encore en retrait en montrant en elle la rémanence dans la philosophie de Nietzsche du double dédoublement, destin de l'être, dont elle demeure à son insu, dirait Montaigne, *mémorieuse :* le dédoublement métaphysique de l'étant dans son être comme essence et comme existence et le dédoublement onto-théologique de la métaphysique elle-même, celui-ci n'apparaissant que dans son rapport avec le premier sans toutefois se confondre avec lui.

Ainsi deviennent plus insolitement parlantes à une pensée

---

91. *W. D. ?,* p. 45 : *unangefangen.*
92. Heidegger, *N.,* I, 353.
93. XI, 2ᵉ partie, § 440.
94. XIII, § 187.
95. *Der Wille zur Macht,* § 797.
96. *Ibid.,* § 820.

qui se définit sa propre tâche comme *die Erinnerung in die Metaphysik,* les deux paroles elles-mêmes insolites dont l'unité secrète porte l'œuvre de Nietzsche à son éclat de diamant noir : la volonté de puissance comme essence la plus intime de l'être et l'éternel retour comme transfiguration de l'existence. Si chacune des deux répond à l'autre, c'est pour aller à sa façon plus loin que l'autre, selon que l'oreille s'ouvre à leur dialogue dans la méditation de la philosophie comme histoire encore en retrait. La philosophie n'est rien d'univoque. Non qu'elle se complaise dans l'équivoque. Mais, disait Aristote, l'étant dans son être, c'est diversement qu'il prend la parole et se laisse porter au langage : Τὸ ὂν λέγεται πολλαχῶς.

INDICATIONS BIBLIOGRAPHIQUES

LA PHILOSOPHIE CHRÉTIENNE. Conférence — inédite — donnée aux Entretiens du Haut Pas, Paris, décembre 1964.

REMARQUES SUR DESCARTES. Inédit.

PASCAL SAVANT. Une première version a paru dans la *Revue des sciences philosophiques et théologiques,* n° 1, janvier 1956.

LA FABLE DU MONDE. Texte remanié ; paru dans le volume d'hommage à Martin Heidegger, pour son 70ᵉ anniversaire, Neske, Pfullingen, 1959.

KANT ET LA NOTION DE LA *Darstellung.* Inédit.

HEGEL ET LA PROPOSITION SPÉCULATIVE. Inédit.

LE « DIALOGUE AVEC LE MARXISME » ET LA « QUESTION DE LA TECHNIQUE ». Inédit.

HEIDEGGER ET NIETZSCHE : LE CONCEPT DE VALEUR. Paru dans *Nietzsche,* Cahiers de Royaumont, Paris, Editions de Minuit, 1967.

NOTE SUR LE RAPPORT DES DEUX « PAROLES FONDAMENTALES » DE NIETZSCHE. Inédit.

TABLE DES MATIERES

« ARGUMENTS »

Samir Amin, CLASSE ET NATION.

Lou Andreas-Salomé, EROS.

Jean-Marie Apostolidès, LE ROI-MACHINE. *Spectacle et politique au temps de Louis XIV.*

Arrien, HISTOIRE D'ALEXANDRE, suivi de FLAVIUS ARRIEN ENTRE DEUX MONDES, par Pierre Vidal-Naquet.

Kostas Axelos, ARGUMENTS D'UNE RECHERCHE — CONTRIBUTION A LA LOGIQUE — HÉRACLITE ET LA PHILOSOPHIE — HORIZONS DU MONDE — LE JEU DU MONDE — MARX PENSEUR DE LA TECHNIQUE — POUR UNE ÉTHIQUE PROBLÉMATIQUE — VERS LA PENSÉE PLANÉTAIRE — PROBLÈMES DE L'ENJEU — SYSTÉMATIQUE OUVERTE.

Georges Bataille, L'ÉROTISME.

Jean Beaufret, DIALOGUE AVEC HEIDEGGER : I. PHILOSOPHIE GRECQUE — II. PHILOSOPHIE MODERNE — III. APPROCHE DE HEIDEGGER.

Ludwig Binswanger, INTRODUCTION A L'ANALYSE EXISTENTIELLE.

Maurice Blanchot, LAUTRÉAMONT ET SADE.

Pierre Broué, LE PARTI BOLCHEVIQUE — RÉVOLUTION EN ALLEMAGNE *(1917-1923).*

Pierre Broué et Emile Témime, LA RÉVOLUTION ET LA GUERRE D'ESPAGNE.

Edward Hallett Carr, LA RÉVOLUTION BOLCHEVIQUE *(1917-1923)* : I. LA FORMATION DE L'U.R.S.S. — II. L'ORDRE ÉCONOMIQUE — III. LA RUSSIE SOVIÉTIQUE ET LE MONDE.

François Châtelet, LA NAISSANCE DE L'HISTOIRE.

Carl von Clausewitz, DE LA GUERRE.

Gilles Deleuze, PRÉSENTATION DE SACHER-MASOCH. *Le froid et le cruel* avec le texte intégral de LA VÉNUS A LA FOURRURE — SPINOZA ET LE PROBLÈME DE L'EXPRESSION.

Wilfrid Desan, L'HOMME PLANÉTAIRE.

Eugen Fink, LE JEU COMME SYMBOLE DU MONDE — LA PHILOSOPHIE DE NIETZSCHE — DE LA PHÉNOMÉNOLOGIE.

Pierre Fougeyrollas, CONTRADICTION ET TOTALITÉ. *Surgissement et déploiements de la dialectique.*

Didier Franck, CHAIR ET CORPS. *Sur la phénoménologie de Husserl.*

Joseph Gabel, LA FAUSSE CONSCIENCE. *Essai sur la réification.*

Maria Carmen Gear et Ernesto Cesar Liendo, SÉMIOLOGIE PSYCHANALYTIQUE — ACTION PSYCHANALYTIQUE.

Wladimir Granoff, FILIATIONS. *L'avenir du complexe d'Œdipe* — LA PENSÉE ET LE FÉMININ.

Jacques Gutwirth, VIE JUIVE TRADITIONNELLE. *Ethnologie d'une communauté hassidique.*

G.W.F. Hegel, PROPÉDEUTIQUE PHILOSOPHIQUE.

Rudolf Hilferding, LE CAPITAL FINANCIER.

Louis Hjelmslev, ESSAIS LINGUISTIQUES — LE LANGAGE augmenté de DEGRÉS LINGUISTIQUES — PROLÉGOMÈNES A UNE THÉORIE DU LANGAGE suivi de LA STRUCTURE FONDAMENTALE DU LANGAGE.

Roman Jakobson, ESSAIS DE LINGUISTIQUE GÉNÉRALE : I. LES FONDATIONS DU LANGAGE — II. RAPPORTS INTERNES ET EXTERNES DU LANGAGE — LANGAGE ENFANTIN ET APHASIE — SIX LEÇONS SUR LE SON ET LE SENS.

Roman Jakobson et Linda Waugh, LA CHARPENTE PHONIQUE DU LANGAGE.

Ludovic Janvier, POUR SAMUEL BECKETT.

Karl Jaspers, STRINDBERG ET VAN GOGH — *Swedenborg-Hölderlin - Etude psychiatrique comparative,* précédé d'une étude de Maurice Blanchot, LA FOLIE PAR EXCELLENCE.

Otto Jespersen, LA PHILOSOPHIE DE LA GRAMMAIRE — LA SYNTAXE ANALYTIQUE.

Flavius Josèphe, LA GUERRE DES JUIFS, précédé par DU BON USAGE DE LA TRAHISON, par Pierre Vidal-Naquet.

Karl Korsch, MARXISME ET PHILOSOPHIE.

Reinhart Koselleck, LE RÈGNE DE LA CRITIQUE.

Georges Lapassade, L'ENTRÉE DANS LA VIE. *Essai sur l'inachèvement de l'homme.*

Henri Lefebvre, LA FIN DE L'HISTOIRE, *Epilégomènes* — INTRODUCTION A LA MODERNITÉ, *Préludes* — MÉTAPHILOSOPHIE, *Prolégomènes.*

Moshé Lewin, LE DERNIER COMBAT DE LÉNINE.

René Lourau, L'ANALYSE INSTITUTIONNELLE — L'ETAT-INCONSCIENT.

Georg Lukàcs, HISTOIRE ET CONSCIENCE DE CLASSE, *Essais de dialectique marxiste.*

Herbert Marcuse, EROS ET CIVILISATION, *Contribution à Freud* — L'HOMME UNIDIMENSIONNEL, *Essai sur l'idéologie de la société industrielle avancée* — VERS LA LIBÉRATION — L'ONTOLOGIE DE HEGEL ET LA THÉORIE DE L'HISTORICITÉ.

Richard Marienstras, LE PROCHE ET LE LOINTAIN. *Sur Shakespeare, le drame élisabéthain et l'idéologie anglaise aux XVI° et XVII° siècles.*

Edgar Morin, LE CINÉMA OU L'HOMME IMAGINAIRE.

Bruce Morrissette, LES ROMANS DE ROBBE-GRILLET.

Novalis, L'ENCYCLOPÉDIE.

Claude Reichler et al., LE CORPS ET SES FICTIONS.

Karl Reinhardt, ESCHYLE-EURIPIDE — SOPHOCLE.

Harold Rosenberg, LA TRADITION DU NOUVEAU.

Robert Sasso, GEORGES BATAILLE : LE SYSTÈME DU NON-SAVOIR.

Boris de Schlœzer et Marina Scriabine, PROBLÈMES DE LA MUSIQUE MODERNE.

Stuart Sykes, LES ROMANS DE CLAUDE SIMON.

Léon Trotsky, DE LA RÉVOLUTION (*Cours nouveau - La révolution défigurée - La révolution permanente - La révolution trahie*) — LE MOUVEMENT COMMUNISTE EN FRANCE (*1919-1939*) — 1905 suivi de BILAN ET PERSPECTIVES — LA RÉVOLUTION ESPAGNOLE (*1930-1940*) — LA RÉVOLUTION PERMANENTE — LA RÉVOLUTION TRAHIE.

Karl Wittfogel, LE DESPOTISME ORIENTAL.

CET OUVRAGE A ÉTÉ ACHEVÉ
D'IMPRIMER LE HUIT SEPTEMBRE MIL
NEUF CENT QUATRE-VINGT-QUATRE
SUR LES PRESSES DE JUGAIN
IMPRIMEUR S. A. A ALENÇON ET
INSCRIT DANS LES REGISTRES DE
L'ÉDITEUR SOUS LE NUMÉRO 1928

Dépôt légal : septembre 1984